L

W/D

Debitante

KETLĪNA
TESARO

The Debutante

KATHLEEN TESSARO

Debitante

KETLĪNA
TESARO

KONTINENTS
RĪGA

UDK 821.111-31
Te 760

No angļu valodas tulkojusi Gunita Mežule
Vāka dizains Artūrs Zariņš
Foto *Corbis/Scanpix*

ISBN 978–9984–35–578–8

Anabelai

Pateicības

Esmu ārkārtīgi pateicīga par atbalstu un padomu Linnai Drū un Klērai Bordai no *Harper Collins*. Viņas strādāja cieši kopā ar mani pie šī romāna kopš paša tā sākuma un nospēlēja būtisku lomu tā toņa un satura veidošanā. Man ir ārkārtīgi paveicies sadarboties ar tik talantīgām redaktorēm, kuras vēl aizvien gatavas ieguldīt ilgtermiņa pūliņus tikko aizsāktā romānā (un iesācējā autorē). Tāpat arī Kerija Ferona no *William Morrow* un Džonijs Gellers no *Curtis Brown* pelnījuši milzīgu paldies par savu uzticēšanos, aizrautību un vērtīgajām piezīmēm. Īpašas pieminēšanas vērta ir Viktorija Hjūdža-Viljamsa, kuras pacietība, gudrība un operatīvā iejaukšanās paglāba manu ādu ne vienu reizi vien. Vēlos pateikties arī Džilianai Grīnvudai, Debrai Sasmenai, Keitai Morisai un Džilai Robinsonei par papildu drosmes devām un nekļūdīgo rezonansi.

Būtu nepiedodami nepieminēt savu vecāku Enas un Edvarda Tesaro fantastisko mīlestību un laipnību: viņi ne reizes nav atteikušies sniegt vajadzīgo praktisko un emocionālo atbalstu.

Un, bez šaubām, Anabelai Džailzai, kura man parādīja turpmāko ceļu ar piemēra palīdzību un kuras garīgais dāsnums nebeidz vien mani iedvesmot.

Slēpj bīstamu klusumu stunda tā,
Un stingumu, pārpilnai sirdij kas
Liek atvērties pašai, bez tiesībām
Reiz bijušā rimtumā atkal stāt:
Tā sudraba gaisma, kas, svētījot torni,
Dailes maiguma segā ietīt spēj,
Tā iedvašo sirdī un iesveļ krūtīs
To mīlošo gurdumu, kas nav miers.

Lords Bairons "Dons Žuans"

Pirmā daļa

Londonas Sitijas pašā sirdī, patvērusies vienā no līkumainajām ieliņām aiz Grejsinna laukuma un Holbornas stacijas, atrodas šaura šķērsieliņa, kas pazīstama ar Žokejfīldsas nosaukumu. Tas ir līkumots, nelīdzens ceļa gabals, kas te atradies jau kopš lielā ugunsgrēka un kopš tā laika nav daudz mainījies. Pavaldonības laiku karietes reiz bija nomainījuši karalienes Viktorijas laikmeta kebi, bet tagad kurjeri divriteņos traucās pa tās slīpo, bruģēto ceļu, apbraucot gājējus.

Bija maija sākums, neparasti karsts – pulkstenis rādīja vēl tikai deviņi no rīta, bet jau bija septiņdesmit seši grādi pēc Fārenheita. Zilas debesis bez neviena mākoņa ieskāva tālumā redzamo Senpola katedrāles kupolu. Ietve vai mudžēja no strādnieku armijas, kas plūda no netālās metro stacijas: meitenes sorbeta krāsas vasaras kleitās, vīrieši vienos kreklos, pārmetuši žaketi pār roku, apbruņojušies ar stipru kafiju un avīzēm, un viņu papēžu ritms izsita uz ietves nepārtrauktu takti.

Trīspadsmitā māja Žokejfīldsā bija karaļa Džordža laiku iešķība ēka ar divviru ieejas durvīm; tā bija nokrāsota melnā krāsā pirms daudziem gadiem un tagad prasījās pēc svaigas krāsas kārtas, iespiesta starp bukmeikeru kantori un juridisko konsultāciju. "Devero un Diploka, vērtētāju un izsoļu rīkotāju" durvis noturēja atvērtas ķīniešu melnkoka figūriņa: neliels suns ar pieplacinātu purnu, visticamāk, astoņpadsmitā gadsimta darinājums, taču ļoti slikti atjaunots; tas atradās tur cerībā ievilināt telpās kādu svaigu rīta vēja pūsmu. Zeltaini saules staru kūļi ieplūda iekšā caur logu vitrāžām, putekļi griezās gaisā, ieķērās sijās un biezā slānī klājās pāri kādreiz izcilajam, bet tagad nedaudz noplukušajam telpu iekārtojumam vienā no Londonas mazāk zināmajiem izsoļu namiem. Austrumnieciskais paklājs, smalks, iepriekšējā gadsimtā ar rokām darināts izstrādājums no Pakistānas ziemeļdaļas bija izdilis. Porcelāna puķu podi, kuri greznoja kamīna malu un kuros plauka reibinoši smaržojošas hiacintes, bija mazliet par daudz iedauzīti, lai varētu ienest kādu nopietnu peļņu, un divdesmitā gadsimta trīsdesmito gadu ādas klubkrēslu sēdekļi pie kamīna bija ieliekušies gandrīz līdz grīdai, atsperēm rēgojoties ārā no zirga astru oderējuma. Kanaleto reprodukcijas karājās līdzās košiem akvareļiem, kurus bija gleznojusi kāda sen mirusi lauku māju saimniece: ainavas, puķes un aizkustinoši bērnu portretu mēģinājumi. Pie "Devero un Diploka" gluži saprotamā kārtā nāca reiz aristokrātiskās ģimenes, kuru bagātības jau sen vairs netika līdzi izcelsmei un kuras vēlējās labāk pārdot savu mantojumu ātri un neuzkrītoši nekā iekļaut to ļoti publiskajos *Sotheby's* un Christie's katalogos. Viņi bija pazīstami, pateicoties bezdrāts telefonam un reputācijai, un slēdza darījumus ar vieniem un tiem pašiem Eiropas un Amerikas senlietu tirgotājiem gadu desmitiem ilgi. Viņu daļa bija izmirstošas šķiras izmirstošā māksla: viņi bija kas līdzīgs senlietu bēru rīkotājiem ar Reičelu Devero priekšgalā – viņas nelaiķa vīrs Pols bija mantojis šo uzņēmumu pēc apprecēšanās pirms trīsdesmit sešiem gadiem.

Reičela, smēķēdama cigareti ar garu pērļu iemuti, pie kura bija tikusi, izpārdodot izputējušas divdesmito gadu filmzvaigznes mantas, sēdēja un aplūkoja papīru kaudzi uz sava milzīgā rakstāmgalda ar atlokāmo virsmu. Sešdesmit septiņu gadu vecumā viņa vēl aizvien bija žilbinoša, ar lielām, brūnām acīm un zinošu, atbruņojošu smaidu. Viņas ģērbšanās stils bija netradicionāls: plīvojošas mūsdienīgu, japāņu modes iedvesmotu, asimetrisku apģērbu kārtas. Un viņai piemita vājība uz sarkanām kurpēm, kas bija kļuvušas par viņas pazīšanās zīmi gadu gaitā – šodien izvēle bija kritusi uz senatnīgām tūkstoš deviņi simti astoņdesmit devītā gada ražojuma *Ferragamo* laiviņām. Atglauzdama savus biezos, sudrabainos matus no sejas, viņa paraudzījās augšup uz garo, labi ģērbušos vīrieti, kurš staigāja šurpu turpu.

– Tas būs aizraujoši, Džek. – Viņa izelpoja; gara, tieva dūmu strūkliņa pacēlās gaisā kā rēgs, ieskaujot viņas galvu. – Uztver viņu kā pavadoni, cilvēku, ar kuru aprunāties.

– Man nav vajadzīga palīdzība. Es labi spēju to paveikt viens pats.

Džeks Koutss atstāja jauna cilvēka iespaidu, kaut arī viņam tuvojās četrdesmit piektā jubileja. Viņš bija slaids, ar elegantiem aristokrāta vaibstiem, biezām skropstām, kas ietvēra indigo krāsas acis, un kustējās ar dzīvnieka grāciju. Viņa tumšie mati bija īsi apgriezti, lina uzvalks labi pašūts un izgludināts, taču zem koptās ārienes jautās nesavaldāma, neparedzama enerģija. Viņš bija cilvēks, kurš izaicināja paša priekšstatu par sevi. Saraucis pieri, viņš apstājās, ar pirkstiem bungojot pa dokumentu skapi.

– Man labāk patīk to darīt vienam. Nav nekā garlaicīgāka par sarunām ar svešiem cilvēkiem.

– Līdz turienei ir triju stundu brauciens. – Reičela atlaidās krēslā, vērodama viņu. – Nez vai viņa vairs būs svešs cilvēks, kad jūs nonāksiet galā.

– Es labprātāk brauktu viens pats, – viņš atkārtoja.

– Tā jau ir tava nelaime: tu labprātāk visu dari viens pats. Tas tev nenāk par labu. Turklāt, – Reičela iebirdināja pelnus tukšā tējas tasē, – viņa ir ļoti skaista.

Viņš pacēla skatienu.

Reičela izlieca vienu uzaci, un viņas lūpās parādījās smaida atblāzma.

– Kāda tam nozīme? – Sabāzis rokas kabatās, Džeks aizgriezās. – Varbūt man vajadzētu norādīt, ka te nav kāds neliels gadsimtu mijas krievu ciemats un tu neesi vecējoša ebreju savedēja, kas pelna iztiku, sapārojot pilnīgus svešiniekus un viņus apgredzenojot. Mēs dzīvojam Londonā, Reičela. Jaunā gadu tūkstoša sākumā. Un es lieliski spēju padarīt darbu, ko vienatnē esmu darījis pēdējos četrus gadus – bez tavām jaunajām māsasmeitām, kuras nupat iebraukušas no Ņujorkas, lai grozītos man apkārt.

Reičela izmēģināja citu taktiku.

– Viņa ir māksliniece, kurai piemīt lieliska acs. Viņa tev ļoti noderēs.

Džeks nosprauslojās.

– Pēdējā laikā viņai neklājās viegli.

– Vai tas nozīmē, ka viņa ir pašķīrusies ar savu draugu? Kā jau teicu, man nav vajadzīga pavadone. Jo īpaši untumaina mākslas studente, kura pavadīs visu laiku, runādama pa telefonu un strīdēdamās ar savu mīļāko.

Nospiezdama cigareti, Reičela izņēma savas lasāmbrilles.

– Jau esmu viņai pateikusi, ka var braukt.

Džeks apcirtās riņķī.

– Reičela!

– Tā ir liela māja, Džek. Pat jums abiem vajadzēs vairākas dienas, lai visu novērtētu un iekļautu katalogā. Un tev ir vajadzīga palīdzība pat tad, ja tev nepatīk to atzīt. Tev nav ar viņu nebeidzami jāsarunājas un jāatklājas viņai līdz sirds dziļumiem. Taču, ja tu spēsi izturēties pieklājīgi, varbūt ievērosi, ka patiesībā ir gluži patīkami visu nedarīt vienam.

Džeks staigāja pa istabu kā krātiņā ieslodzīts dzīvnieks.

– Nespēju noticēt, ka tu esi to izdarījusi!

– Ko izdarījusi? – Viņa cieši paraudzījās uz Džeku pāri briļļu malai. – Nolīgusi palīdzi? Es esmu tava darba devēja. Turklāt viņa ir gudra. Studējusi Kuro mākslas institūtā, Čelsijas un Kembervelas mākslas koledžā...

– Cik daudz mākslas skolu vajag vienam cilvēkam?

– Nu, – Reičela viltīgi pasmaidīja, – viņa labi prata tajās iestāties.

– Tas neko daudz nepalīdz.

Viņa iesmējās.

– Tas būs piedzīvojums!

– Man nav vajadzīgi piedzīvojumi.

– Tagad viņa ir mainījusies.

– Es strādāju viens.

– Nu... – Reičela sāka rakņāties pa rēķinu un čeku kaudzi, kaut ko meklēdama, – tagad tev būs asistente, kas palīdzēs.

– Tā ir vistīrākā radu būšana.

Viņa pacēla galvu.

– Keitijā nekas nav vienkāršs un skaidrs. Jo ātrāk to sapratīsi, jo vieglāk tev būs.

– Starp citu, ko viņa darīja Ņujorkā?

– Īsti nezinu.

– Man likās, ka jūs abas esat tuvas.

– Viņas tēvs tikko bija miris. Viņš bija jauns, alkoholiķis. Keitija gribēja sākt no sākuma, un mums tur bija šādi tādi sakari, Pols pazina dažus mākslas priekšmetu tirgotājus, kuri bija ar mieru palīdzēt meitenei nostāties uz kājām. Timu Bolsu, Dereku Konstantainu...

– Konstantainu? – Džeks viņu pārtrauca. – Man likās, ka viņš interesējas tikai par pārbagātajiem.

– Jā, tiesa. Viņa tam iepatikās.

– Varu derēt, ka iepatikās!

Reičela uzmeta Džekam skatienu.

– Nedomāju, ka viņš sliecas uz to pusi.

– Esmu pārliecināts, ka viņš sliecas uz to pusi, kur ir nauda, un tas viņu nepadara pievilcīgāku.

– Ņujorka nav pilsēta, kurā jauna sieviete var vienkārši parādīties. Ir vajadzīgi kontakti. – Atvērusi augšējo atvilktni, Reičela paraknājās pa tās saturu. – Tas ir tikai minējums, taču man šķiet, ka viņš tev nepatīk.

– Mans tēvs sadarbojās ar viņu. Pirms daudziem gadiem. Tātad... – Džeks mainīja tematu, – viņa ir apmetusies pie tevis, pareizi?

– Pagaidām. Viņas māte dzīvo Spānijā. – Reičela nopūtās, un viņas seja saspringa. – Viņa ir ļoti mainījusies. Pavisam mainījusies. Nebiju saņēmusi ziņas jau mēnešiem ilgi... pat ne telefona zvanu... un piepeši viņa nokrita kā no zila gaisa.

Piepeši kurjera divritenis, iedūkdamies kā milzu lapsene, nozibēja garām durvīm galvu reibinošā ātrumā.

– Augstais dievs! – Džeks pagriezās, noskatīdamies, kā tas gandrīz aizķer pāris meitenes, kuras nāca ārā no kafejnīcas. – Viņi ir īstas briesmas! Gan reiz kāds tiks savainots.

– Džek. – Reičela uzlika savu plaukstu uz viņējās un veltīja Džekam savu visplatāko smaidu. – Izdari to manis dēļ, labi? Domāju, ka viņai tas nāks par labu – brauciens uz laukiem, laika pavadīšana ar kādu, kas pēc vecuma ir viņai tuvāks.

– Ha! – Viņš viegli saspieda Reičelas pirkstus, pirms pārvietot plaukstu. – Es neesmu nekāda bērnaukle, Reičela. Starp citu, kur īsti atrodas tā māja?

– Devonas piekrastē. Endslija. Vai kādreiz esi par to dzirdējis?

Viņš papurināja galvu.

– Paklau, es neesmu... tu jau zini, neesmu nekāds labais sarunu biedrs.

– Var jau būt. Taču tu esi labs cilvēks.

– Esmu neveikls cilvēks, – viņš izlaboja, pieiedams pie kamīna.

– Tev nav jāraizējas. Keitija nebūs problēma, es tev apsolu. Varbūt tev pat patiks. – Reičela notvēra Džeka skatienu spogulī virs kamīna dzegas. Viņas balss atmaiga. – Tev vajadzētu mazliet papūlēties.

– Jā, visi to saka.

Reičela klusēja. Nejaušs vējiņš nočaukstināja papīrus viņas priekšā.

– Nu labi. Tiktāl nu esam, – Džeks nosprieda. Viņš paņēma savu portfeli no nobružātā ādas klubkrēsla, kur bija to atstājis, un devās uz durvīm. – Man jāstrādā.

– Džek...

– Pasaki savai māsasmeitai, ka mēs izbraucam rīt pusdeviņos. – Viņš pagriezās. – Un es negrasos izšķiest visu rītu gaidot, tāpēc lai viņa ir gatava. Ak jā, – viņš apstājās uz sliekšņa, – un mēs klausīsimies *La Nozze di Figaro* turpceļā, tāpēc nekādas sarunas nebūs vajadzīgas.

Reičela iesmējās.

– Un ja nu viņai nepatīk opera?

– Viņa var arī nebraukt līdzi! – Džeks pamāja, dodamies ārā un ātri vien pazuzdams Žokejfīldsas cilvēku straumē.

Reičela noņēma brilles un izberzēja acis. Tās šodien sūrstēja miega trūkuma dēļ.

Parakņājusies somiņā, viņa izņēma cigaretes.

Šis darbs viņam nederēja. Džekam vajadzēja darīt ko tādu, kur viņš būtu cilvēkos, atpakaļ dzīves mutulī, nevis uzskaitītu mirušo mantību. Varbūt viņai vajadzēja noalgot sekretāri. Kādu jautru jaunu sievieti, kas Džeku izkustinātu no sastinguma. Varbūt rudmati?

Pieķērusi sevi pie šīs domas, Reičela pasmaidīja. Džekam bija taisnība – viņa nebija nekāda ebreju savedēja.

Apgriezusies krēslā, viņa pārcilāja papīru kaudzes, jau atkal meklēdama telefona numuru. Reičelas nelaiķa vīrs allaž bija apgalvojis, ka sievas savādā dokumentu kārtošanas sistēma reiz viņu pievils. Tomēr šī nebija tā reize: Reičelai vairāk par visu vajadzēja aprunāties ar māsu Annu. Jo īpaši tagad, kad Keitija bija atgriezusies. Ciltsmātes loma bija Annas stiprā puse. Reičelai patika bohēma, bet Annai mājas pavards. Tur nekas nebija mainījies. Vismaz līdz Annas nesenajai aizbraukšanai uz nelielu pilsētiņu ārpus Malagas, liekot Reičelai sajusties negaidīti pamestai un savādā kārtā apvainotai. Viņas pārsteigums bija pilnīgi egoistisks, un viņa to zināja. Viņas māsa bija uzdrošinājusies apšaubīt abu lieliski sacerēto lomu scenāriju, neaprunājoties ar viņu, izmetot Reičelu no savas vecās dzīves, it kā tā nebūtu nekas vairāk par kādu apģērba gabalu, kas kļuvis bezveidīgs un vairs nepieguļ no ilgas valkāšanas.

– Esmu nogurusi no Londonas, – Anna bija paziņojusi, kad Reičela viņai palīdzēja sakravāt mantas Haigeitas dzīvoklī, kas māsai piederēja divdesmit divus gadus. – Gribu sākt visu no sākuma, tādā vietā, kur neviens mani nepazīst.

Todien viņai bija piemitis bērnišķīgs optimisms: mērķtiecība un enerģija, kādu Reičela viņā nebija redzējusi gadiem ilgi. Un klusībā viņa apskauda māsas drosmi un pārdrošo pārliecību. Annas dzīve nebija viegla. Bērnības sirdsāķītis, ar kuru viņa apprecējās, nodeva viņu, pārvērsdamies izmisušā, neuzticamā alkoholiķī. Anna bija pūlējusies audzināt Keitiju viena un galu galā dabūjusi cīnīties ar meitas klusēšanu un dumpošanos, kam sekoja viņas piepešā aizbraukšana uz Ameriku. Nebija nekāds brīnums, ka Anna nolēma aizbēgt. Viņa bija pelnījusi jaunu dzīvi valstī, kurā netrūka saules un dienvidnieku temperamenta. Un tomēr, kad viņa pagājušajā nedēļā bija piezvanījusi, Reičela izturējās aprauti un aizvainoti. Viņa bija pierakstījusi Annas telefona numuru uz kādas papīra strēmeles, apsolīdama sev pārrakstīt to telefonu grāmatā vēlāk. Tagad bija "vēlāk", un viņa nespēja atrast to sasodīto papīra gabalu.

Paga. Kas tad tas?

Viņa pavilka aiz stūra ko tādu, kas rēgojās zem laikus nenodotu nodokļu veidlapu kaudzes.

Tā bija pastkarte.

Pirmajā brīdī tā atgādināja Engra slaveno gleznu "Odaliska". Taču, apskatot tuvāk, gultā atlaidušās kurtizānes zilās acis bija kļuvušas gaiši zaļas – tādā pašā dzidri zaļpelēkā krāsā kā Keitijai. Puse no viņas sejas atradās ēnā, bet otra puse gaismā. Viņas satraucošajam skatienam nez kādā veidā izdevās palikt izvairīgam, un tiešums pārvērtās maskā, aiz kuras viņa turpināja slēpties. Apgriezusi pastkarti otrādi, Reičela ieraudzīja rindiņu, kas bija rakstīta Keitijas hieroglifam līdzīgajā rokrakstā.

"Mākslinieka portrets"
Bučas. K.

Apakšā bija parakstīts: "Īstais viltojums: Keitas Elbionas oriģinālu reprodukcijas."

Keita. Viņa bija mainījusi visu iespējamo – savu vārdu, matu krāsu, pat darbu. Seno meistaru reprodukcijas ne tuvu nelīdzinājās milzīgajiem triptihiem, kurus viņa radīja mākslas skolā: tie bija dusmu un pārsteidzoša spēka pilni. Taču, no otras puses, viens no viņas talantiem nozīmēja spēju izgudrot sevi no jauna, izvandīt visdažādākos stilus un ikonogrāfiju ar nežēlību un ātrumu, kas bija gluži vai biedējoša.

Keitijā nekas nebija vienkāršs un skaidrs. Pat viņas karjeru kārtu kārtām klāja ilūzijas un dubultas nozīmes.

To viņa nebija meklējusi, tomēr Reičela apdomīgi ielika pastkarti lielajā ādas somā pie savām kājām.

Īstais viltojums.

Bērnībā Keitija bija kautrīga un nesabiedriska: tā vien likās, it kā viņa būtu gatavota no stikla. Taču, ja kaut kas bija saplīsis vai pazudis, tas nemainīgi saistījās ar viņu. Vai vēlāk, ja kaut kur tika rīkota ballīte vecāku prombūtnē, vienmēr izrādījās, ka tā bijusi Keitijas ideja. Meitene, kura tika pieķerta ne tikai smēķējam aiz skolas divriteņu nojumes, bet arī pārdodam cigaretes? Keitija. Viņā slēpās noteiktas gribas iezīmes, uguns, kas lēnām un dziļi gruzdēja zem virskārtas, uzliesmodama brīdī, kad to sabikstīja. Tas bija pārsteidzoši, perversi, bieži vien jocīgi un ironiski.

Reičela atkal iedomājās par apjukušo jauno sievieti, kura klīda pa viņas dzīvokli Merilbonā. Tik klusu, tik nedrošu.

Kad viņa bija jautājusi Keitijai, kas viņu atvedis atpakaļ uz Londonu, meitene vienkārši paraustīja plecus.

– Man ir vajadzīgs pārtraukums. Jauna perspektīva. – Tad viņa bija piepeši pagriezusies pret Reičelu ar plati ieplestām acīm, saspringusi. – Tev taču nav iebildumu, ko?

– Nē, nē, protams, ka nav, – Reičela bija apgalvojusi. – Tev jāpaliek tik ilgi, cik vien vēlēsies.

Pēc tam viņa bija mainījusi tematu. Tomēr Keitijas sejas izteiksme nedeva Reičelai mieru.

Aizkūpinādama nākamo cigareti, Reičela atbalstīja zodu rokā, dziļi ievilkdama dūmu.

Baidīšanās nemaz neizskatījās pēc Keitijas.

Viņa bija noslēpumaina, tas gan.

Bet nekad ne nobijusies.

Džeks piebrauca pie Vimpolstrītas pirmā A numura nākamajā rītā ar savu prieku un lepnumu, vecu tūkstoš deviņi simti sešdesmit trešā gada *Triumph*. Uz kāpnēm stāvēja jauna, neliela auguma, slaida sieviete, uz pieres gludi apgrieztiem matiem, kas agrajā rīta saulē izskatījās gandrīz balti. Viņas seja bija ovāla, ar zaļām acīm, āda zeltaini iedegusi. Viņa bija ģērbusies gaišā lina kleitā, sandalēs un krēmkrāsas kašmira jakā. Vienā rokā viņa turēja mantu somu, bet otrā – oriģinālu *Hermès Kelly* somu koši oranžā krāsā. Uz viņas smalkajām locītavām šķindēja sudraba rokassprādzes, bet ap kaklu bija aplikta vienkārša mazliet iesārtu pērļu virtene.

Viņa bija skaista.

Viņas valdzinājums Džekam likās traucējošs.

Šī nebija tā izsisties alkstošā māksliniece, kuru viņš gaidīja. Šī bija sabiedrības dāma, uzlecoša zvaigzne, stilīga būtne, kam piemita grācija un stāja. Kāpdama lejā pa kāpnēm, viņa neviļus ielika savās kustībās nevērīgu seksuālas iespējamības zemtekstu. Kad meitene apsēdās viņam līdzās, Džeks sajuta vieglu svaigi pļautas zāles, piparmētru un tuberožu aromātu: spēcīgs sajaukums, kam bija raksturīgi asi stūri un izsmalcināta greznība. Bija pagājis ilgs laiks, kopš pievilcīga sieviete sēdēja viņam līdzās šajā mašīnā. Tā bija nemieru raisoša, jutekliska apziņa.

Pagriezusies viņa pastiepa roku.

– Es esmu Keita.

Meitenes plauksta ieslīdēja viņējā vēsa un gluda. Viņš attapās, ka tā vietā, lai plaukstu paspiestu, viņš to tur savējā gandrīz vai bijīgi. Viņa pasmaidīja, lūpām lēni paveroties virs līdzenu, baltu zobu rindas, zaļajām acīm urbjoties viņējās. Un Džeks nebija ne atjēdzies, kad jau smaidīja pretī savu viegli iešķībo smaidu, kas izveidoja krunciņu tīklu pie acīm un lika degunam saraukties:

viņš smaidīja šai zeltainajai būtnei, kuras plauksta tik patīkami iegūla viņa paša plaukstas izliekumā, kura tik ideāli rotāja viņa vecmodīgās vaļējās automašīnas priekšējo sēdekli.

– Tu to nevēlies, un es arī ne. – Viņas balss bija intīmi pieklusināta. – Mums nav obligāti jāsarunājas.

Un, to pateikusi, viņa atvilka plaukstu, apsiedama ap galvu zīda šalli un uzlikdama uz acīm saulesbrilles raibos rāmjos.

Un viņa bija projām, jau tagad attālinājusies.

Džeks samirkšķināja acis.

– Vai tu gribētu... vai opera derēs? *Le Nozze di Figaro*?

Viņa pamāja.

Džeks nospieda pogu, iedarbināja motoru un iekļāvās satiksmē. Viņš tik ļoti bija bažījies par saspringumu saskarsmē ar meiteni, ka nebija spējis aizmigt. Pirmīt, kravādams somu, viņš lādēja Reičelu.

Tagad, iebraucot plašajā Portlendpleisas avēnijā, aiz kuras viņu priekšā izklājās Rīdžentparka zaļums, viņš jutās samulsis, zaudējis drosmi. Viņš bija gaidījis nervozu, sevī ierāvušos meiteni, no kuras nesaprātīgajiem jautājumiem nāksies atgaiņāties. Viņš bija apņēmies izveidot abu starpā vārdos nenosauktu robežu, izmantojot lietišķu toni un aprautas atbildes. Taču nu viņa domas strauji joņoja, meklējot kādu gudru paņēmienu, kas ļautu atkal izdzirdēt viņas balsi.

Bez šaubām, viņš katrā laikā varēja uzdot kādu vienkāršu jautājumu. Taču bezvārdu sēdēšanā viņai līdzās slēpās kaut kas netverami valdzinošs. Galu galā viņu tuvināšanās bija neizbēgama: viņus gaidīja stundas, pat dienas. Džeks sajuta, ka viņa to apzinās. Un tas viņu intriģēja.

Skaudri apzinādamies ikvienu sava ķermeņa kustību līdzās viņai, Džeks pārslēdza ātrumus, gandrīz pieskardamies Keitas ceļgalam. *Le Nozze di Figaro* uvertīras niknā aizrautība piepildīja gaisu abu starpā ar izsmalcinātu, uzlādētu spriedzi. Viņi strauji pabrauca garām parka vārtiem. Motors iedūcās, viņam piedodot gāzi, lai pašautos garām garai automašīnu rindai neraksturīgi pārgalvīgā veidā.

Un piepeši viņa smējās, atmetusi galvu atpakaļ un ieķērusies savā sēdeklī: tie bija negaidīti zemi, pasaulīgi smiekli.

Viņa ir sieviete, kurai patīk ātrums, viņš nodomāja, juzdamies bērnišķīgi iepriecināts par sava manevra panākumiem. Un Džeks nepaguva ne attapties, kad jau bija apdzinis vēl trīs mašīnas, šķērsojis Merilbonroudas krustojumu pie dzeltenās gaismas un izšāvies priekšā furgonam, uzbraucot uz šosejas.

Citu automašīnu signāltaures pavadīja viņu straujo izbraukšanu no Londonas.

Un pirmo reizi kopš ilga laika ar pasauli viss bija kārtībā. Šis bija skaists, saulains rīts – visa vasara vēl bija viņiem priekšā. Džeks sajutās izskatīgs, vīrišķīgs un jauns.

Un arī viņš smējās.

Augstu klints galotnē, kur govju un jēru punktiņiem izraibinātie lauki kalnu piekājē saplūda ar jūras plašumu, Endslija slējās viena pati. Tā piederēja pie plaša īpašuma un vienīgā vērās uz līcīti un apkārtējiem kalniem, no kuru skaistuma aizrāvās elpa. Godkārīgā Roberta Adama uzbūvēta no gaiši pelēkiem akmeņiem, tā slējās augšup kā miniatūrs romiešu templis, un mājas klasiskās proporcijas harmoniski saderējās ar lekni zaļajiem laukiem, kuri to ieskāva, atspoguļojot ainavas idillisko pilnību mājas neoklasicisma stila kupolā un atturīgajās, slaidajās kolonnās. Augstas mūra sienas stiepās akriem tālu katrā mājas pusē, aizsargājot gan itāliešu rožu dārzus, gan sakņu dobes no vētrainajiem ziemas vējiem, kamēr līkumainais grantētais piebraucamais ceļš un centrālā strūklaka, kas sen vairs netika lietota, piešķīra mājai izsmalcinātas, nevērīgas simetrijas pieskaņu.

Tā bija iespaidīga, bet tajā pašā laikā nevaldāma, demonstrējot nesenas pamestības pazīmes. Mauriņš mājas priekšā bija pāraudzis, strūklakā saauguši zāles kumšķi, kas izrādījās tik gari, ka gandrīz aizsedza centrā novietoto Artemīdas figūru, kura ar visu loku un bultām graciozi balansēja uz viena pirksta medību pozā. Nebija neviena, kas parūpētos par notekām, ja tās iebruktu, vai rozēm, ja tās saaugtu, kur nevajag. Tā bija māja bez sava sargātāja, un tās skaistā fasāde lēnām padevās neizbēgamajai dabas un laika patvaļai.

Pirms paša piebraucamā ceļa neuzkrītoša norāde informēja par telts vietām teritorijā gandrīz jūdzi tālāk kalnos, tuvāk piekrastei, kur tās palika neredzamas lielās mājas iemītniekiem. Lejā līcis viegli izliecās kā skaujoša roka, un tālāk okeāns saplūda ar zilajām debesīm kā gaiši pelēka svītra, kura sakūst ar zilā kupola bezgalību. Debesis bija dzidras, bez neviena mākonīša. Vēsas vējpūtas mazināja pusdienlaika svelmi.

Džeks piebrauca pie mājas, riteņiem nošvīkstot pret celiņa granti, un izslēdza motoru.

Viņi kādu brīdi sēdēja, aplūkodami māju, tās novietojumu, lauku ainavu un lejā redzamo jūru. Neviens no viņiem nevēlējās izkustēties. Bieza un smaga klusuma sega ieskāva viņus, būdama tikpat taustāma kā svelme. Tas bija mulsinoši. Ikviena pilsētnieka iekšējais kompass, ko veidoja pastāvīgais fona troksnis rosības perifērijā, šeit izpalika.

– Tā ir daudz lielāka, nekā biju iedomājusies, – Keita beidzot noteica.

Tā bija savāda piezīme. Šejienes skaistums bija acīmredzams, uzkrītošs. Vai varbūt viņa klusībā rēķināja, cik ilgu laiku viņi šeit pavadīs vieni?

– Jā. Laikam gan.

Atvērusi mašīnas durvis, viņa izkāpa. Pēc tik ilga brauciena zeme zem kājām likās nestabila.

Džeks sekoja, un viņi kopā devās uz ārdurvīm, paiedami garām rožu krūmu rindai, kas bija pilnos ziedos un smaržīgi, pilni ar dūcošiem kukaiņiem.

Viņš nospieda zvana pogu. Pēc brīža kļuva sadzirdams tuvojošos soļu troksnis.

Gara auguma tievs vīrs tumšā uzvalkā atvēra smagās ozolkoka durvis. Viņam bija krietni pāri piecdesmit, gara, bāla seja un pašķidri sirmi mati. Viņa sejā izcēlās lielas, sērīgas acis, kuras smagnēji ieskāva tumši loki.

– Jūs laikam būsiet Koutsa kungs no "Devero un Diploka", – viņš bez smaida minēja.

– Jā.

– Esiet sveicināti. – Viņš paspieda Džeka roku.

– Un tā ir Elbionas jaunkundze, mana... palīdze, – Džeks piebilda.

– Džons Simss. – Vīrietis nosauca savu vārdu, viegli pieliekdams galvu Keitas virzienā, itin kā viņam būtu ieplānots tikai viens rokasspiediens un viņš negrasītos šķiesties ar vēl vienu. – No firmas "Smits, Būtrojs un Ērls". Mēs nodarbojamies ar iedzīves likvidāciju ģimenes labā. – Viņš pagāja nostāk, un viesi pārkāpa pāri slieksnim, ieejot vestibilā. – Esiet sveicināti Endslijā.

Vestibils bija atturīgs un oficiāls ar melnbaltām marmora flīzēm un diviem milzīgiem mahagonija skapjiem ar smalkām inkrustācijām, kas bija piepildīti ar porcelāna kolekcijām. Virs kamīna dzegas karājās liela, neuzkrītoša eļļas glezna ar māju un apkārtējo teritoriju. Četras platas durvis veda no vestibila dažādos virzienos.

– Vai brauciens bija patīkams? – Simsa kungs kokaini apjautājās.

– Jā, paldies. – Keita pagriezās, lai nopētītu smalkās Drēzdenes porcelāna figūriņas, kas bija izkārtotas vienkopus vienā no skapjiem. Figūriņas bija pieliekušas galvu viena otrai pretī ar caurspīdīgām porcelāna sejām un sārtām rožu pumpuriem līdzīgām lūpām, nostājušās pozā, kas spilgti attēloja idillisku pavedināšanas un uzticēšanās ainu.

– Jā, satiksme nebija pārāk blīva, – Džeks noteica, tūlīt pat nožēlodams, ka nav izvēlējies kādu mazāk banālu sakāmo.

Simsa kungs bija cilvēks, kas maz runāja un vēl mazāk bija tendēts uz saviesīgu pieklājību.

– Lieliski. – Izsmēlis savu laipnību klājumu, viņš atvēra vienas no durvīm. – Ļaujiet man jums izrādīt māju.

Viņi sekoja Simsa kungam galvenajā zālē ar platām kāpnēm galeriju veidā, kurās bija izstādīti ģimenes portreti un ainavas. Tur bija lauku mājas klišeju kolekcija – pāris stīvu gotisku krēslu atradās abās pusēs tikpat senam ozolkoka galdam, briežu galvas un izbāztas zivis bija novietotas virs durvīm, bet zem kāpnēm vīdēja pat bronzas pusdienu gongs.

Keita pacēla galvu. Augšā iespaidīgajā kupolā izbalējuši dievi un dievietes draiskojās mazliet nolupušajās zilajās debesīs.

– Ak, cik skaisti!

– Jā. Taču tiem ir vajadzīgs remonts, tāpat kā gandrīz visai mājai. Tajā ir desmit guļamistabas. – Simsa kungs norādīja uz augšējiem stāviem, strauji novicinādams roku. – Es liku jums sagatavot saimnieka guļamistabu un lēdijas Eivondeilas apartamentus.

Viņš iesoļoja ēdamistabā, kas izrādījās plaša, tradicionāli iekārtota telpa ar garu pusdienu galdu, kas aizsniedzās līdz arkveida logam, pa kuru bija saskatāma strūklaka un mauriņš mājas priekšā.

– Ēdamistaba, – viņš paziņoja, gandrīz tūlīt pat dodamies uz citām durvīm, kas veda viesistabā ar spraišļotiem griestiem, bibliotēkas grāmatplauktiem, gaiši dzeltenām sienām un lielām klavierēm. Marmora krūšutēli greznoja cokolus starp plauktiem; divi senatnīgi, ar spilveniem piekrauti dīvāni sniedza ērtu patvērumu, kur saritināties ar grāmatu un tējas tasi. Rūsgans kaķis apmierināti gozējās saules apspīdētā laukumiņā uz zema zviļņa, skaļi ņurrādams.

– Viesistaba.

Viņš plaši atvēra vēl vienas durvis.

– Dzīvojamā istaba.

Un tā ekskursija turpinājās elpu aizraujošā ātrumā: cauri rīta istabai, kabinetam, zvejas piederumu istabai, pieliekamajam, sudrablietu istabai, galvenajai virtuvei ar garu priežkoka galdu un vēsām akmens plākšņu grīdām, kas veda uz otru, mazāku virtuvi un pagrabiem. Tas bija īsts labirints, ne māja. Nekāda tīrīšana nespēja no tās izdabūt vieglo putekļu un mitruma smaržu, kas bija iesūkusies mīkstajās mēbelēs gadu gaitā. Un par spīti karstumam, šeit gaisā valdīja pastāvīgs vēsums, itin kā tas nemanīts būtu patvēries ēnā.

Simsa kungs atgriezās dzīvojamajā istabā, atvērdams franču durvis. Viņi izgāja ārā nošķirtā dārza stūrītī mājas sānos, kur gluds mauriņš, kas robežojās ar pamatīgi ierīkotām puķu dobēm, veda uz nelielu itāliešu stila rožu dārzu. Tas izvietojās ap centrālo saules pulksteni ar grebtiem akmens soliem katrā stūrī. Tālumā krasta līnija iezīmēja līcīti, ūdenim mirguļojot miglainajā pēcpusdienas saulē.

Simsa kungs aizveda viņu uz mauriņa tālāko malu, kur vēsajā zirgkastaņas paēnā bija nolikts galds un krēsli. Uz galda atradās tējas piederumi: zila keramikas tējkanna, divas krūzītes, sviestmaizes ar sieru un šķīvis ar pildītajiem šokolādes biskvītiem.

– Cik ideāli! – Keita pasmaidīja. – Paldies jums!

Simsa kungs neapsēdās, bet gan koncentrējās, kā pārbaudīdams kādu iekšēju kontrolsarakstu.

– Saimniecības pārzine Viljamsas kundze iedomājās, ka jums kaut kas varētu būt vajadzīgs. Viņas dzīvoklis ir tur. – Viņš norādīja uz zemu kotedžu īpašuma tālākajā malā. – Viņa vakariņām sagatavojusi ganu pīrāgu. Un atvainojas, ja kāds no jums ir veģetārietis. – Viņš ieskatījās savā pulkstenī. – Koutsa kungs, baidos, ka man ir cita tikšanās, tāpēc būšu spiests jūs pamest. Cik noprotu, jūs ar Elbionas jaunkundzi pavadīsiet šeit nakti vai pat divas, lai novērtētu mājas saturu un sastādītu katalogu. Vai tas tiesa?

– Jā.

– Te būs atslēgu saišķis un mana vizītkarte. Ja jums kaut kas vajadzīgs, kamēr būsiet šeit, lūdzu, zvaniet man bez kādas šaubīšanās. Ja nē, tad varat atstāt atslēgas Viljamsas kundzei, kad brauksiet projām, un es gaidīšu ziņas no jums atbilstoši noteiktajai procedūrai par mantu vērtību un pārdošanu.

Džeks paņēma atslēgas un sarauca pieri.

– Vai viss tiks pārdots? Nav nekā tāda, ko ģimene vēlētos paturēt?

– Šajā valstī vairs nav palicis neviena ģimenes locekļa, Koutsa kungs. Visu īpašumu iegādājušies attīstītāji, kas vēlas to pārvērst luksusa viesnīcā, kuras ienākumi tiks nodoti labdarības mērķiem. Līdz ar to diemžēl nē. Atkārtoju, ja varu kā palīdzēt...

– Piedodiet, bet kas viņi bija? – Keita viņu pārtrauca, iekārtodamās vienā no krēsliem. – Kas dzīvoja Endslijā?

– Man likās, ka visi to zina. Te dzīvoja nelaiķa lēdija Eivondeila, kura labāk bija pazīstama ar savu meitas uzvārdu, Irēna Blaita, pulkveža sera Malkolma Eivondeila atraitne. Viņa nomira pirms diviem mēnešiem deviņdesmit divu gadu vecumā. Brīnišķīga sieviete, ļoti uzticama un devīga. Lēdija Eivondeila bija ļoti aktīva ziedojumu vācēja bērnu aizsardzības mērķiem, jo īpaši UNICEF. Viņa saņēma Britu impērijas ordeni tūkstoš deviņi simti septiņdesmit sestajā gadā. Protams, diemžēl tā ir viņas māsa, par kuru visi zina. Taču tā nu tas ir, vai ne? – viņš nopūtās. – Šīs pasaules krietnie nekad nav tik spoži kā ļaunie. Piedodiet, bet nu man patiešām jāiet. Jānolasa testaments Oterijsenmērijā pēc stundas. – Viņš tiem pamāja. – Priecājos ar jums abiem iepazīties. Viljamsas kundze allaž būs pie rokas, ja jums kaut kas vajadzīgs. Ceru, ka jums patiks uzturēšanās šeit. – Tad, viegli palocījies, viņš devās projām, ar platiem soļiem šķērsodams mauriņu.

– Man tikai tā liekas vai viņš patiešām bēg projām? – Keita ielēja tēju abās krūzēs. – Cukuru?

– Nē, pateicos. – Džeks paņēma sviestmaizi. – Viņš nebūs pirmais. Es atstāju uz cilvēkiem tādu iespaidu.

– Nekad neesmu neko dzirdējusi par Blaitiem. – Keita pasniedza viņam krūzi. – Un kas ir šī bēdīgi slavenā māsa?

– Diāna Blaita. Skaistās māsas Blaitas. Viņas abas bija debitantes, slavenas ar savu iekaroto slavu laikā starp abiem pasaules kariem. Vai tu tiešām nezini, kas viņas ir?

Keita papurināja galvu.

– Acīmredzot man ir nepietiekamas zināšanas. Pastāsti visu, ko tu zini.

– Nu, – Džeks atzinās, – godīgi sakot, tas arī ir viss. Zinu, ka Diāna pazuda kara laikā un tā arī netika atrasta. Daži apgalvo, ka viņa pārcēlusies uz dzīvi Amerikā. Citi domā, ka tikusi nogalināta. Esmu pārsteigts, ka tu neesi par viņu dzirdējusi.

– Acīmredzot manā izglītībā ir robi. – Keita malkoja tēju. – Cik dīvaini un romantiski!

– Tev ir ļoti dīvains priekšstats par romantiku.

– Man ir dīvaini priekšstati par daudzām lietām. – No mauriņa puses atvilnīja vējpūsma, viegli sakustinot viņas svārkus. – Kāds vecs relikts!

– Vai māja?

– Mhm.

– Tev tā neliekas apburoša?

– Nu, var jau būt. Taču tajā pašā laikā tā ir arī skumja. Un tik pozitīva – viena liela mājas klišeja.

– Visām šīm mājām piemīt zināma līdzība. Gadu gaitā esmu redzējis dučiem. Šo konkrēto izceļ atrašanās vieta un teritorija. Man patīk nolūkoties uz jūru. Un, lai arī tā ir tik neliela...

– Neliela!

– Desmit guļamistabas nav nekas. – Viņš iekārtojās krēslā Keitai pretī. – Gribu teikt, ka tā droši vien bijusi lieliska izklaidei, taču faktiski tā nav nekāda lielā.

– Nu, tagad te esam tikai mēs abi un Viljamsas kundze. – Keita pievēra acis. – Tā ir mierīga, – viņa nopūtās. – Un nosaukums ir tik rosinošs. Endslija!

Jūra atradās pārāk tālu, lai būtu sadzirdama, taču vēja čabināšanās lapās, putnu vīterošana un svaigi pļautas un saules apspīdētās zāles siltā smarža viņu nomierināja.

– Te ir mierīgi, – Džeks piekrita.

No Keitas somiņas atskanēja truls, uzmācīgs mobilā telefona zvans.

Viņa atvēra acis.

Telefons turpināja zvanīt.

– Vai tu neatbildēsi?

– Man likās, ka te nebūs zona.

Beidzot zvanīšana apklusa.

– Nu ko, – Džeks pasmaidīja, – tu no kāda izvairies?

Keitas sejas izteiksme bija vēsa, it kā viņa būtu aplaistīta ar ledusaukstu ūdeni no spaiņa.

– Tas bija tikai...

– Tam nav nozīmes. – Viņa piecēlās. – Te ir pārāk karsti. Iešu augšā izkravāt mantas. Dod man ziņu, kad tu vēlēsies sākt.

Džeks mēģināja vēlreiz.

– Paklau, es atvainojos, ja...

– Tas nav nekas, – viņa to pārtrauca. – Tas it nemaz nav svarīgi.

Paņēmusi savu somiņu, viņa devās pāri mauriņam. Džeks noskatījās, kā Keita iziet cauri caurspīdīgā auduma slāņiem, kas plivinājās vējā pie franču durvīm, nozuzdama mājā.

17 Rue de Monceau
Parīze

1926. gada 13. jūnijā

Mana dārgā Rēna!

Mā man atsūtīja izgriezumu no The Times *ar Tavu brīnišķīgo fotogrāfiju. Mis Irēna Blaita – viena no sezonas debitantēm! Un tā patiešām ir! Kā viņi panāca, lai Tavi mati izskatītos tā? Vai Tu tos esi apgriezusi zēngalviņā? Atceries, ka gribu dzirdēt katru vismazāko sīkumu, jo īpaši par visu, kas ar Tevi* NOTIEK *– pat garāmejoša pagrābstīšanās gaitenī man šķiet aizraujoša, jo es atrodos* TRIMDĀ *līdz nākamajam gadam.*

Ja runājam par mani, esmu vai beigta no garlaicības, pat neskatoties uz Eiropas izcilākās pilsētas romantiku. Tas ir Madame Galjē mūžīgais piedziedājums – jūsu vecāki tērē par jums veselu bagātību... un tā tālāk, un tā joprojām... Skaidrs, ka viņa patiesībā mums neļauj nekur iet, kas ir pārāk kaitinoši. Ja neskaita zīmēšanas stundas un braucienus uz Ladurē (franči nespēj pagatavot kārtīgu tēju), un nebeidzamos gājienus uz baznīcām. Tu redzi, ka viņa ārkārtīgi nopūlas, mani izglītojot, – mums reti kad tiek atļauts spert kāju pa-

šā Parīzē – kādā teātrī vai naktsklubā, nemaz nerunājot par Folibežēru. Turklāt viņa ir pilnveidojusi man rezervēto smīnu, izrunājot tādas frāzes kā: "Ir tādi smalkumi, kurus acīmredzami nevar iemācīt" (reizē ar jau minēto smīnu), bez šaubām, norādot uz to, ka mēs ar Tevi nepiedzimām kā piederīgas šai šķirai, bet gan pamanījāmies tajā iespraukties. Viņas acīs mēs esam un vienmēr paliksim krāpnieces. Tieši tāpēc ir tik aizraujoši atstāt The Times izgriezumus tā, lai viņa varētu tiem uzdurties!

Viņas vadībā esmu apguvusi tieši trīs lietas:

** Kā ēst austeres.*

** Kā valkāt cepuri neticamā leņķī.*

** Kā slepeni nodibināt acu kontaktu uz ielas ar garāmejošiem vīriešiem, kuri, būdami francūži, tikai priecājas par iespēju pablenzt pretī.*

Pie viņas ir apmetušās vēl divas angļu meitenes – Ena Kārtraita, kura ir apburoša, ļoti jautra un nepavisam neceļ degunu gaisā (viņa man gluži veiksmīgi iemācīja smēķēt bez mazākās klepošanas), un Elinora Ogilvija-Smita, kura ir viens liels mitra māla gabals. Elinora dzīvo šausmās no jebkādas iespējamas izklaides un katru reizi, kad mēs ar Ennu cīnāmies par mazmazītiņu brīvības drusciņu, viņa tūlīt pat nostājas Madame Galjē pusē un iesaka kārtējo reliģiska rakstura pasākumu. Vēl viņa pavada pārāk daudz laika vannas istabā. Mēs ar Ennu slēdzam derības par to, ko viņa tur dara – visi varianti neizbēgami aizskartu Tavas labākās jūtas.

Tāpēc, lūdzu! Vairāk jaunumu par sezonu un ikvienu vīrieti, ar kuru Tu dejo, un ikvienu tērpu, kas Tev mugurā, un ko Tu ēd vakariņās (ikvienu ēdienu), un cik daudz bildinājumu Tu esi saņēmusi šone-

dēļ, un vai viņi metas ceļos un nosarkst, un nervozi stostās, utt., ieraugot Tavu satriecošo skaistumu, vai arī vienkārši krīt ģīboni. Un vēl, lūdzu, lūdzu, dod man kādu nelielu uzdevumu šeit, Parīzē, lai man būtu pamatots iemesls spert kāju kādā no Aizliegtajām zonām – piemēram, vai Tev nav vajadzīgs kāds cimdu pāris no Pigala laukuma? Vai zeķes no Lido?

Es ļoti, ļoti lepojos ar Tevi, dārgā! Un domāju, ka arī Pā lepotos. Vai man kādreiz izdosies līdzināties savai skaistajai māsai? J'ai malade de jalousie (redzi, mana franču valoda kļūst aizvien labāka!).

Pasveicini no manis Mā, kurai uzdevums saglabāt Tavu tikumību un izprecināt Tevi zibens ātrumā varbūt šķiet uzmundrinoša morāla dilemma. Viņa kā allaž raksta fantastiski garlaicīgas vēstules. Tās izskatās vairāk pēc saimniecības vadītājas atskaitēm. Kā gan tik garlaicīgai sievietei ir izdevies tik veiksmīgi apprecēties? (Ena apgalvo, ka viņai noteikti piemītot Slēptās vēlmes, kas šķiet gluži pretīgi, jo īpaši iztēlojoties, kā mūsu patēvs varētu izskatīties bez drēbēm. Es viņai teicu, ka tādas lietas vajadzētu aizliegt ar likumu vecāku ļaužu starpā, turklāt ma chérie maman *lieliski pārstāv karalienes jaunavas līniju – viņas nabaga princim konsortam tagad ir jāsamierinās ar Jēzu. Es prātoju, vai viņa nav ieguldījusi līdzekļus dabiska izskata krucifiksā, ko piekārt virs gultas tagad, kad mēs esam tik šausmīgi bagātas).*

Ak! Būt Londonā! Man tik ļoti gribētos pievienoties Tev un beidzot atrasties dzīves mutulī!

Kā vienmēr Tava
Diāna
Bučas

P.S. Nupat mēģināju apgriezt savus matus ar šūšanas dzirklēm un tagad izskatos pēc miesnieka izsūtāmā zēna. Ena laipni man aizdeva savu cepuri. Aizlūdz par mani.

Keita uzkāpa augšā pa centrālajām kāpnēm līdz pirmā stāva plašajam kāpņu laukumiņam. Tas bija iekārtots galerijas veidā, apmēbelēts ar sarkaniem samta dīvāniem un galdiņiem. Viņa apsēdās, cenzdamās saņemties. Nebija nekādas vajadzības tik strupi atcirst Džekam, viņa domāja, atbalstīdama galvu rokās. Viņa tikai bija nervoza, tas arī viss.

Patiesībā viņa bija iedomājusies, ka Džeks būs vecāks vīrs, vienā vecumā ar Reičelu: tāds bezdzimuma tēvocis, kuram uz pāris dienām vajadzīga palīdzīga roka. Viņa nebija gaidījusi vīrieti, kurš lielā ātrumā brauc ar kabrioletu, uzlūkodams viņu ar vērīgām zilām acīm un uzdodams jautājumus.

Viņa bija drošībā, Keita sev atgādināja. Galu galā te bija Anglija. Un šeit, noslēpusies šajā nomaļajā mājā, nogājusi pagrīdē kā ceļotāja laikā pret pašas gribu, viņa bija pasargāta, atrazdamās kāda cita, daudz elegantāka laikmeta skaistuma un pārpilnības ielokā. Nekas nespēja viņu satricināt. Vismazāk jau nu vīrietis, kuru viņa tikpat kā nepazina.

Dziļi ievilkusi elpu, viņa palūkojās apkārt. Šī bija pārāk plaša telpa, lai atrastos kāpņu laukumā. Cilvēki droši vien bija te pulcējušies, sarunājušies, smējušies un smēķējuši savos vakartērpos, pirms doties lejā vakariņās. Keita centās iztēloties viņu nepiespiestās, pilsētnieciskās sarunas, kokteiļu, franču parfīma un biezo bezfiltra cigarešu aromātu, glaimus un flirtēšanu. Pārlaidusi plaukstu pāri dīvānam, viņa sajuta greznā, nobružātā samta pieskārienu, kas bija mīksts un aicinošs.

Un tomēr viņa bija saspringta, nemierīga. Piecēlusies Keita devās uz priekšu pa gaiteni, ielūkodamās katrā istabā, līdz atrada telpu, kas acīmredzami bija saimnieka guļamistaba – ar greznu mahagonija gultu un tumšām, vīrišķīgām mēbelēm. Viņa devās pretējā virzienā. Garā gaiteņa pašā galā atradās lēdijas Eivondeilas apartamenti, kas bija iekārtoti, izmantojot vieglākus, atturīgākus sievišķīgus akcentus. Gaišās, bāldzeltenas sienas bija klātas ar akvareļiem, gulta darināta franču impērijas stilā un zili baltie kokvilnas aizkari atvilkti, atklājot logu ar skatu uz dārziņu mājas priekšā. Tālumā varēja saredzēt jūru. Kāds bija atvēris logus. Tīri dvieļi bija glīti salikti uz tualetes galdiņa.

Keita tika gaidīta.

Apsēdusies uz gultas malas, viņa mēģināja savaldīt savas trakojošās domas. Tas bija bezjēdzīgi.

Kāpēc, neskatoties uz to, cik tālu viņa aizbrauca no Ņujorkas, tas nekad neizrādījās pietiekoši tālu?

Atvērusi savu rokassomu, viņa izņēma telefonu. Numurs neparādījās. Ekrānā zibēja sarkana signāllampiņa – īsziņa. Keita iemeta telefonu atpakaļ somā. Apgūlusies uz gultas, viņa saritinājās kamolītī, apvijusi rokas ap ceļgaliem.

Istaba bija skaista, eleganta, taču nesniedza nekādu mierinājumu. Keita apgūlās uz muguras. No ārpuses atplūda neierastās putnu dziesmas. Tām vajadzēja likties nomierinošām, taču patiesībā tās šķita uzmācīgas, urdošas. Viņa bija pieradusi pie automašīnu signāltaurēm, pie satiksmes saceltā trokšņa: pārāk daudziem cilvēkiem, kas ir pārāk cieši saspiesti kopā. Daba atgādināja melnu caurumu, kurā viņa krita iekšā, palikusi bez svara.

Dziļi elpodama un aizvērdama acis, viņa centās nomierināties.

Taču, tiklīdz tās bija ciet, atkal parādījās filma. Tā allaž sākās ar vieniem un tiem pašiem kadriem: ar viņa pieskārienu viņas ādai, odekolona muskusa aromātu, lūpu piespiešanos, maigi glāstot viņas kailo plecu...

– Aiziet. – Viņš iemērcēja pirkstu konjaka glāzē un tad pārbrauca ar to pāri viņas lūpām. – Es tevi izaicinu. – Viņš pieliecās, uzpūšot siltu elpu Keitas vaigam. – Noskūpsti mani.

Cik daudz reižu viņa sev bija solījusi to nedarīt? Apņēmusies neatbildēt uz viņa zvaniem, neiet pie viņa, pilnīgi noteikti nedzert.

Viņš atgādināja iebrucēju armiju: drīzāk vēlējās nevis mīlēt Keitu, bet gan iekarot. Un sev par šausmām viņa vēlējās tikt iznīcināta, pārņemta. Viņai bija vajadzīgs tik daudz, lai vispār kaut ko sajustu.

Keita atvēra acis. Šie sapņi bija bīstami.

Bija arī citas atmiņas, ne tik patīkamas, pat biedējošas. Tad kāpēc tieši šī aina viņu tā vajāja? Spožums, pavedināšana, viņa iekāre un uzmanība visā pilnībā.

Pieslējusies sēdus, viņa pamanīja savu atspulgu spogulī uz tualetes galdiņa istabas otrā malā. Slaidā, gaišmatainā sieviete, kura vērās viņai pretī, bija gandrīz nepazīstama pat viņai pašai. Ierodoties Ņujorkā, Keita bija tumšmate ar matiem līdz pusmugurai: tie atgādināja plīvuru, kas apslēpa viņas seju. Pleci bija uzkumpuši, sargājot saules pinumu, kas visu laiku likās jutīgs un sadragāts.

Viņa vēlējās kļūt par kādu citu. Vienalga, par ko.

Tas bija Dereks Konstantains, kurš ierosināja viņai nogriezt un nokrāsot matus.

– Kaut ko nemirstīgu, klasisku.

– Bet es nevaru to atļauties.

– Tu nevari atļauties nebūt blondīne, – viņš izlaboja. – Un, – Dereks nopūtās, augšlūpai viegli izliecoties, kad viņš uzlūkoja Keitas svārkus garumā līdz potītēm, – mums kaut kas jādara ar tām melnajām drēbēm. Tu neesi nekāda itāliešu atraitne. Šajā pilsētā pastāv ļoti smalks sociālais iedalījums kastās. Mūsdienās visiem ir nauda, nozīme ir radu rakstiem, izcilībai. Tu esi kā debitante pirms balles. Pateicoties kārtīgai sakopšanai un iepazīstināšanai ar pareizajiem cilvēkiem, tu varētu sasniegt daudz ko.

Keita nesaprata; tas viss izklausījās tik konservatīvi un nopietni.

– Tu domā, mākslā?

Viņa šīfera pelēko acu skatiens bija neizprotams, neatšifrējams.

– Dzīvē, – viņš atbildēja, saspiezdams savu garo pirkstu galus kopā zem zoda.

Dzīvē.

Tagad Keita samirkšķināja acis, uzlūkodama sevi – par diviem izmēriem mazāku, no galvas līdz kājām tērpušos baltās linu drānās. Tīru, savaldīgu, izsmalcinātu. Miglainajā pēcpusdienas gaismā viņa izskatījās zeltaina, līdzīga eņģelim.

Ja vien cilvēks spētu atbrīvoties no sava rakstura tumšās puses tikpat viegli kā apmainīt drēbes.

Viņš bija runājis tik pārliecinoši, licies tik ļoti ieinteresēts. Doma par to, ka viņu varētu vadīt šis veiksmīgais, pieredzējušais vīrietis, likās pārāk valdzinoša, lai tai pretotos. Keita nebija to darījusi. Tā vietā viņa mazpamazām atteicās no saviem neskaidrajiem, neattīstītajiem priekšstatiem par sevi pašu, pakļaudamās Dereka skaidrākajam redzējumam un pieredzei.

Taču tā debitante, kas viņam bija prātā, nebija atturīga. Un sabiedrība, kurā Dereks viņu ieveda, ne tik.

Paraknājusies somā, Keita izvilka cigarešu paciņu un, aizdedzinājusi vienu, piegāja pie atvērtā loga. Viņa bija padevusies. Viņa bija atteikusies no daudz kā, kas nederēja. Un pēdējā laikā Keitai aizvien biežāk uzmācās sajūta, ka viņa cenšas noturēt paisumu ar tējas tasīti.

Gribu tikai mieru, viņa klusībā lūdzās, dziļi ievilkdama dūmu. Te nu es esmu, tūkstošiem jūdžu attālumā no Ņujorkas, kopā ar kādu dīvainu vīrieti darīdama darbu, no kura nekā nesaprotu... man vajadzēja izvēdināt galvu. Man vajadzēja izdomāt, ko gribu iesākt ar savu dzīvi.

Keita atglauda matus no sejas. Bija pārāk karsti. Un viss bija tik sarežģīti.

Piepeši viņai radās nepārvarama vēlme kļūt nevaldāmai, zaudēt aizturi, pavedināt kādu. Prātā saradās pornogrāfiskas iedomas – kopā savijušies kaili locekļi, kāds laiza viņas miesu, viņas lūpas slīd pāri kāda cita ķermeņa aprisēm... Viņas sirds salēcās.

Vai tās bija iedomas vai atmiņu atplaiksnījums?

Viņa kaila bija nometusies ceļos viņa priekšā. Viņš turēja viņas galvu savās rokās, izspīlēdams gurnus...

Viņa iekoda apakšlūpā, stipri. Tik stipri, ka tā sāka asiņot. Un iekāre pieauga, lai izbēgtu no šī brīža.

Apstājies.

Viņa nespēja apstāties.

Kā Džeks izskatījās bez drēbēm? Viņi bija vieni paši. Viņa tam patika, Keita to juta. Un viņš bija svešinieks. Kāpēc bija vienkāršāk mīlēties ar nepazīstamu vīrieti?

Viņa izelpoja.

Neturpini.

Taču gurds jutekliskums jau bija iezadzies Keitas locekļos, viņas iztēle darbojās kā spoguļvirsma, radot attēlus, kurus viņa nespēja kontrolēt. Vienīgais, par ko viņai nevajadzētu domāt, bija vienīgais, kas jaucās pa prātu.

Keita pagriezās. Gultas pārsegs bija norauts, divi kaili ķermeņi, svešinieki, sniedzās viens otram pretī... Ja vien viņa varētu tikt iznīcināta, izdrāzta, izgaisināta.

Viņa aizvēra acis. Iedoma nozuda. Ievilkusi pēdējo dūmu, viņa nospieda cigareti un nometa to lejā uz piebraucamā ceļa.

Iegājusi vannas istabā, viņa apslacīja seju ar vēsu ūdeni un apsēdās uz tualetes poda vāka. Keita atkal iedomājās par telefonā atstāto pēdējo īsziņu kopā ar visām pārējām.

Tas bija tikai laika jautājums, pirms viņa uz kādu no tām atbildēs.

Es esmu jukusi, viņa domāja. Esmu salūzusi un nekāda, un mani nav iespējams salabot.

Aizsegusi seju ar plaukstām, viņa sāka raudāt.

Džeks izdzēra tasi tējas un devās ap stūri uz mājas priekšpusi, izņemdams no mašīnas bagāžnieka savu somu un aprīkojumu, digitālo fotoaparātu un piezīmju grāmatiņas. Viņš sajuta vieglu cigarešu dūmu smaržu un pacēla galvu, palūkojoties uz vaļējo logu otrajā stāvā. Viņš pasmaidīja. Keita paklusām uzvilka dūmu!

Tātad viņa galu galā neuzvedās nemaz tik priekšzīmīgi, kā izskatījās.

Džeku uzjautrināja doma, ka viņa tikai dažu pēdu attālumā pašlaik dara ko aizliegtu un slepenu.

Viņš iegāja mājā, soļiem atbalsojoties uz vēsās marmora grīdas, un devās augšā pa kāpnēm. Viņam nonākot augšā, kāpņu laukumiņa labajā pusē aizvērās durvis. Tā nu Džeks nogriezās pa kreisi, dodamies pretējā virzienā. Saimnieka guļamistabā viņš nometa savas mantas uz gultas un novilka žaketi. Piegājis pie pretējā loga, viņš palūkojās ārā uz mauriņu.

Gaisā valdīja gaidu nojausma, spriedze, kādu Džeks nebija jutis jau gadiem ilgi. Un tā izsita viņu no līdzsvara. Bija nepareizi just tādu satraukumu šīs meitenes dēļ, gaidīt brīdi, kad varēs nostāties viņai līdzās, ieraudzīt viņu. Viņš jau tagad centās izdomāt piemērotas tēmas sarunai pie vakariņu galda: jautājumus un gudras, trāpīgas piezīmes, kas varētu atstāt uz viņu iespaidu. Viņš bija iededzies un pats to juta.

Kāds nelga!

Taču patiesībā bija fantastiski atkal kaut ko just.

Džeks bija pieradis pie vienatnes. Un tagad viņam bija izveidojušies savi paradumi. Viņš sēdēja pie vieniem un tiem pašiem galdiņiem vienās un tajās pašās kafejnīcās, pasūtīja vienu un to pašu ēdienu. Viesmīle atcerējās, kādu kafiju viņš dzer, īpašnieks pļāpāja par grāmatu, kuru pašlaik lasīja. (Viņi zināja, kā apieties ar pastāvīgu klientu.) Un bija nodarbes, kurām viņš varēja nodoties, ja ne ar lielu prieku, tad vismaz mierīgi un klusi – klīst pa mākslas galerijām, klausīties koncertus, vienatnē sēdēt kinoteātra tumsā. Tāda bija viņa dzīve.

Taču tagad, vismaz uz kādu brīdi sēdeklis viņam līdzās bija aizņemts. Džeks vēl aizvien sajuta Keitas parfīmu.

Neļauj, lai šī romantiskā apkārtne tevi pavedinātu, viņš sev atgādināja. Runa ir tikai par seksu, vienkārši un nepārprotami. Tā tas vienmēr bijis un vienmēr būs. Tas parādījās, uzdodoties par mīlestību, kaislību un romantisku apsēstību, taču agrāk vai vēlāk zeltījums pazuda un apakšā atklājās tas pats vecais labais sekss.

Piepeši viņa aizsargbruņām cauri izlauzās kādas atmiņas. Džeks iekšēji sarāvās, taču nespēja to apturēt. Viņš sniedzās pretī savai sievai un ieraudzīja viņas seju, lielās, tumšās acis. Tās bija pilnas ar skumjām un, vēl ļaunāk, ar nolemtību. Džeks centās atbrīvoties no šīm iedomām, taču sajūta neizgaisa.

Sekss viņu starpā nebija apmierinošs. Tāda bija patiesība. Tas tika nonivelēts līdz īsai pornogrāfisku lomu spēlei. Pats akts nebija viltots, taču saikne viņu starpā gan, un tas bija vēl ļaunāk.

Un viņš nebija vēlējies par to runāt vai kaut ko darīt lietas labā. Tas bija pats briesmīgākais. Kādai viņa būtības daļai tas bija vienkāršāk, tā vēlējās atstāt visu, kā ir. It kā viņš būtu gribējis, lai viņa aiziet.

Viņš bija vainīgs atkāpšanās noziegumā. Viņa bija to redzējusi un ļāvusi viņam iet.

Arī tas viņam nedeva mieru.

Džeks novērsās no idilliskās ainavas.

Šī bija milzīga guļamistaba, praktiski tikpat liela kā viss viņa dzīvoklis. Lūk, pie kā cilvēks varēja tikt, aizbraucot no Londonas – pie plašuma, skaistuma un brīvības.

Viņam vajadzēja izkustēties. Vajadzēja sākt no sākuma kādā citā vietā.

Noslīdzis uz gultas, viņš nožāvājās, izberzēdams acis.

Viņam vajadzēja darīt daudz ko.

Viņa *Triumph* nebija piemērots gariem pārbraucieniem. Džeka mugura bija kļuvusi stīva no braukšanas. Apgūlies viņš aizvēra acis.

Un tomēr visas šīs stundas, kas bija pavadītas, braucot pa laukiem ar Keitu līdzās, bija laimīgākās kopš ilga laika. Saule, ātrums, Mocarta pāriplūstošā mūzika, kas kontrastēja ar Keitas mierīgo, vēso klātbūtni. Tas bija aizraujoši. Viņš bija sajutis laimes solījumu – tāda iespēja iemirdzējās pie apvāršņa gluži kā vadzvaigzne. Viņš nebija apjautis, cik ilgi bija dzīvojis bez kādām cerībām, mehāniski pieveikdams dienas, mēnešus, gadus. Tagad viņa krūtīs bija parādījušās ilgas, dzīvnieciska vēlme pieskarties un sajust pieskārienus, izlauzties cauri zaudējuma un bēdu radītajai inercei.

Viņš piecēlās sēdus, spēcīgi izbraukdams ar pirkstiem cauri matiem.

Bija neprāts tā aizrauties ar šo meiteni. Džeks viņu pat nepazina.

Viņš tikai bija noguris, vientuļš. Garlaikots.

Galu galā pastāvēja fizikas un dabas likumi: noslēpumaini, neierasti gravitācijas spēki, kurus nevarēja noliegt.

Mājas pretējā galā kāda sieviete, pilnīga svešiniece visu laiku vilka sev klāt.

17 Rue de Monceau
Parīze

1926. gada 24. jūnijā

Manu dārgo putniņ!

Tu priecāsies, uzzinot, ka beidzot esmu noslīpējusi mākslu, kā aicinoši piekļauties vīrietim dejojot, vienlaicīgi saglabājot sejā pilnīgas un absolūtas vienaldzības izteiksmi, kas robežojas ar nicinājumu. Ena apgalvo, ka tas esot būtiski, un mēs abas to praktizējām visu nedēļu. Tagad mums vajadzīgi tikai daži vīrieši.

Kāds ir tas Tavs žilbinošais Godājamais? Esmu pārliecināta, ka viņa kautrība tikai maskē kaislību, kas drīz vien taps Tev zināma (visi sīkumi par miesiskajiem kontaktiem atkal tiek laipni gaidīti).

Tev droši vien taisnība, ka šī padarīšana ar iziešanu sabiedrībā ir grūtāka un nogurdinošāka, nekā es iztēlojos, un varbūt, kā Tu saki, man derētu palūkoties uz visu šo uzdevumu nopietnāk. Taču, kā mēs abas labi zinām, nopietnība nav mana stiprā puse. Tāpat kā neesmu apveltīta ar Tavu iedzimto veselo saprātu, kas man liek salīdzinājumā izskatīties drīzāk smieklīgai. Es mierinu sevi ar domu, ka Tu esi parādījusies pirms manis, nodibinājusi neskaitāmas pazīšanās un tik absolūti apbūrusi ikvienu, ka pēc manas ierašanās viņi mani vienkārši pacietīs kā dī-

vaini, pirms aizsūtīt uz kādu attālu impērijas kaktu kopā ar vecīgu, triekas ķertu vīru piedevām.

Un jā, es arī domāju, ka manas piezīmes par mūsu māti ir mazliet nežēlīgas. Man vajadzētu būt laipnākai. Jo īpaši pret viņas princi konsortu, kura labvēlība ienesusi tik daudz laba mūsu dzīvē.

Zinu, ka mums ir veicies, Irēna. Tagad mums pilnīgi noteikti pieder daudz vairāk nekā jebkad agrāk. Un tomēr es ilgojos pēc Pā un, godīgi sakot, ienīstu Parīzi un visus, kas te apgrozās. Neesmu tāda kā Tu, mīļā. Neesmu kopš dzimšanas labsirdīga, mierīga un saprātīga. Un man ir sajūta, ka esmu imitācija, lai kur ietu – it kā es būtu aktrise, kas staigā pa skatuvi kādā lugā, kuru viņa nav lasījusi un nespēj atcerēties nevienu teksta rindiņu. Šķiet, Tu visu nevainojami saproti – kāpēc esmu tāda stulbene?

Kā vienmēr Tavs
Muļķa bērns

Viņa mēģināja iesnausties, un tomēr Keita bija nemierīga. Viņa piecēlās gultā sēdus. Šī bija plaša istaba, tik liela kā vairums dzīvokļu Ņujorkā. No veselas logu rindas pavērās skats uz nolaidenajiem kalniem, kas dramatiski iesliecās jūrā.

Kas šeit bija dzīvojis? Kurš izvēlējās šīs bāli dzeltenās sienas, šo raibo kokvilnas audumu ar zilajām glicīnijām un zaļajām efejām? Keita viegli pārlaida pirkstus pāri vēsajai linu auduma spilvendrānai. Tās stūros vīdēja monogramma "I. E.", izšūta ar pērļainu zīda diegu. Vai tā bija kāzu dāvana?

Viņa atvēra naktsskapīša atvilktni: tā vieglītēm nodrebinājās, kā protestējot. Divi glīti salocīti kokvilnas mutautiņi, pustukša tūbiņa ar E45 ekzēmas krēmu, dažas atšķirīgas pogas, kvīts no Pītera Džounsa Slounskvērā par vilnu, izsniegta tūkstoš deviņi simti astoņdesmit devītajā gadā.

Keita aizvēra atvilktni un paņēma pamatīgi nobružātu sējumu no grāmatu kaudzītes augšpuses – Tomasa Mūra poēmas, un atvēra to. Titullapā ar drošu, izteiksmīgu roku bija ierakstīts "*Benedikts Blaits, Tir na nÓg, Īrija*". Grāmata atvērās lapā, kurā bija ielikta apspurusi zīda grāmatzīme.

"Jel trauc, jel trauc"

Jel trauc, jel trauc, viens kuģis drošs,
Kurp vēji tevi aiznesīs.
Nekas tur nebūs tikpat skumjš
Un drūms kā tas, kas miglā tīts.
Tev vēsta vilnis putojošs:
"Kaut nāvi mūsu bangas nes,
Tas mazāks saltums, mazāks posts
Kā tas, kas smaidot zemē triec."

Jel trauc, jel trauc, kur plašais joms,
Kur vētra dzen, kur mitas nav.
Pat vētra mieru atrast ļaus
Tam bezprātim, kam zudis krasts.
Vien tad, ja zeme priekšā vīd,
Kur solījums nav izpostīts,
Kur meli nevalda, tad gan
Tur varam piestāt, ja mums tīk.

Tā bija dīvaina, vientulīga poēma – savāda izvēle pavecai sievietei, kura vadīja sava mūža nogali pie jūras.

Nolikusi grāmatu pie pārējām, Keita ielūkojās skapī. Tukši stiepļu pinuma pakaramie šūpojās caurvējā. Ja neskaita pāris papildu segas, kas bija sakrautas plauktos, tas bija tukšs. Tas pats attiecās uz kumodes atvilktnēm. Izbalējis puķains ieklājamais papīrs un daži sadzeltējuši maisiņi ar smaržvielām bija vienīgais, kas atlicis.

Keita pievērsās tualetes galdiņam. Sudraba suka un ķemme, porcelāna trauks ar raupjām, brūnām matadatām, apputējusi kārbiņa ar *Yardley* maijpuķīšu talka pūderi. Un veca melnbalta fotogrāfija, domājams, Irēna un viņas vīrs. Keita to izņēma ārā. Viņiem abiem bija pāri septiņdesmit, taisni izslējušies, abi stāvēja līdzās, taču nepieskārās viens otram. Irēna bija tik tieva, ka likās fiziski trausla, ģērbusies tumšā, glīti pašūtā kostīmā un pītu salmu cepuri. Viņas vīrs ar lepnumu valkāja savu pulka formastērpu, satvēris labajā rokā spieķi ar sudraba uzgali un pasitis padusē cepuri. Viņa smaidīja, viegli izslējusi zodu, un viņas acis bija nepārprotami dzidri zilas. Diena bija skaidra, taču fotogrāfija nebija izdevusies. Pulkveža sejas labo pusi sabojāja tumšs plankums, ēna. Acīmredzot attēls bija uzņemts veterānu pulcēšanās pasākumā. Irēna turēja rokās kādu plāksni, taču burti bija pārāk mazi, lai Keita spētu tos atšifrēt.

Viņa iedomājās, kur šī plāksne varētu būt tagad; kur bija visi apbalvojumi, kas Irēnai Eivondeilai bija piešķirti par paveikto impērijas labā.

Istaba bija kārtīga, patīkama un dīvainā kārtā neko neatklāja par tās īpašnieci, atgādinot skatuves dekorācijas. Tā vien šķita, it kā visu divdomīgo tajā būtu nogludinājusi kāda liela, apņēmīga roka. Vai Irēnas dzīve patiešām bija tik kārtīga un reprezentabla? Vai arī kāds bija aizvācis visu intīmo, kas varēja kaut ko pavēstīt par šīs istabas iemītnieci?

Izgājusi ārā un dodamās uz priekšu pa gaiteni, Keita atvēra durvis, izpētīdama mājas augšstāvu. Tur bija tikpat lieli guļamistabu apartamenti ar skatu uz jūru vai uz dārzu, vannas istabas, garderobes istabas, dažas ar ziedu rakstiem, citas veltītas jūras tematikai... Keita kustējās klusi, labi apzinādamās, ka Džeks atpūšas. Viņa vēlējās pati iegūt savu priekšstatu par šo vietu gluži kā dzīvnieks, kurš izpēta savu areālu. Nonākusi līdz kāpņu laukumiņam un pagriezusies pretējā virzienā, viņa devās uz priekšu pa garo gaiteni, kas nošķīra abus mājas spārnus. Plankumaina saules gaisma veidoja rakstus uz izbalojušajiem austrumnieciskajiem grīdceliņiem, kas bija nodiluši no gadu desmitiem ilgas lietošanas. Tur bija vēl divas viesu istabas, liela ģimenes vannas istaba un tad, pašā gaiteņa galā aizvērtas durvis. Keita nospieda rokturi. Durvis bija aizslēgtas. Droši vien Džekam bija atslēga.

Keita pieliecās un nopētīja veco slēdzeni. Tā nebija īpaši sarežģīta. Patiesībā tas varētu būt vienkārši.

Dodamās atpakaļ uz savu istabu un sameklēdama somā nagu vīlīti un kredītkarti, viņa saprata, ka būtu vienkāršāk pagaidīt Džeku – ka patiesībā nemaz nav normāli atmūķēt slēdzeni. Tomēr viņai allaž bija raksturīga nepareiza ceļa izvēle, bērnišķīga spītība darīt to, ko vien pati vēlējās un kad vien vēlējās. Doma par palīdzības lūgšanu likās traucējoša. Un Keita sajuta nepakļāvības izraisīto prieku, aši dodamās atpakaļ pie aizslēgtajām durvīm un ar vienu ātru kustību atmūķēdama slēdzeni.

Tā bija prasme, kuru Keita apguva no tēva, kad viņai bija vienpadsmit gadu – tas piederējās pie pastāvīgās izglītošanas, ko viņam labpatikās dēvēt par "dzīves mazajiem talantiem". Pie tiem piederēja tādas pērles kā cigaretes uztīšana, nevainojamas šķiņķa sviestmaizes pagatavošana un praktiski ikviena sastaptā cilvēka apburšana, lai varētu dabūt visu uz krīta bez kāda seguma. Pēc šķiršanās no mātes viņš dzīvoja nelielā Pībodija namu dzīvoklī netālu no Bondstrītas stacijas. Jaunībā būdams daudzsološs ģitārists, viņš bija sabojājis savu muzikanta karjeru dzeršanas dēļ. Reiz žilbinošais izskats izbaloja gadiem ilgas nevērības iespaidā. Tēva smilškrāsas mati un pelēkzaļās acis šķita aizvien vairāk zaudējušas krāsu katrā nākamajā tikšanās reizē, un viņa bravurīgo pašapziņu un vieglumu bija pabojājušās neskaitāmās paģiras. Keita mēdza apciemot tēvu, un, būdams skaidrā, viņš to veda brokastīs un tad uz dienas seansu par puscenu Odeona kinoteātrī pie Marmora arkas. Labajās dienās viņš izskatījās patiesi iepriecināts, redzot Keitu: viņš smēķēja ūdenspīpi, bez apstājas pļāpāja par visu, ko viņi tagad darīs, par saviem neskaitāmajiem darba piedāvājumiem, par ekskursijām, kurās viņi dosies, kad viņš saņems nākamo algu. Varbūt uz Braitonu, varbūt pat uz Āfrikas safari. Katrs plāns bija brīnumaināks un aizraujošāks par nākamo, ikviens solījums – sirsnīgs un patiess. Kad tēvs smaidīja, viņš bija visskaistākais vīrietis telpā. "Šis darbs ir savādāks," viņš mēdza teikt. "Šoreiz viss ir savās vietās." Un Keita viņam ticēja.

Tad, ap pulksten trijiem, viņš neizskaidrojamā kārtā kļuva satraukts un viegli aizkaitināms. Lai kā Keita nopūlējās, lai cik aizraujošus stāstus izdomāja, viņa nespēja noturēt tēva uzmanību. Un viņa nepaguva ne attapties, kad abi jau sēdēja krogā. Viena dzēriena glāze pārvērtās piecās un tad septiņās. Tēva seja kļuva stinga, viņš sāka šļupstēt, un viņa raksturs strauji mainījās. Viņš mēdza pazaudēt atslēgas, pamest savu maku, uzsākt ķīviņu ar svešinieku par kādu aizvainojošu piezīmi, kuru bija sadzirdējis tikai viņš. Un tad "dzīves mazie talanti" izrādījās noderīgi, kad Keita nopūlējās dabūt tēvu mājās, neļaujot viņam sabrukt, dabūt pa muti vai pavedināt kādu smieklīgu vecu bārmeni, par kuru pats bija uzjautrinājies vēl pirms nieka divām stundām.

Viņi tā arī neaizbrauca uz Āfriku vai kaut vai uz Braitonu. Tēvs pavadīja savu dzīvi, kaldams solījumus, kurus nekad nepildīja. Un tomēr Keita viņu mīlēja ar to spītīgo, sāpīgo, brīnumaino mīlestību, kādu bērni jūt pret vecākiem. Tā bija labprātīga atteikšanās no neticības, ka par spīti visiem tiem gadiem, kas pierādīja pretējo, viņš tomēr nez kādā veidā, pašā pēdējā brīdī pamanīsies turēt vārdu. Kad tēvs nomira, Keita sajutās tā, it kā būtu nodzīvojusi visu mūžu uz dzelzceļa stacijas platformas, skatīdamās pulkstenī un gaidīdama viņa ierašanos. Taču viņš bija novirzījies no ceļa, devies pilnīgi citā virzienā. Un neviens nebija papūlējies to pateikt viņai.

Varbūt tad, ja viņa būtu interesantāka, skaistāka, gudrāka...

Tagad izskatījās, ka viņa ir pārmantojusi tēva morālo elastību, viņa tumšo, no garastāvokļa atkarīgo nemieru – to pašu aizu starp vārdiem un darbiem, kas kļuva aizvien platāka. Pēdējā laikā arī viņa pieķēra sevi dodam solījumus, kurus nevarētu pildīt, viņa solīja arī pati sev.

Slēdzene noklikšķēja.

Aizslēgtās durvis atsprāga vaļā.

Keita samirkšķināja acis, spožuma apžilbināta.

Tā bija liela kvadrātveida istaba ar augstiem griestiem un stiklotu sienu ar franču logiem, kas izgāja uz balkonu virs rožu dārza. Visapkārt istabai smalkais apmetums un karnīzes laistījās, pārklātas ar zeltījumu, bet gar krēmbaltajām sienām vijās spoži zeltainas vītnes. Iespaids bija žilbinošs.

Keita paspēra soli, atstādama aiz muguras gaiteņa vēso tumsu. Gaiss telpā bija piesmacis. Viņa atvēra franču logus, kuru eņģes iečīkstējās no ilgās bezdarbības. Vējš ieplūda iekšā, un karstuma un sasmakušā gaisa vakuums atlaidās gluži kā nopūta. Tā vien likās, it kā istaba būtu aizturējusi elpu. Taču cik ilgi?

Virs marmora kamīna atradās grezns plaukts. Obisona paklāju, kas izskatījās saulē izbalojis un blāvs, rotāja ziedu un ķiršu virtenes. Citas virtenes vijās ap griestu rozeti, piepildot istabu ar vieglu mirdzumu. Tā noteikti bija visjaukākā istaba šajā mājā – ar skaistām proporcijām, grezna, gluži kā neliela deju zāle.

Tad kāpēc tā bija aizslēgta?

Pie vienas sienas atradās gulta un naktsgaldiņš. Visu klāja bieza putekļu kārta. Keita atvēra atvilktni, un putekļi uzvirmoja gaisā, izraisot klepu. Iekšā nekā nebija.

Pretējo sienu aizņēma grāmatu plaukti. Keita aplūkoja izbalējušās muguriņas. "Vējš vītolos", "Ūdensbērni", "Neuzticamais papagailis", "Jaunā Meža bērni", kā arī brāļu Grimmu pasakas un Hansa Kristiana Andersena darbi līdz ar plašu Luisa Kerola grāmatu kolekciju. Izņēmusi no plaukta "Vēju vītolos", viņa to atvēra. Grāmatas muguriņa stīvi padevās. Tomēr, ja neskaita putekļu un vecuma nodarīto kaitējumu, tā bija pilnīgi jauna.

Tad, notupusies zemē, Keita kaut ko pamanīja. Tur atradās Beatrises Poteres grāmatu antoloģija – mazas grāmatiņas, kas aizņēma tikai pusi plaukta platuma. Aiz tām bija iespiesta veca apavu kārba, lai aizpildītu tukšumu, liekot visām grāmatu rindām izskatīties līdzenām. Keita to uzmanīgi atbrīvoja. Tā bija apdrukāta ar gaiši brūnu krāsu, lai padarītu to līdzīgu aligatora ādai, un sasieta ar laškrāsas lentīti. Kārba bija smaga.

Vienā tās pusē bija pielīmēta etiķete. "F. Pinets, dāmu apavi". Ar zīmuli izsmalcinātā, vecmodīgā rokrakstā apakšā bija atzīmēts apavu izmērs – ceturtais.

Keita atraisīja apspurušo zīda lenti un nocēla vāku. Ietīts saburzītu avīžu slāņos, iekšā atradās smalku sudrabainu deju kurpju pāris. Tās bija gatavotas no smalki savītu cilpiņu rindām, ko papildināja spožas sprādzītes. Darinājums bija izcils: sarežģīti savienotu sudraba pavedienu vijumi vizēja uz papēža un pirkstgala. Spriežot pēc stila, purngala apaļās formas, kurpes acīmredzot nāca no divdesmitā gadsimta divdesmito gadu beigām vai trīsdesmito gadu sākuma. Un tās izskatījās dārgas. Vai tās piederēja lēdijai Eivondeilai?

Keita apgrieza kurpes apkārt. Tās bija valkātas tikai dažas reizes; āda bija tikai vieglītēm nobrāzta. Keita pārbrauca ar pirkstiem pāri gludajam ādas zoles pacēlumam. Kurpes bija tik mazas! Kāds, jādomā, ka vecā dāma, izmantoja šo kārbu, lai izlīdzinātu grāmatu rindas. Bet kāpēc? Kāpēc kādam vajadzētu raizēties par tādu sīkumu istabā, kas bija aizslēgta un, burtiski, nemēbelēta?

Paņēmusi kārbu, viņa sajuta, ka kaut kas aizslīd līdz pretējam galam. Kārba nebija tukša. Keita izņēma ārā saburzītās avīzes.

Tur, paslēpta kārbas apakšā, atradās vairāku objektu kolekcija.

Pa vienam vien Keita ņēma tos laukā.

Tur bija pabružāta, gaiši zila samta dārglietu kārbiņa. Keita to atvēra.

– Ak mans dievs!

Tur iekšā atradās smalciņa rokassprādze, darināta no pērlēm, briljantiem un smaragdiem. "*Tiffany & Co*, Rīdženstrīta, Rietumlondona" bija uzdrukāts uz baltā atlasa vāciņa pārklāja. Keita attaisīja sprādzi un pacēla aproci gaisā. Rakstu veidoja izsmalcināts pērļu ziedu salikums ar smaragdu vidučiem, kam pa vidu bija izkaisīti slaidi pērļu ovāli, ko papildināja briljantu rindas. Briljanti bija kļuvuši nespodri putekļu un vecuma dēļ, taču smaragdi iemirdzējās saules gaismā. Keita mēģināja aplikt aproci ap savu delmu. Tā tik tikko derēja. Tik izsmalcināta rotaslieta acīmredzot bija ārkārtīgi vērtīga.

Aizāķējusi aizdari, Keita uzmanīgi novietoja rotaslietu atpakaļ kārbiņā.

Nākamā bija slaida sudrabaina kārba ar izvītu B burtu briljantu ietvarā. Tur iekšā atradās nobružāts zaļš žetons ar sveces attēlu. To papildināja uzraksts "Balva ir cienīga, un cerības lielas", un centrā vīdēja burti SDB. Vienā stūrī bija ieslīdējusi neliela nosūbējusi misiņa atslēga, kas bija pārāk maza, lai derētu kādām durvīm. Tā iegūla Keitas plaukstas izliekumā tā, it kā nāktu no "Alises Brīnumzemē". Varbūt ar to varēja atslēgt kādu rakstāmgaldu vai slepenu atvilktni? Un pašā kārbas dibenā atradās glīta, tumšmataina vīrieša fotogrāfija jūrnieka formastērpā. Viņam bija simetriski vaibsti un melnas, dzīvīgas acis. Tā bija oficiāla fotogrāfija, kas acīmredzot bija uzņemta fotoateljē. Viņš pozēja uz klasiskas grieķu kolonnas fona, nevērīgi atbalstījis vienu roku pret pjedestālu, ko sedza tumšs audums, bet otru pašapzinīgi iespraudis sānos. Uz viņa cepures bija saskatāmi burti HMS VIVID. Viņš nevarēja būt vecāks par divdesmit gadiem. Apakšā, uz melnās joslas, bija izlasāms fotogrāfa vārds: "Dž. Grejs, Unionstrīta 33, Stounhauza, Plimuta".

Keita sajuta, kā viņu pārņem aizvien lielāks satraukums. Šis nebija nekāds nejaušais priekšmetu sakopojums, bet gan kas personisks. Visas lietas – kurpes, rokassprādze, fotogrāfija – bija kaut kādā veidā saistītas. Kāds bija tās savācis kopā un paslēpis aiz grāmatām. Bet kāpēc?

Bite ielidoja iekšā pa atvērto franču logu. Tā satraukti dūca, meklēdama izeju.

Keita nolūkojās uz glītā jaunekļa fotoattēlu ar smejošo, izaicinošo skatienu.

Tā bija hronika, arhīvs kam tādam, kas bija slēpšanas vērts – kam tādam, kam bija raksturīgi *Tiffany* briljanti, sudrabainas deju kurpes, skaisti, jauni vīrieši...

Viņas atmiņa apmeta kūleni. Piepeši viņa bija apmaldījusies laikā un gāja pa garu gaiteni uz deju zāli Senreži viesnīcā, kas visa bija vienos apzeltītos spoguļos un ar pieklusinātu apgaismojumu. Cilvēki pagriezās, cilvēki, kurus viņa nepazina: tie viņai uzsmaidīja, nekaunīgi blenzdami. Viņas tērpa maigi zaļais zīds glaudās pie kājām. Džeza trio spēlēja "Lūdzu, nerunā par mani, kad būšu prom".

Kas tāds, kam bija raksturīgi briljanti, deju kurpes, skaisti vīrieši...

Viņš atradās tur, viņas priekšā. Viņa mati bija gludi un spīdīgi, pieglausti kontrastā ar spēcīgajiem vaibstiem, acis tumšas, gandrīz melnas. Viņš nebija skaists, bet drīzāk neatvairāms, valdonīgs.

– Daži cilvēki baidās no panākumiem. Baidās no tā, ka viņi patiešām varētu būt dzīvi. – Viņa tonis bija izaicinošs, sejas izteiksme uzjautrināta. – Vai jūs baidāties?

– Nekas mani nebiedē, – viņa bija vēsi atbildējusi, aizgriezdamās projām.

Keita aizvēra acis.

Patiesībā viņai bija bail – bail no visa, no visiem. Taču viņa bija melojusi. Viņa aizgāja projām, un viņš sekoja cauri vakartērpos ģērbtu valsējošu vīriešu un sieviešu pūlim, kuru atspulgi zibēja sienas spoguļos.

Bite izlidoja ārā pa atvērto logu, brīvajos dārza plašumos.

Keita noskatījās, kā tā nozūd skatienam.

Ja vien viņa toreiz būtu zinājusi, ka drīz vien viņš izrādīsies tas, kurš dosies prom, un viņa būs tā, kas klupdama sekos aiz muguras.

Atskanēja troksnis.

Keita saspringa, ieklausīdamās, kā Džeks šķērso kāpņu laukumiņu vestibila galā.

Viņš meklēja savu palīdzi.

Savākusi mantas vienkopus, viņa salika tās atpakaļ kārbā, steigšus pārsienot vāku ar lenti.

Kārbai vajadzēja palikt tur, no kurienes viņa to bija paņēmusi. Vai arī viņai vajadzēja to parādīt Džckam.

Tā būtu pareizā rīcība.

– Keita? Keita? – viņš nāca uz kāpņu pusi. – Keita!

Tā vietā, lai rīkotos pareizi, viņa pasita kārbu padusē, bez skaņas metās uz priekšu pa gaiteni un, sirdij strauji pukstot, iespruka atpakaļ savā istabā.

Viņi sāka darbu mājas priekšpusē, ar priekštelpu, rūpīgi darbodamies tempā, kas likās neizturami lēns. Mazas uzlīmes līdz ar kārtas numuru uzgūla katram priekšmetam. Ikviens numurs atbilda aprakstam, kuru Džeks nodiktēja Keitai, un tad viņi uzņēma attēlu, dažreiz vairākus no dažādiem leņķiem. Ikviena figūriņa, ikviena glezna, ikviena šeit reiz dzīvotās dzīves detaļa tika fiksēta un novērtēta ātras pārdošanas vajadzībām.

Ikvienai lietai bija sava aplēstā vērtība. Keita ierakstīja ciparus līdzās aprakstam neraksturīgi rūpīgā, glītā rokrakstā, kopsummai ar katru brīdi augot aizvien lielākai. Tas bija apstulbinoši. Cik skumji, ka visas šīs lietas, kas bija iegādātas un mīlētas vairāku paaudžu mūža garumā, tagad pārvērtās par nieka pāris rindiņām katalogā. Endslija reiz bija kalpojusi par mājām – par patvērumu no dzīves un pasaules. Dažas no šīm lietām bija mīļākas par citām un tika īpaši uzmanītas. Tagad viņi ar Džeku kļuva par pēdējiem cilvēkiem, kas bija apmetušies šajā ēkā, kamēr tā vēl bija privātmāja. Pāris svešinieki, kuri neko nezināja par šo māju un tās vēsturi, kuri bija sveši pat viens otram. Drīz vien buldozeri nojauks Viljamsas kundzes pieplacināto kotedžu ar zemajiem griestiem, lai atbrīvotu vietu greznam SPA kompleksam, bet vestibils pārvērtīsies par uzņemšanas zāli un bāru. Keita jau tagad spēja iztēloties tūristu prieku, ierodoties šeit, lai pavadītu brīvdienas laukos.

Džeks lieliski pieprata savu darbu, rīkodamies gudri un lakoniski, saukdams sarežģītus aprakstus par objektu stiliem un stāvokli, pat neievelkot elpu. Un Keita jutās pateicīga par prasīgas saspēles trūkumu starp viņiem. Viņš diktēja, un viņa pierakstīja. Viņa bija neredzama un jutās atvieglota, uz brīdi aizmirstot, kas viņa ir un kā ir šeit nonākusi. Kad viņi septiņos meta mieru, Keitas pirksti smeldza no piepūles rakstīt skaidri un reizē ātri.

– Varbūt šovakaram pietiks? – Džeks ierosināja.

Keita pateicīgi pamāja, noglabādama veidlapas mapē.

– Man šķiet, ka saožu gatavota ēdiena smaržu, – viņš piebilda nožāvādamies un izstaipīdamies ar augšup paceltām rokām.

Viņi devās uz virtuvi. Viljamsas kundze bija smagi nopūlējusies – ganu pīrāgs glīti gozējās krāsnī, un uz garā priežkoka galda bez galda piederumiem divām personām atradās arī zaļie salāti, augļu bļoda un siers.

– Paldies dievam par ko tādu! – Džeks saberzēja rokas. – Es vai mirstu badā!

– Un tomēr – kur ir šī neredzamā Viljamsas kundze? – Keita brīnījās, atbalstīdamās pret darba virsmu. – Tas atgādina kādu pasaku, piemēram, "Skaistuli un briesmoni".

– Vai mēs visi nevēlētos tikt pie tādiem kalpotājiem?

– Hmm.

– Ak, un te ir tieši tas, kas vajadzīgs! – Džeks satvēra sarkanvīna pudeli, kas vēdinājās uz darba virsmas līdzās divām glāzēm. – Vai drīkstu tev ieliet glāzi?

– Nē, pateicos.

– Patiešām? Tu esi pārliecināta?

– Viss kārtībā, paldies.

Tad Džeks atcerējās savu sarunu ar Reičelu; šķiet, viņa bija minējusi kaut ko par to, ka Keitas tēvs bijis alkoholiķis. Bez šaubām, viņam nevajadzēja neko par Keitu zināt. Džeks ielēja sev glāzi.

– Ceru, ka tev nebūs iebildumu.

– Kāpēc lai man būtu iebildumi?

Viņš paraustīja plecus, cenzdamies izskatīties nevērīgs.

– Tāpat vien.

Juzdamies nedroši, viņš pasmaidīja un iedzēra malku, šķietami pierādīdams, ka neko nezina par Keitas ģimenes vēsturi.

Keita sarauca pieri, nespēdama noslēpt aizkaitinājumu. Reičela acīmredzami bija viņam pastāstījusi.

– Te ir tik karsti! – Viņa aizgriezās, palūkodamās ārā pa logu.

– Tev taisnība. Iesim labāk ārā.

– Lai notiek.

Ārā dārzā spriedze atslāba. Bija patīkami tikt ārā no sakarsušās virtuves ar tās senlaicīgo plīti. Viņi atkal apsēdās zem zirgkastaņas pie tā paša zemā galdiņa, pie kura bija dzēruši tēju, iznesot ārā ēdienu uz paplātēm.

Spirgts vējiņš čabinājās lapās. Un piepeši, pēc patīkamās anonimitātes, kas bija valdījusi stundām ilgi kopīgā darba laikā, divatnības neparastums atkal likās gluži vai sataustāms.

– Nu, – Keita stumdīja ēdienu pa šķīvi, – vai tu vienmēr esi bijis vērtētājs?

Tas izklausījās sausi un muļķīgi.

Džeks palūkojās uz viņu pāri galdam.

– Nē. Tu esi māksliniece, vai ne?

– Jā. – Keita nebija gaidījusi, ka saruna tik strauji atkal pievērsīsies viņai.

– Un ar ko īsti tu nodarbojies?

– Gleznoju. Reprodukcijas.

Viņš sarauca pieri.

– Patiešām? Tu domā Vistlera "Māti" un tamlīdzīgus darbus?

Viņa noplēsa gabaliņu maizes.

– Mana specializācija ir franču un krievu astoņpadsmitā gadsimta romantiķi.

– Apgaismības laikmets?

– Jā.

Viņš iesmējās.

– Kas ir?

– Reičela man neteica, ka tu esi gleznu viltotāja. – Viņš sāniski paraudzījās uz Keitu. – Vai tu nekad neesi mēģinājusi kaut ko uzdot par īstu?

– Tas viss ir īsts, – viņa noteica, iemērcēdama maizi mērces kabatiņā. – Tas tikai nav oriģināls. Un jā, gleznas visu laiku tiek uzdotas par oriģināliem. Lielākoties es gatavoju reprodukcijas drošības nolūkos. Ir maz tādu cilvēku, kas var atļauties zaudēt meistardarbu, pat nelielu, zādzības vai ugunsgrēka dēļ.

– Esmu tevi aizskāris. Piedod. Māte man vienmēr apgalvoja, ka sarunājoties esmu tikpat neaptēsts kā kāpostgalva.

– Esmu pārliecināta, ka viņa to teica tikai pieklājības pēc.

Viņš iesmējās.

– Mātes parasti mēdz būt piedodošas. Tātad, – viņš mēģināja vēlreiz, – kāpēc tieši šis periods?

– Varētu teikt, ka es uz to iekritu.

– Uz saprāta laikmetu?

– Kāds man lūdza uzņemties vienu darbu. Reālisma manierē ieturētu gleznu apbrīnojamā dzīvoklī ar skatu uz parku. Es konstatēju, ka man tas padodas. Turklāt tur pastāv lielākas iespējas kaut ko nopelnīt. Galu galā, – viņa nokoda kumosu, – ja tu piekārsi pie sienas "Saulespuķu" kopiju, visi zinās, ka tas ir viltojums. Bet, ja tu izvēlēsies kaut ko mazāk pazīstamu...

– Ļoti gudri. Vai tā bija Konstantaina ideja?

Džeka vērība pārsteidza Keitu nesagatavotu. Viņa saminstinājās.

– Nu, pasūtījumu es saņēmu ar kāda viņa klienta starpniecību.

– Viņš vienmēr bijis, kā lai to labāk pasaka... uzņēmīgs. – Džeks iedzēra vēl vienu malku. – Un kā tad tavs pašas darbs?

– Tas ir mans darbs.

– Protams. Es tikai domāju tavu tēmu.

Keita atkal sajutās nonākusi nedrošā teritorijā.

– Man ļoti labi maksā. Un miršana badā jumtistabiņā nav īpaši valdzinoša perspektīva.

Džeks neko neatbildēja. Taču viņa sejas izteiksme likās uzjautrināta.

– Tas ir pastāvīgāk.

– Tā gan ir. Mums jādara tas, kas ir pastāvīgāks.

– Vai tu vienmēr esi bijis vērtētājs? – viņa atkal ievaicājās, šoreiz jau sausāk.

Džeks smaidot pacēla galvu.

– Nē. Manam tēvam piederēja senlietu veikaliņš Īslingtonā. Es apguvu izsoļu rīkošanas mākslu *Sotheby's* viena gada laikā pēc universitātes, līdz man prātā ienāca spožā doma kļūt par arhitektu. Tad nelaimīgā kārtā saslima mans tēvs. Pārkinsona slimība. Un es pārņēmu viņa veikalu. – Viņš apklusa. – Man būtu vajadzējis to pārdot un dzīvot tālāk, izrīkoties brutāli un izdarīt to tajā pašā gadā. Taču es iepinos.

– Kādā veidā?

– Laikam jau izliekoties par savu tēvu.

– Tev tas nepatīk?

Džeks paraustīja plecus.

– Darbs paliek darbs, vai ne? Turklāt, – viņš nozibināja smaidu, – tas vismaz bija pastāvīgs. Vismaz uz kādu laiku. Es biju spiests uzņēmumu pārdot pirms pāris gadiem.

– Kā tagad klājas tavam tēvam?

– Patiesībā to ir grūti pateikt. Vienu dienu viņam klājas pavisam slikti, bet nākamajā viņš šķiet tāds pats kā agrāk. Mana māte apsver iespēju ievietot viņu aprūpes namā. Šobrīd viņi dzīvo Leičesteršīrā, un es neredzu viņus tik bieži, kā man gribētos.

– Un tu tā arī nepabeidzi apmācību?

Viņš iebakstīja salātu lapā.

– Tobrīd es jau biju apprecējies. Ar meiteni, kura ienāca veikalā nopirkt spoguli.

– Skaidrs. Vai tu viņai to pārdevi?

– Nē, viņa to nevarēja atļauties. Taču es viņai pagatavoju vairākas tējas tases, un viņa mēdza iegriezties visai bieži, izlikdamās, ka turpina meklēt. Beigās es viņai uzdāvināju patiesi skaistu karaļa Edvarda laiku kamīna spoguli. – Viņš klusībā pasmaidīja, to atceroties. – Es visur izmeklējos kaut ko piemērotu, no kā varētu atļauties šķirties. Centos izlikties, ka šā vai tā gatavojos to kādam atdot. Nedomāju, ka tas viņu apmānīja.

– Tomēr tu viņu apprecēji. Tātad tas iedarbojās.

– Jā, tas iedarbojās. Es tiku pie meitenes.

– Un tomēr tu pārdevi veikalu.

– Izrādījās, ka ir jābūt ļoti godkārīgam, lai vadītu pats savu uzņēmumu. Pēc sievas nāves es metu tam mieru. – Viņu skatieni sastapās. – Viņa gāja bojā autoavārijā, pirms diviem gadiem.

Viņš to pateica vienkārši, ātri. Keita iedomājās, vai viņš nav iepraktizējies izrādīt pēc iespējas mazāk emociju šādā brīdī.

– Man ļoti žēl.

Viņu starpā novilnīja vēsums.

– Jā. Paldies.

Viņi turpināja ēst klusēdami.

– Tas ir dīvaini, vai ne? – Džeks nolika dakšiņu malā. – Visi tā saka – "man ļoti žēl". Un es saku "pateicos", itin kā pirktu veikalā pinti piena. Tas ir kaut kā... nepareizi, nepiemēroti, ka viss tiek nonivelēts līdz tam. Un galu galā viss tiek nonivelēts līdz vienam teikumam. "Tas bija togad, kad nomira mana sieva."

Keita pamāja.

– Visa tā padarīšana ir pilnīga sūdu būšana.

Džeks pārsteigti viņu uzlūkoja.

– Nujā... var teikt arī tā.

– Es negribēju tevi apvainot.

– Tu vismaz pārmaiņas pēc neatvainojies.

– Kad nomira tēvs, man bija bail runāt ar cilvēkiem, kurus es nebiju kādu laiku satikusi, atkal atkārtot vienas un tās pašas klišejas. Tas mani saniknoja. Es dusmojos uz viņiem, lai gan tas, protams, bija muļķīgi.

– Vai jūs bijāt tuvi?

– Viņš nebija nekāds mīļais un gādīgais. Taču nedomāju, ka tam ir kāda nozīme. Lielākoties man pietrūka mierinājuma, ka kādu dienu viss varētu būt savādāk. Kad viņš nomira, attiecības tika iecirstas akmenī. Bija par vēlu tās mainīt, pat ja es to vēlētos. Vai spētu. Un man cits nekas neatlika, kā staigāt apkārt un pateikties cilvēkiem, kuriem patiesībā nemaz negribējās par to runāt un kuriem šā vai tā nebija ne jausmas, ko teikt.

– Jā, – Džeks secināja, iedzerdams vēl malku vīna, – tā ir sūdu būšana.

Viņi noskatījās, kā bars mājas čurkstu lidinās gar augsto žogu dārza dienvidu daļā.

– Un kā ir ar tevi? – Viņš atzvila krēslā. – Tu esi precējusies? Šķīrusies? Atraitne?

Viņa strauji pacēla galvu.

– Vai mums nevajag par to runāt?

Keita ilgāku laiku nolūkojās viņā.

– Es esmu... biju saistījusies ar kādu.

– Tev ir draugs?

– Tas nebija tik pašsaprotami.

Džeks sarauca pieri.

– Jūs izsakāties mazliet neskaidri, Elbionas jaunkundz.

– Tāds ir mans nolūks, Koutsa kungs.

– Vai tu vienmēr izvairies no skaidrības, vai arī tas attiecas tikai uz sirdslietām?

– Kurš ir teicis, ka te runa ir par sirdslietām?

– Nu, – viņš iesmējās, – vai tad nav?

– Neesmu īsti droša. – Keita vieglītēm pārslidināja pirkstus pāri savas glāzes augšmalai. – Sirdī ir daudz vairāk teritoriju, nekā cilvēki mēdz uzskatīt.

– Piemēram?

– Īpašnieciskums, vara. – Viņa runāja lēni, klusi, paceldama acis, lai skatieni sastaptos. – Dažkārt tas ir mulsinoši, vai ne?

Džeks sajuta, kā pulss kļūst manāms ādas virspusē, atdzīvojies līdz ar saasinātu jutību.

– Kādā veidā?

– Lai noteiktu, kas ir kas. Pastāv intimitāte, kas nav tik pieklājīga kā mīlestība, bet tik un tā saistoša. Ne visi ilgojas pēc maiguma.

– Un tu?

– Es ilgojos pēc visādām lietām. Dažas es saprotu, bet citas nē.

– Vai tu gribi teikt, ka nepazīsti pati sevi, savu prātu?

– Un tu?

– Man gribētos domāt, ka pazīstu.

– Tu maldini sevi.

– Bet tu esi iedomīga.

– Kāds tam vispār ir sakars ar prātu?

– Es nerunāju par intelektu, bet par nodomu, – viņš paskaidroja, apzinādamies, ka pārspīlē ar nevērīgu izturēšanos. Viņa bija gudra un provokatīva. Taču vissatraucošākais bija viņas straujums.

Keitas lūpas pavērās lēnā, ķircinošā smaidā.

– Un vai visi tavi nodomi ir caurredzami un cienījami?

– Vai tas nav iespējams?

– Varbūt arī ir iespējams. Taču tas nav dabiski.

– Un kāpēc ne? – Viņš sakustējās, pārkrustodams kājas. – Kāpēc tu nevari apzināties savu rīcību, pirms to īstenot? Nospraust ceļu savai sirdij tā vietā, lai akli ļautu tai klīst apkārt?

– Ak tu tētīt, tu patiešām esi rets putns!

Vējš sakustināja resnos zarus virs galvas, izveidojot melnas ēnas, kas sniedzās viņiem pretī pāri mauriņam.

– Tas nav godīgi. Tu liec man izklausīties pēc svētuļa!

– Nu, paskatīsimies. Cilvēks, kura motīvi un vēlmes viņam ir pilnībā zināmas ikvienā brīdī un pilnībā kontrolējamas, kurš ne reizes neiekrīt cilvēcisku attiecību duļķainākajās dzīlēs, kura jūtas atbilst iepriekš atļautiem plāniem... Nē, tu neesi svētais. Tu esi statuja. Kaut kas olimpisks. Pilnīgi noteikti no marmora.

– Un kā ir ar tevi? – viņš nepadevās. – Sieviete, kura nepazīst pati savu prātu, nespēj pat pateikt, vai viņai ir attiecības vai nav, bet ir pārliecināta tikai par to, ka pie tām nepieder mīlestība. Par ko tas tevi padara?

Krēslainajā gaismā pāri Keitai nolaidās ēna, izpeldinot viņu tumsā.

– Es nezinu. Nezinu, par ko tas mani padara.

Gaiss piepeši likās kļuvis vēsāks.

Džeks mēģināja izdomāt kādu iespēju, kā atkāpties, nezaudējot pašcieņu.

– Keita...

Taču Džeks nepaguva neko pateikt, kad viņa atbīdīja krēslu un piecēlās.

– Esmu nogurusi, – viņa sacīja. – Diena bija gara. Vai tev nebūs iebildumu, ja es..?

– Jā, ej vien. – Viņš to noteica mazliet par ātru, domām strauji joņojot, lai saprastu, kā īsti viņš ir Keitu apvainojis, pārliecināts, ka viņš to var izdarīt atkal, ja turpinās runāt par šo tematu. – Es te visu nokopšu.

– Paldies tev.

Viņa šķērsoja mauriņu, atkāpdamās no viņa, lai nozustu mājā pa vaļējām franču durvīm, pie kurām vējš ar neredzamiem pirkstiem satvēra un atlaida caurspīdīgos baltos aizkarus.

Vecā māja mainījās līdz ar tumsas iezagšanos. Istabas, kas likās atvērtas un aicinošas dienas gaismā, nu kļuva nesaprotami vēsas, ēnas uzglūnēja, un nelīdzenie grīdas dēļi lika Keitai gaitenī paklupt. Lai arī viņi atradās pārāk tālu no krasta līnijas, viņai šķita, ka var sadzirdēt jūru, viļņiem sitoties pret klintīm.

Piepeši viņas ķermenis kļuva smags aiz noguruma, prāts aptrulis. Kāpņu pakāpieni čīkstēja, viņai kāpjot augšā uz savu istabu. Neieslēgusi gaismu, Keita sabruka uz gultas malas. Pēdējās sārtās saulrieta oglītes izdzisa rietumos. Pēc brīža tās bija pazudušas.

Viņa paņēma savu mobilo telefonu, kas atradās uz tualetes galdiņa. Vēl divi neatbildēti zvani. Keita nespēja atturēties, tos nepārbaudījusi. Nespēja atbildēt uz zvaniem un tomēr nespēja izdzēst viņa numuru, nespēja nekādā veidā spert soli uz priekšu, būdama ieslodzīta neredzamā pretrunu un apsēstības būrī. Viņa izslēdza telefonu, aizmezdama to pāri telpai, kur tas iekrita stūrī. Pietiekoši tālu, lai viņa nevarētu pasniegties un paķert to naktī, pietiekoši tuvu, lai būtu pie rokas. Nepatika pašai pret sevi auga augumā un pieņēmās spēkā, mēmi piesūcinādama viņu kā tīra papīra lapu.

Viņa domās saskatīja Džeka zilās acis, kas bija triumfējoši piemiegtas, sadzirdēja pārākuma apziņu viņa balsī.

Par ko tas viņu padarīja?

Viņa pārāk labi zināja, par ko tas viņu padarīja.

Tas vēl aizvien likās satraucoši. Tas bija vispretīgākais tajā visā. Viņa baidījās no neatbildētajiem zvaniem un tajā pašā laikā ar šausmām iztēlojās dienu, kad zvani varētu izbeigties. Viņas motīvi bija neskaidri, netīri. Nekas viņā vairs nebija skaidrs, labs vai tīrs.

"Mēs esam saistīti, tu un es." Atmiņas par viņa balsi – klusu, tikai mazliet skaļāku par čukstu, par viņa karsto elpu uz vaiga atkal un atkal atkārtojās Keitas prātā. Bez domāšanas viņa paberzēja delmu: uz tā vēl aizvien bija jūtams viņa pirkstu spiediens, tiem iegrābjoties viņas miesā brīdī, kad viņa centās atvirzīties.

Valdīja krēsla. Blāva mēness skaida sāka celties augstāk debesīs.

Šī bija nepazīstama māja: aizplīvurota un tomēr dzīva tumsā. Tā nopūtās un nodrebinājās. Lietas mainīja vietu, neredzamu priekšmetu apveidi šaudījās pa grīdu.

Un, pat nepapūlējusies nomazgāt seju, iztīrīt zobus un novilkt drēbes, Keita saritinājās gultā un aizvēra acis.

17 Rue de Monceau
Parīze

1926. gada 20. jūlijā

Mana dārgā Rēna!

Nu, tā! Beidzot te ir noticis kas interesants! Pilsētā ir ieradies Elinoras brālēns – Frederiks Ogilvijs-Smits jeb Pinkijs, kā viņu saukā, pateicoties viņa pastāvīgi pietvīkušajiem vaigiem (tie patiešām atgādina svaigi nopērtu pēcpusi) – un viņš ir ārkārtīgi jautrs, kas ir pārsteidzoši, ņemot vērā to, cik neizturami garlaicīga ir Elinora. Viņš ir ceļā uz Nicu, lai tur pievienotos Hārtingtoniem viņu villā netālu no Ezas, taču nolēmis uzkavēties vēl mazliet ilgāk, lai aizvestu mūs vakariņās un uz izrādi. Skaidrs, ka Elinora bija šausmās, taču mēs ar Enu lieliski saprotamies ar viņas brālēnu. Varbūt mazliet par daudz lieliski – pasaki man, ko Tu domā. Mēs ejam pa Place de la Concorde pēc iznākšanas no Rica viesnīcas, un viņš saņem mani aiz rokas.

"Tu esi maizes meitene, vai ne?"

"Kā, lūdzu?!" (Es centos izturēties nopietni un atturīgi, taču Pinkija gadījumā tam patiešām nav nekādas jēgas – viņš turpina iesākto par spīti visam.)

"Neesi taču tik kautrīga. Visi zina, ka tava māte apprecējās ar lordu Vobērtonu no "Vobērtona veselīgajiem pilngraudiem". Un tā ir laba maize." Viņš mani iesānis uzlūko. "Laikam man vajadzētu tevi aplidot, tu esi slavena mantiniece."

"Es neesmu slavena."

"Tad būsi."

"Un es neesmu mantiniece!"

"Nujā, labi, tādā gadījumā neprātīgi labi situēta. Vai man to vajadzētu darīt tagad?"

Es nopūšos. "Ja tev tā vajag."

"Labāk tiksim ar to galā." Viņš izņem rokas no kabatām un sāk runāt drebelīgā balsī. "Tavas acis ir kā divi nevainojami zili..."

"Lūdzu, izbeidz."

"Tev taisnība."

"Un kā tad ar Enu?"

"Kas ir ar viņu?"

"Nu, vai tev nevajadzētu aplidot viņu arī?"

"Patiesībā tas nenotiek tādā veidā. Ne gluži. Ir jānogaida, lai viena meitene aiziet, pirms mesties iekarot citu."

"Mēs esam draugi."

"Saprotu." Viņš pievēršas Enai. "Tavas acis ir kā divi nevainojami zili..."

"Brūni."

"Ak." Viņš apraujas. "Tas ir pārāk sarežģīti! Vai mēs visi nevarētu iedzert kokteili? Cigareti?" Viņš pagriežas pret mani. "Skūpstu?"

Un es to izdarīju, mīļā – tas ir, ļāvu, lai viņš mani noskūpsta. Un, pirms Tu kļūsti pārāk nikna, ļauj man paskaidrot, ka Pinkijs ir ļoti uzjautrinošs un pavisam nekaitīgs. Viņš drīzāk līdzinās brālim nekā vī-

rietim, un mums briesmīgi gribējās uzzināt, kā tas ir. Turklāt viņš noskūpstīja arī Enu. Viņam patiešām nebija nekādas jēgas skūpstīt tikai vienu no mums, jo tad mums nebūtu neviena, ar ko vēlāk to apspriest. Mēs abas bijām vienisprātis, ka tas bija mazliet slapjāk, nekā bijām iedomājušās, un varbūt būtu jaukāk, ja tas nebūtu Pinkijs. Viņš apjautājās, vai drīkstēšot man rakstīt, un es atbildēju, ka jā. Jau esmu saņēmusi pastkarti ar kazu un visai aizdomīga izskata zemnieku meiču. Un tagad viņš mani saukā nevis par maizes meiteni, bet gan par Maizīti. Kā Tu domā, vai mēs esam saderinājušies?

Lūdzu, nesaki to Svētulei, citādi būšu spiesta aizbēgt kopā ar vīrieti, kuru esmu redzējusi tikai vienu reizi.

Daudz buču no
Niķupoles (brīvdomātājas)

Džeks aiznesa šķīvjus uz virtuvi un ielika tos izlietnē. Droši vien Viljamsas kundze tos nomazgās no rīta. Viņš varēja tos te atstāt. Un tomēr Džeks atgrieza ūdeni un iešļāca izlietnē spēcīgi pēc citrona smaržojošu šķidru mazgāšanas līdzekli, iebāžot rokas ziepjainajā ūdenī. Te vismaz viņš varēja tikt uz priekšu, kaut ko mainīt. Trauku mazgāšana bija pierādījums pasaules civilizācijai un drošs līdzeklis pret eksistenciālajām bailēm.

Turklāt viņš gribēja iegūt zināmu laiku, izveidot abu starpā zināmu attālumu.

Viņš bija vēlējies izlikties asprātīgs, apburošs. Gudrs, taču tajā pašā laikā jautrs un nepretenciozs. Taču neviens no viņa rūpīgi izperinātajiem novērojumiem nebija vajadzīgs. Sarunai bija pašai sava dzīve, un viņš nebija spējis to kontrolēt.

Džeks noskaloja glāzi zem krāna.

Viņš nebija piekritis Keitai. Konstatējis trūkumus viņas domāšanā, kas, viņaprāt, bija savāds godīguma un izvairības sajaukums.

Un tomēr viņa nenoliedzami bija saistoša. Kad viņa kustējās, viņš nespēja novērst skatienu. Kad viņa runāja, viņš pieķēra sevi liecamies uz priekšu ne tikai tāpēc, lai dzirdētu, ko viņa saka, bet arī lai notvertu nepateikto: atstarpes starp viņas domām, kas likās atklājam vēl vairāk. Viņā jautās kāda negribēta caurskatāmība; stikla trauslums, kaut arī viņai piemita pašaizsardzība. Viņš instinktīvi vēlējās Keitu aizsargāt.

Nebija nekāds brīnums, ka Dereks Konstantains bija apburts. Un Džeks atkal iedomājās, kāda bijusi viņu draudzības patiesā daba.

Daži cilvēki bija kā vīrusi, kuri aplipināja ikvienu savā tuvumā. Dereks Konstantains bija viens no tādiem – nāvējoša spožas gaumes un iedvešanas spējas kombinācija. Konstantainam piemita morāla izlaidība, kura uzdevās par brīvdomību un izsmalcinātību un kurai bija gandrīz neiespējami pretoties. Kāpēc tieši viņam un nevienam citam vajadzēja kļūt par Keitas kontaktpersonu Ņujorkā? Tieši ar kādiem klientiem viņš to iepazīstināja? Vai viņš varēja būt tas vīrietis, kuru viņa bija pieminējusi pirmīt? Džeks centās izmest šo domu no prāta, taču tā bija iekērusies viņa iztēlē ar nesaprātīgu spītību. Džeks juta, ka viņa greizsirdība atdzīvojas, radīdama iedomas, ainas – Dereka pastāvīgi iedegusī, manikirētā plauksta pasniedzas, lai atvilktu rāvējslēdzēju Keitas kleitai, viņa pirksti slīd pāri viņas ādai, viņa mēle šaudās kā čūskai, samitrinot viņa lūpas...

Džeks strauji iegremdēja rokas ziepjainajā traukūdenī.

– Sasodīts!

Virtuves naža smaile iedūrās viņa plaukstā.

Viņš to nikni noskaloja zem krāna. Āda nebija pārgriezta, tikai ieskrambāta.

Viņam vajadzēja būt uzmanīgākam – gandrīz vienmēr zem ūdens slēpās kāds asmens.

Džeks ielika žāvētājā pēdējo šķīvi, salocīja virtuves dvieli un pakarināja to iepretī plītij.

Piepeši dienas smagums viņu nomāca; viņa spēki bija ne tikai izsīkuši, bet pazuduši pavisam.

Viņš neko nezināja, Džeks sev nožāvādamies atgādināja. Cik viņš zināja, Konstantains drīzāk varēja viņai būt tāds kā tēva aizstājējs.

Tad Džeks pamanīja vīna pudeli. Vai viņam to vajadzētu izliet izlietnē?

Viņš pārāk daudz domāja, kā parasti. Nedari neko, atstāj to, kur ir. Iebāzis pudelē korķi, viņš izslēdza gaismu.

Lēnām iedams cauri gaiteņiem, viņš pārbaudīja un aizslēdza durvis. Džeks iztēlojās Keitu augšstāvā, varbūt jau aizmigušu, un sevi pašu lejā, pildot ikvakara rituālus. Un jau otro reizi šajā dienā viņš sajuta patīkamu vīrišķības apziņas uzplūdu.

Šī bija skaista māja. Eleganta, pamatīga, izsmalcināta. Māja, kas zināja, kas tā ir un ko dara. Agrāk tāda bija vesela impērija.

Džeks mēģināja atcerēties, vai viņš tā kādreiz juties pats savā dzīvē: vai viņš ir izjutis šādu skaidru, nesatricināmu pārliecību par to, kas viņš ir un kurp dodas. Tā pastāvēja. Tolaik, kad viņš bija tikko apprecējies, Džeks jutās atbildīgs par savu likteni, jauns, gudrs, spējīgs uz lielām lietām. Viņam tikai vajadzēja kaut ko vēlēties, lai to sasniegtu. Tā bija brīnišķīga, lieliska sajūta.

Un tad iejaucās Liktenis. Šis bezgalīgais, neatkarīgais spēks pavērsās pret viņu bez kāda brīdinājuma, un piepeši dievišķīgā spēja pašam noteikt savu kursu dzīvē, neskatoties ne uz kādiem ilgstošiem šķēršļiem vai pretspēku, pazuda. Ļaunākais bija tas, ka viņam vairs nepiemita iekšējais kompass. Viņš bija pamests savā vaļā kā cilvēks, kuram ir bailes no augstuma. Tagad viņš svārstījās, grīļojās, krita. Paisuma vilnis, kas tik pārliecinoši uznesa viņu līdz panākumiem, pārvērtās bēgumā, un viņš bija spiests pieņemt to dzīvi, kas tika viņam uzspiesta, nevis paša nosprausto.

Nelaimes gadījums bija paņēmis sev līdzi tik daudz ko tādu, ko vairs nevarēja atgūt: daļu no viņa, par kuras eksistenci viņš neko nebija nojautis, līdz tā nozuda.

Visvairāk viņam pietrūka savas grandiozās, lielīgās versijas, kas tik drosmīgi soļoja pretī nākotnei. Patiesībā kādu laiku viņš sev bija paticis un priecājies par iespaidu, kādu atstāj uz dzīvi. Tagad viņam labāk patika nedomāt par sevi vispār.

Viņam un šai mājai bija kaut kas kopīgs: abi bija sastinguši laikā, kuru bija uzskatījuši par mūžīgu, un turējās pie atmiņām par pagātni, kas jau bija izbalojusi un izgaisusi.

Izslēdzis vestibilā gaismu, viņš uzkāpa augšā pa kāpnēm, taustīdamies pa tumsu uz savu istabu.

Viesnīca "Bristole"
Parīze

1926. gada 12. augustā

Mana dārgā Irēna!

Es ļoti atvainojos, mana dārgā, par to, ka Tevi tā izbiedēju. Tev man jātic, kad es saku, ka nevēlējos sacelt tādu jezgu. Mēs ar Enu vēlējāmies tikai nelielas brīvdienas un satikties ar Pinkiju uz dienu vai divām, bet madame Galjē to visu uztvēra galīgi ačgārni, kā parasti.

Skaidrs, ka viņa nemūžam nebūtu mums ļāvusi kaut kur braukt, ja zinātu, tāpēc mums gluži vienkārši VAJADZĒJA izdomāt kādus melus – tikai pavisam sīkus. Mēs viņai pateicām, ka nedēļas nogalē apciemosim Enas radus un tad ļoti gudri sastādījām visburvīgāko zīmīti drebelīgā vecas dāmas rokrakstā, uzaicinot mūs ierasties kopā ar Pinkiju, un viņš to nosūtīja no Montekarlo nedēļu iepriekš. Tikai Elinora varēja viņai atklāt, ka tā nav patiesība. Un tad, bez šaubām, viss sagāja pilnīgā grīstē. Man ļoti žēl, ka to uzķēra avīžnieki – "Pēru meitas pazudušas Montekarlo". Un mēs nepaguvām ne attapties, kad meklēšana jau ritēja pilnā sparā! Visu laiku mēs neko par to nenojautām, klīstot apkārt pa Vilfranšu ar Pinkiju un ēdot saldējumu.

Cik briesmīgi ir iedomāties, ka esmu nodarījusi Tev kaitējumu, mana mīļā. Mā jau ir atrakstījusi ļoti bargu vēstuli, apgalvojot, ka mana rīcība iedragājusi Tavas laulību izredzes – vai tas patiešām tā varētu būt? Tici man, ka esmu auša, stulbene un egoiste, taču nemūžam nedarītu tev ļaunu apzināti – pat ne par visu pasaules naudu! Esmu pārāk, pārāk satriekta! Un tagad madame Galjē atsakās pieņemt mani un Enu, un Mā ir pierunājusi prinča konsorta dēlu Niku Vobērtonu, lai viņš atved mani mājās kā tādu izbrāķētu preci. Tā nu es tagad rakstu viesnīcā "Bristole", kurā viņam jāierodas, šveicara modrā skatiena uzraudzībā. Nemaz nezinu, kā viņš izskatās, tāpēc nepazīšu viņu, un esmu tik daudz raudājusi, ka mana seja ir pietūkusi un neviens viesmīlis mani neapkalpos.

Lūdzu, piedod man, mīļā! Lūdzu, atsūti vienu mazu rindiņu un pasaki, ka Tu vēl aizvien esi mana māsa un turpini ar mani sarunāties! Jādomā, ka Tavs jaukais Dižciltis nepametīs tevi tikai tāpēc, ka Tavā ģimenē pagadījusies viena idiote.

Ak kungs. Nupat iekšā ienāca briesmīgi resns vīrs, kurš izskatās stipri dusmīgs. Tas droši vien ir viņš. Man šķiet, atkal sākšu raudāt.

Tava asarās slīkstošā
Pazudusī D.

Viljamsas kundze nepavisam nebija tāda laipna un sirma vietējā kundzīte, kādu Keita bija iztēlojusies. No rīta nokāpusi lejā, lai uzliktu vārīties kafiju, viņa ieraudzīja apaļīgu balinātu blondīni vecumā ap sešdesmit, kura bija ģērbusies džinsos un pieguļošā sārtā sporta krekliņā ar saukli "Lielā tērētāja", kas bija izšūts ar spožiem fliteriem. Radio bija ieslēgts, lai Madonna varētu nodemonstrēt savu jaunāko deju melodiju. Saimniece skaļi smējās, sarunājoties pa mobilo telefonu, vienlaicīgi griezdama dārzeņus.

Pamanījusi Keitu, viņa pamāja.

– Ak, piedod! Man jābeidz. Piezvanīšu tev vēlāk, labi?

Viņas sarunas biedrs neņēma to vērā, turpinot tarkšķēt bez apstājas. Viljamsas kundze pārspīlēti izbolīja acis, un Keita līdzjūtīgi pasmaidīja. Sieviete pamāja Keitai, norādot uz kafijas automātu uz virtuves galda, kas nupat bija pagatavojis svaigas kafijas kannu.

– Paklau, mammu, man jābeidz runāt!

Keita paņēma no plaukta krūzi un ielēja kafiju.

– Piezvanīšu tev vēlāk, labi? Un neņem galvā, ko viņš saka. Tikai pagaidi mani, pirms domā par noteku tīrīšanu, saprati? – Beidzot viņai izdevās izbeigt sarunu. – Piedošanu. Tā bija mana māte, – viņa paskaidroja, noslaucīdama rokas virtuves dvielī. – Starp citu, mani sauc Džo.

– Keita.

Džo spēcīgi sakratīja Keitas roku.

– Viņai ir pāri astoņdesmit, – viņa turpināja, bērdama sagrieztos dārzeņus katliņā, – un viņa vēl aizvien domā, ka pati var iztīrīt notekas! Neprāts! Es jums saku, viņa ceļas pirms manis, iet gulēt vēlāk par mani un izdara daudz vairāk par mani. Ko es daru nepareizi? Vai jūs esat veģetāriete?

– Nē, – Keita iesmējās, atbalstīdamās pret virtuves galdu.

– Paldies dievam, ka tā! Vakar vakarā jums nebūtu ko ēst, ja jūs būtu veģetāriete. – Džo atvēra ledusskapi un izņēma folijā ietītu vistu. – Iedomājos, ka pagatavošu jums vistas cepeti pusdienām un vistas gaļas sautējumu vakariņām. Zinu, vista, vista un vista! Mazliet garlaicīgi, taču es cenšos iztīrīt ledusskapi un visu pārējo. Kad jūs aizbrauksiet, tās būs beigas. Veselas ēras beigas.

Keita noskatījās, kā viņa ielej katliņā mazliet eļļas un uzliek to uz plīts.

– Cik ilgi jūs te strādājat? – viņa jautāja.

– Esmu uzaugusi šajā muižā. Mana māte visu mūžu strādājusi par saimniecības vadītāju. Godīgi sakot, man briesmīgi gribējās tikt prom no šejienes, kad biju jaunāka. Kopā ar otro vīru man piederēja viesnīciņa Maljorkā. Īstākais neprāts. Vienkārši nomainīju vienu pludmali pret citu. Bet, kad laulība izjuka, es atgriezos, lai pieskatītu mammu. Un tā sanāca, ka man vajadzēja pieskatīt arī Irēnu. Viņa bija krietna sieviete. Taču viņai bija savāda attieksme pret jaunu cilvēku parādīšanos mājā. Viņa maksāja divreiz lielāku algu nekā parasti, lai tikai nevajadzētu te ielaist nevienu svešu. "Lai viss paliek ģimenē, labi?" Tā viņa mēdza sacīt.

– Māja ir brīnišķīga.

– Hmm. – Saimniecības vadītāja sakratīja katliņu. Virtuve piepildījās ar pikantu ceptu sīpolu smaržu. – Tai piemīt savs valdzinājums. Un kā ir ar jums? Vai jūs esat no Londonas?

– Jā. Nu, patiesībā, – Keita saminstinājās, – jā un nē... Es agrāk dzīvoju Ņujorkā.

Džo seja atplauka.

– Ak, es dievinu Štatus! Cilvēki ir tik draudzīgi! Ja būtu tāda iespēja, es pārceltos uz turieni un nemaz neskatītos atpakaļ.

– Tiem piemīt savs valdzinājums, – Keita piekrita.

– Tas ir kas vairāk. – Keita noskatījās, kā viņa izsaiņo svaigu maizes klaipu, izņemot to no iepirkumu maisiņa uz galda. – Ieēdiet grauzdiņu, – saimniecības vadītāja nokomandēja, noceldama no āķa maizes dēli un paņemdama nazi. – Es gribu teikt, ka pie viņiem nav sastopamas visas tās šķiru blēņas. Neviens neieklausās tavā balsī, cenšoties noteikt, kurā atvilktnē vajadzētu tevi iebāzt.

Keita iedzēra malku kafijas.

– Hmm.

Viljamsas kundzi neapšaubāmi bija apbūrušas visas tās parādības, kas aizrāva visus angļu tūristus divu nedēļu garajās brīvdienās Floridā – Amerikas apkalpojošās sfēras nežēlīgā laipnība, možais un izpalīdzīgais viesnīcas personāls, smaidīgie viesmīļi, kuri lūgtin lūdz patīkami pavadīt dienu, ielejot otro kafijas tasi.

– Ņujorkā šķiru jautājumam ir liela nozīme. Atšķiras tikai noteikšanas kritēriji.

– Patiešām? Es pirms diviem gadiem apmeklēju "Disneja pasauli", un visi bija vienkārši brīnišķīgi. Es biju sajūsmā!

– Amerika ir lieliska valsts, – Keita piekrita, griezdama maizes gabalu. Maize bija svaiga un mīksta. Viņa noplēsa kumosu un iemeta to mutē.

– Vai negribat to uzgrauzdēt?– Džo noņēma dārzeņus no plīts.

Keita papurināja galvu.

– Tā ir lieliska arī tāpat.

– To gatavo mana mamma. Kā pavāre es viņai nestāvu ne līdzi. Viņa ieradās mājā kā lēdijas istabmeita piecpadsmit gadu vecumā, bet, kad sākās karš, viņiem nācās visus atlaist. Tā nu viņa iemācījās gatavot. Viņas krājumā ir daži neizturami smieklīgi stāsti. Piemēram, par to reizi, kad viņa vēlējās sasildīt sudraba traukus plītī, lai saglabātu ēdienu karstu, un, atverot durtiņas, ārā izripoja vairākas sudraba bumbiņas! Vai varat iztēloties? Viņa bija izkausējusi ģimenes labākos sudraba traukus! Lai Dievs nogrābstās! Skaidrs, ka tolaik viņa vēl bija tīrais bērns.

– Un jūs te uzaugāt?

– Jā.

– Tas droši vien bija fantastiski.

Džo atbalstījās pret virtuves galdu.

– Šī ir brīnišķīga veca māja. Lai gan mēs uzaugām muižā, ne gluži Endslijā. Jūs esat iekārtojusies Irēnas istabā, vai ne? No tās paveras lielisks skats, vai jums tā nešķiet? Bez šaubām, jūs noteikti redzat tādas mājas kā šī katru dienu.

– Tā nu gluži nav.

– Bibliotēka ir īpaša. Un daudzi cilvēki ir apbrīnojuši to kupolu. Neoklasicisma stils. Ļoti agrīns Roberta Adama darbs. Protams, tas nekad netika īsti pabeigts, jo atjaunošanas darbi kara laikā apstājās.

– Patiešām? Man patīk zeltainā istaba.

– Zeltainā istaba?

– Jā. Tas, kā saule rotaļājas ar zeltījumu, ir aizraujoši.

– Zeltījumu? – Džo iespurdzās. – Šajā mājā nav nekāda zeltījuma!

– Piedodiet, es biju domājusi to istabu tālajā spārnā, kuras logi iziet uz rožu dārzu.

– Tālajā spārnā? – Džo sejas izteiksme kļuva skarbāka. – Tā istaba ir aizslēgta. Tā vienmēr bijusi aizslēgta.

Keitas vaigos iesitās sārtums.

– Simsa kungs mums iedeva atslēgas... ar tām var atvērt... – Viņa aprāvās, neizteikusi savus melus līdz galam. Piepeši viņa sajutās kā piecgadīga meitenīte.

Džo salocīja virtuves dvieli un nolika to.

– Parādiet man. Paskatīsimies, par ko jūs runājat.

Keita negribīgi izsoļoja ārā no virtuves, sekodama Džo, kura strauji devās augšā pa galvenajām kāpnēm. Kad viņas bija tikušas līdz augšai, Džeks iznāca no savas istabas, saģērbies gaidāmajai dienai. Keita apzinājās, ka pati vēl aizvien staigā pa māju naktskreklā.

– Sveikas! – Viņš uzlūkoja vienu un tad otru. – Kas te notiek? Starp citu, es esmu Džeks, – viņš stādījās priekšā, pasniegdams roku.

– Džo Viljamsa, – saimniecības vadītāja atbildēja, paspiezdama viņa plaukstu. – Jūsu draudzene teica, ka viņa esot kaut ko atradusi – kādu istabu.

Džeks palūkojās uz Keitu.

– Vai tiešām?

– Kamēr tu vakar atpūties... Es apstaigāju māju, – viņa negribīgi paskaidroja.

– Nu tad apskatīsim to. – Viņš centās runāt nevērīgi, taču Keita samanīja viņa balsī vieglu aizkaitinājumu.

Viņa arī sāka just aizkaitinājumu. Tā nebija viņas vaina, ka tā sasodītā istaba eksistēja! Dodamās uz priekšu pa garo gaiteni, viņa apstājās pie beidzamajām durvīm un atrāva tās vaļā.

– Te tā ir.

Rīta saule bija pieklusinātāka: istaba vērās uz rietumiem, un, lai arī tagad te nevaldīja tāda pati spoža gaisma kā iepriekšējā pēcpusdienā, telpa tik un tā bija žilbinoša. Iepletusi acis, Džo lēnām izgāja istabas centrā.

– Lai velns par stenderi!

Visa vēlēšanās aizstāvēties pazuda.

– Skatieties! – Keita atvēra franču logus, kas veda uz terasi. – Vai tas nav burvīgi? Vai jūs tiešām nekad neesat te bijusi? Vai nekad neesat par to iedomājusies?

Džo papurināja galvu.

– Kara laikā lielākā mājas daļa tika aizslēgta. Viņi dzīvoja tikai pāris istabās, kuras bija aptumšotas, lai taupītu enerģiju. Un pēc tam bija palikuši tikai viņi divi vien – Irēna un pulkvedis. Viņi vairs nekad īsti neatvēra māju. Strādājot pie kāda, cilvēki iemācās neskatīties pārāk cieši un neuzdot par daudz jautājumu. Galu galā ikvienam ir savi noslēpumi.

– Istaba ir skaista, – Džeks piekrita. – Patiesi neparasta.

– Zinu! – Keita bija sajūsmināta. – Bet vai jums neliekas dīvaini, ka šī, tieši šī paslēptā, aizslēgtā istaba ir visskaistākā telpa visā mājā?

Džeks paraudzījās uz viņu. Stāvēdama te savā zīda rītakleitā bez jebkāda grima, viņa izskatījās svaiga, jaunāka par saviem gadiem, neslēpta entuziasma pilna. Vai tā bija tā pati sieviete, kura pagājušajā naktī likās tik noslēpumaini zinoša? Izskatījās, ka viņas ir divas, vai arī – vismaz divas.

– Nezinu, – viņš noteica aizgriežoties. – Varbūt tam ir kāds sakars ar izslavēto angļu ekscentriskumu.

– Paskatieties uz šīm grāmatām. Tās nekad nav tikušas lasītas. Te. – Keita izvilka vienu ārā un pasniedza Džekam. – Pilnīgi visas ir jaunas.

Viņš to pāršķirstīja.

– Kāpēc lai kādam būtu savajadzējies to aizslēgt? – Džo prātoja.

Jautājums palika karājamies siltajā rīta gaisā.

– Varbūt apkure nedarbojās vai griesti pludoja. – Džo pasniedza grāmatu atpakaļ Keitai. – Vecās mājās bieži vien tiek iekonservēti veseli spārni.

– Tas ir noslēpums, – Keita neatlaidās.

Džeks smiedamies papurināja galvu.

– Nez vai aizslēgtas durvis var uzskatīt par noslēpumu!

Paziņojums par kurpju kārbu atradās viņai mēles galā. Keita pat atvēra muti. Taču tad viņa to atkal aizvēra, ātri vien. Tas bija kas personisks. Viņas slepenais atklājums.

– Varbūt tev taisnība, – viņa piekrita, nolēmusi vairs neturēties pie sava. – Varbūt tiešām viss ir izskaidrojams ar pludojošiem griestiem.

Keita devās atpakaļ uz savu istabu, juzdama, kā adrenalīns kūsā dzīslās. Tātad telpa bijusi aizslēgta vismaz vienas paaudzes mūža laikā – pat Džo neko par to nezināja.

Kaut kas bija noticis, un Keita jutās pārliecināta, ka tas ir saistīts ar kārbu.

Kāda cita iemesla dēļ gan būtu vajadzējis istabu aizslēgt, viņa prātoja, atgriezdama krānus vannas istabā un ievietodama vannā aizbāzni. Varbūt Irēna bija iecerējusi, ka visu māju piepildīs ģimene, taču viņas vīrs tika iesaukts karā. Un kurš gan zina, kas notika, viņam atgriežoties? Varbūt viņš bija ievainots vai nevēlējās, lai viņam pieskaras.

Vai varbūt viņa bija iemīlējusies kādā citā.

Tā bija mīkla, rēbuss, kas prasījās pēc atrisinājuma.

Keita atvēra vannas istabas logu, palūkodamās laukā uz plašo zaļo pļavu klājumu un bezgalīgo ainavu lejā.

Par kādu dzīvi Irēna bija sapņojusi, būdama jauna sieviete? Šeit, ar skatu uz jūru, viņa droši vien bija jutusies pārliecināta, ka nekas nevar noiet greizi, ka viņai pieder viss, par ko jebkad sapņojusi. Skaista māja, titulēts vīrs... Tagad te bija tikai veca māja ar aizslēgtu istabu, grāmatām, kas nekad netika lasītas, un apavu kārbu, kas bija pilna ar dīvainām simboliskām zīmēm un atmiņām – gluži kā vēstījums pudelē.

Keita iemērca pirkstus siltajā vannas ūdenī.

Vai viņai bija mīlas dēka? Kas bija tas glītais jūrnieks fotogrāfijā? Vai viņš bija uzdāvinājis tai rokassprādzi?

Novilkusi rītakleitu un naktskreklu, viņa nostājās pie aizsvīdušā vannas istabas spoguļa, lai uzspraustu matus.

Tas bija noslēpums, lai ko arī Džeks domāja. Viņš bija pārāk pašpārliecināts, lai tas nāktu viņam par labu, un tā bija viņa problēma. Pašapmierināts un augstprātīgs, un jā, svētulīgs. Un kas par to, ka viņš izturējās noraidoši pret viņas idejām? Tagad viņai bija virsroka, un Džeks to pat nezināja.

Viņa jutās patīkami satraukta par savu noslēpumu.

Nebija svarīgi, ko Džeks par viņu domāja. Pēc pāris dienām viņi būs atpakaļ Londonā, un Keitai pat nevajadzēs vēlreiz ar viņu sarunāties.

Ak kungs, pat šajā agrajā rīta stundā te bija tik karsti!

Viņa atvēra logu plašāk un izstaipījās, paceldama rokas augšup.

Džeks stāvēja mauriņā ar kafijas krūzi rokā. Kā Keita bija tikusi iekšā tajā istabā? Atslēgas bija pie viņa. Keita nebūtu varējusi atmūķēt slēdzeni. Viņa neizskatījās pēc tādas, kas varētu zināt, kā tas darāms.

Viņš satraukti staigāja šurpu turpu. Viņa neatbilda nekam, ko viņš savā prātā bija iztēlojies, un arī nerīkojās atbilstoši. Domās viņš bija sastādījis veselas sarunas, patīkamas ainiņas, kurās viņš uzņēmās vadību, parādīdams Keitai, ko un kā darīt. Taču tagad viņa visu laiku izslīdēja no tvēriena. Kaut trausla pēc izskata, viņa bija strauja, tumša un mainīga kā dzīvsudrabs. Viņš nepavisam nespēja Keitu saprast.

Un vēl viņam sāka likties, ka Keita tikai pacieš viņu, uzskatot par mazliet smieklīgu. Džeks apzinājās, ka viņa rīcības brīvību ierobežo profesionālais protokols un pieklājība, kamēr viņa, gluži pretēji, ielauzās aizslēgtās istabās, pieņēma nepazīstamus darbus, iesaistījās dīvaini nenoteiktās attiecībās.

Atskanēja troksnis.

Viņš pacēla galvu.

Loga stikla atstarotā gaismas kūļa apmirdzēta, Keita stāvēja pie loga pavisam kaila.

Neslēpdamās un nezinādama, ka kāds viņu vēro, Keita pacēla rokas virs galvas, izliekdama muguru. Viņas āda bija krēma krāsā, mati saulē likās balti.

Džeks zināja, ka viņam vajadzētu novērst skatienu.

Viņa pagriezās. Viņas krūtis bija nelielas, ar pārsteidzoši lieliem krūšu galiem. Tie bija tādā pašā krāsā kā viņas lūpas, pietūkuši un sārti.

Tad viņa atkal nozuda gluži kā gaistošs rēgs.

Keita nebija viņu redzējusi.

Viņas augums atšķīrās no tā, ko viņš bija iztēlojies: no neskaidrā, klasiskā skaistuma ideāla, kuru viņš bija tai piešķīris, pats to neapzinādamies. Viņas krūšu gali, kas bija pietūkuši un izslējušies karstuma ietekmē, momentā likās erotiski. Džeka šķīstās, romantiskās iedomas kapitulēja pornogrāfisku ainu priekšā – ar laizīšanu, sūkšanu...

Uzgriezis mājai muguru, viņš lika sev doties pāri mauriņam, kur ceļš izbeidzās pie aitu ganībām. Skats bija gleznains, debesis nevainojamā pīles olas zilā tonī virs sudrabainas jūras strēmeles.

Viņa bija to izdarījusi kārtējo reizi – tik pamatīgi izsitusi viņu no sliedēm, it kā būtu izrāvusi krēslu no apakšas. Viņš atkal bija satricināts, sajuzdams vēlmes, kuras ilgu laiku bija atradušās snaudas stāvoklī. Un Džekam tas nepatika. Lai kā viņš nicināja savas eksistences garlaicīgo vienmuļību kopš sievas nāves, viņš nespēja izturēt iespaidu, kādu uz viņu atstāja Keita: tas bija narkotisks un izraisīja atkarību. Viņa lika tam ilgoties pēc daudz kā tāda, kas viņam vispār bija nesasniedzams. Kādu brīdi Džeks apsvēra iespēju, ka Keita varbūt zināja par viņa klātbūtni, ka viņa tīšām izrādījās.

Skaidrs, ka tā bija muļķīga iedoma.

Un tomēr viņa prātā rindojās iztēles ainas.

Sasodīts, skaties taču uz aitām!

Tas ir darbs, viņš sev atgādināja, iztukšodams kafijas krūzi. Rīt tas beigsies, un tad viņi brauks atpakaļ uz Londonu. Visticamāk, viņa beigās atkal aizlidos uz Ņujorku, pie sava bagātā mīļākā.

Atmiņas par Keitu, kura tur bija stāvējusi kaila, neko nenojaušot, atkal nozibēja prātā. Džeks tās apņēmīgi izraidīja.

Viņš pat nevarēja Keitai uzticēties.

Meitenēm viņa dzīvē nebija vietas.

Sentdžeimsa laukums 5
Londona

1926. gada 12. septembrī

Mana dārgā, vismīļākā Rēna!

Jūtos tik ļoti pateicīga par Taviem brīnišķīgajiem jaunumiem, un visvairāk par to, ka Tu esi man piedevusi! Nespētu dzīvot, zinādama, ka esmu Tev sagādājusi sāpes, un tagad, uzzinot par Tavu saderināšanos, esmu sajūsmā! Safīra gredzens briljantu ietvarā! Nespēju ne sagaidīt, kad varēšu to apskatīt!

Un Mā noteikti jūtas ļoti atvieglota. Bet Tu nu gan esi tumšais zirdziņš! Kas notika ar Tavu kautrīgo dižcilti? Vai Tu viņu izmantoji par aizsegu, lai noslēptu citu mīlestību? Tev patiešām ir izdevies to visu nokārtot rekordīsā laikā. Vai viņš nometās uz viena ceļgala? Vai viņš Tevi noskūpstīja? Laikam jau tas slapjums nav tik uzkrītošs, ja skūpsties ar vīrieti, kuru tu mīli. Cik daudz reižu? Vai Tu viņu mīli? Tev man jāpastāsta, kāda ir Skotija un viņa ģimene – vai viņi ir briesmīgi bagāti un vai Mā dara vai saka kaut ko smieklīgu. (Lūdzu, visos sīkumos.) Ceru, ka viņi Tev piešķīruši pieklājīgu guļamistabu un ka viņa māte izturas pret Tevi laipni.

Man ir ļoti žēl, ka nesatikos ar Tevi, taču es nepārdzīvoju par nesatikšanos ar Svētuli. Pietiek jau ar to, ka man nācās atgriezties Sentdžeim-

sa laukumā un palikt aci pret aci ar princi konsortu. Viņš nedara neko citu, kā soļo apkārt, nikni mani uzlūkodams un sprediķodams no grāmatas ar nosaukumu "Lielais drauds", kurā apgalvots, ka zemākās šķiras ir apņēmušās pārņemt civilizāciju un līdz ar to pielikt tai punktu, pateicoties straujai robežu nojaukšanai starp dažādām šķirām un neizturami sliktām manierēm. Droši vien man nevajadzēja viņam teikt, ka, manuprāt, civilizācija jau tā tiek pārvērtēta, jo nabadziņš, šķiet, to visu uztver pārlieku nopietni. (Viņam uz pieres izspiežas viena dzīsla, kas spēcīgi pulsē brīžos, kad viņš ir sašutis. Šoreiz tā kļuva pilnīgi violeta.) Domāju, ka vakariņas būs neizturamas.

Ak, mana mīļā! Man Tev ar kaunu jāatzīstas kādā nodarījumā. Vai atceries, ka Mā palūdza prinča konsorta dēlam Nikam atvest mani mājās no Parīzes? Nu, viņš to izdarīja. Un viņš nav nedz resns, nedz vecs, nedz arī kaut kādā ziņā līdzīgs konsortam. Patiesībā viņš ir pārsteidzoši izskatīgs un apburošs – pat tik ļoti, ka tad, kad viņš pienāca man klāt viesnīcas "Bristole" vestibilā, man pat neienāca prātā, ka tas varētu būt viņš. Viņam ir tumši mati, ārkārtīgi eleganti vaibsti un acis, kas šķiet smaidām pat tad, kad viņa lūpas ir pavisam nopietnas. Skaidrs, ka es pinkšķēju kā tāda stulbene bez kabatlakatiņa. Un piepeši izdzirdēju kāda smieklus un, paceļot galvu, ieraudzīju šo vīrieti, kurš, goda vārds, izskatās līdzīgs Aivoram Novello, stāvam tur un šūpojam galvu. "Nav nemaz tik ļauni, ko?" Tad viņš man pasniedza savu mutautiņu no žaketes krūšu kabatas un apsēdās. "Patiešām! Varētu padomāt, ka kāds ir nomiris!"

"Jūs nesaprotat!" es šņukstēju, cenzdamās izprātot, kas viņš tāds ir, taču tik un tā priecādamās par mutautiņu. "Esmu pieļāvusi briesmīgu, briesmīgu kļūdu!" (Un tad es izšņaucu degunu, cik smalki vien varēdama, kas bija PATIEŠĀM sarežģīti.)

"Tikai vienu?"

"Jā, taču tā ir ļoti liela!" es uzstāju.

Un tad, mana mīļā, viņš izdarīja kaut ko patiesi brīnišķīgu. Viņš pasauca viesmīli un pasūtīja pudeli visdārgākā šampanieša! Es nespēju tam noticēt, taču franči acīmredzot tā rīkojas vienā laidā, jo viesmīlis tikai pasmaidīja un uzreiz mums to atnesa. Un tad viņš uzsauca tostu.

"Par pārpratumiem!"

Nu, es vēl nekad agrāk nebiju dzērusi šampanieti. Iedzēru mazītiņu malciņu, un viņš iesmējās un noteica: "Iedzer gan, Mazā! Tev tas nāks par labu. Turklāt mums ir iemesls svinēšanai."

"Kādai svinēšanai?"

"Ne katru dienu cilvēks dabū iepazīties ar savām vājajām vietām."

Viņš uzlūkoja mani ar savām smaidīgajām acīm, un es iedzēru vēl vienu malku, un piepeši saule sāka spīdēt, un mans deguns pārstāja tecēt, un atgriešanās Londonā vairs nelikās visbriesmīgākā katastrofa, kāda jebkad piemeklējusi cilvēcisku būtni. Kad pienāca laiks doties ceļā, es jutos pavisam apreibusi un īsti nevarēju paiet, viņš man atļāva atbalstīties pret savu roku. Ak, kā viņš smaržoja! Tur visa kā bija par daudz – svaigi sagrieztu citronu un vasaras lietus. Un uz prāmja un vilcienā viņš bija tik laipns, gudrs un asprātīgs. Viņš ne reizes nerājās un nesprediķoja... Un, lai arī viņš sauc mani par "Mazo" (es izlikos, ka piktojos par to, taču patiesībā dievinu šo vārdu!), viņš ir vienīgais, kurš izturas pret mani kā pret pieaugušu sievieti.

Tagad viņš ir devies atpakaļ uz kontinentu. Šķiet, ka viņi ar princi konsortu tikpat kā nesarunājas viens ar otru, kas pierāda, cik viņam ir laba gaume.

Ak, Irēna! Zinu, ka viņš ir mūsu pusbrālis un pietiekoši vecs, lai būtu mans tēvs, taču nespēju nedomāt par viņu. Kā Tu domā, vai esmu ļoti netikla? Lūdzu, nesaki NEVIENAM! Kāpēc viņš ne reizes nav bijis precējies? Vai Tu to zini?

Kā vienmēr Tava
Mazā

Todien viņi virzījās cauri visām mājas istabām nogurdinoši straujā tempā. Džeks acīmredzami vēlējās pabeigt darbu pēc iespējas ātrāk: viņa izturēšanās bija kļuvusi aprauta, gandrīz strupa. Katru reizi, kad Keita uzdeva jautājumu vai izteica piezīmi, viņš sarauca pieri. Jo vairāk viņa centās atkausēt atmosfēru abu starpā, jo ļaunāk kļuva, līdz beigās viņa padevās. Bija skaidrs, ka Džeks nevar ne sagaidīt, kad tiks no viņas vaļā.

Kad viņi paņēma pārtraukumu, Keita atvainojās un devās pastaigāties pa ēnaino itāļu rožu dārzu, nevis uz virtuvi pusdienās. Apkārtne bija klusa un mierīga: miera osta, kurā minūtes likās sastingstam dzintarainajā gaismā. Pēc tik ilga iekštelpās pavadīta laika gaiss likās svaigi smaržojam pēc vēja un jūras, bet saule glāstīja plecus kā silta roka. Baltās rozes, greznas un smaržīgas, dejoja vieglajā vējā, izplatot ap sevi tvanīgu aromātu.

Keita piegāja pie saules pulksteņa, pārbraukdama ar pirkstiem pāri tā malai. "Rīta blāzma, gaistošā diena, Nakts garās stundas domas man raisa. Par tevi, par tevi, vien tevi." Cik romantiski un skumji.

Apsēdusies uz viena no akmens soliņiem, viņa dziļi ievilka elpu. Neskatoties uz jauko apkārtni, vientulība gūlās uz krūtīm kā smags akmens, kā nevēlams un neaicināts pavadonis. Keitu biedēja tas, ka viņai bija izdevies atstumt Džeku: viņu biedēja vienatne, atrašanās tālu no visa, pie kā viņa bija radusi, kopā ar vīrieti, kurš acīmredzami uzskatīja viņu par kaitinošu un nenormālu.

Viņai gribējās doties mājās.

Taču ko gan šis vārds tagad nozīmēja?

Viņa bija uzaugusi Haigeitas dzīvoklī ar divām guļamistabām kopā ar māti, taču tas bija palicis pagātnē. Bija vēl arī darbnīca ar pastāvīgu caurvēju, kas bija piebāzta ar audekliem, virs ķīmiskās tīrītavas Ņujorkas Alfabētsitijā. Tās nebija mājas. Tas nebija pat patvērums.

Mājas bija kas cits. Tā bija sevis sajušana, nopietnības un cerības sajaukums, domājot, par ko gan viņa varētu kļūt. Keita noraudzījās uz Endslijas lielisko karaļa Džordža laiku fasādi. Varbūt tāpēc cilvēki pieķērās zemei, mājām – lai izbaudītu pastāvīguma un stabilitātes apziņu. Un tomēr pat Endslija ar savu tradicionālo angļu greznību glabāja noslēpumus un neatrisinātus jautājumus, spraugas, caur kurām tās iemītnieku patiesā būtība ieslīdēja neizprotamā tumsā.

Tas Keitai atgādināja par gleznu, kuru viņa bija uzgleznojusi mākslas skolā: milzīgu saliekamu audeklu ar leļļu māju zīmuļa un tintes tehnikā, vairāk nekā sešas pēdas augstu. Pirmajā acu uzmetienā tā atgādināja pavisam tradicionālu, skaistu karalienes Viktorijas laiku ēku, kas, ieskatoties ciešāk, izrādījās maldīgi. Pasaule, kas likās gleznaina un apburoša, taču patiesībā bija nolādēta ar kāpnēm, kas nekur neveda, istabām ar aiznaglotiem logiem, durvīm bez rokturiem. Pasts bija sakrājies kaudzē un palicis bez atbildes, nosprostojot ieejas durvis, tējas piederumi nebija novākti, bojājot porcelānu, caurums paklājā no neveikli nomestas cigaretes, beigta zivs akvārija virspusē – un to visu uzraudzīja nekustīgas, grezni ģērbtas lelles, kas neredzošu skatienu nolūkojās tālumā, pasīvi gaidīdamas, lai kāds noteiktu viņu nākamo gājienu. Tagad Keitu pārņēma spokainā sajūta, ka viņa dzīvo tikpat sastingušā pasaulē – tikai tā nebija viņas pašas radīta.

Pateicoties tam darbam, viņa togad bija ieguvusi balvu. Taču likās, ka tas viss noticis citā dzīvē. Cik ilgs laiks bija pagājis, kopš viņa bija uzgleznojusi kaut ko savu? Vai viņa vispār to vēl spēja? Vai arī viņas iztēle bija pilnībā atrofējusies? Un tomēr tā aizsākās gandrīz vai nejauši, viņas jaunā karjera. Nebija nekādu garo pārrunu, īstas apspriešanas vai kaut vai laika perioda, kurā to apdomāt. Tāpat kā daudzi izšķiroši brīži viņas dzīvē, arī šis nebija nekas vairāk par īsu pasvārstīšanos, padošanos kam tādam, kas tobrīd likās visvienkāršākais.

– Viņš darbojas šajā jomā jau ilgu laiku un tiek augstu vērtēts, – Pols bija viņai teicis, uzšņāpjot Dereka Konstantaina adresi uz otrādi apgrieztas aploksnes. – Viņš vismaz varēs iepazīstināt tevi ar cilvēkiem. Nekad nevar zināt.

Keita bija viņam piezvanījusi uzreiz pēc izkāpšanas no lidmašīnas. Vēl aizvien neatguvusies no laika starpības, viņa bija klīdusi par Īstsaidu, sažņaugusi vienā rokā aploksni un otrā mapi ar saviem darbiem, vēlēdamās ierasties laikā un atstāt labu iespaidu.

Dereka veikals bija maziņš, taču tāpat kā viss pārējais, kas saistījās ar viņa estētisko izjūtu, izsmalcināti un nežēlīgi noteikts. Keita nekad nebija redzējusi ko tādu, pat Londonā ne. Tam piemita sulīga dekadence. Šeit pastāvīgi valdīja vakars, kas visu laiku gozējās krēslainajā gaismā, kura atdarināja sveču gaismu, nogludinot asumus, izlīdzinot trūkumus. Sienas bija tapsētas ar melnu zīda audumu, gaisā valdīja no Parīzes atvestu ciedru sveču aromāts, nekrāsotie koka grīdas dēļi bija nospodrināti līdz mirdzumam. Viņš bija izstādījis tikai dažus priekšmetus, taču tie bija izsmalcināti – tādi, ko iegādājas vienreiz mūžā. Dereks Konstantains bija ieguvis tāda tirgotāja reputāciju, kurš spēj piedāvāt izcili kvalitatīvas un retas senlietas. Vientuļš melnkoka impērijas laikmeta krēsls bija izlikts vitrīnā, kur to apgaismoja no augšas krītoša sārta gaisma. Garāmgājēji apstājās, tā skaistuma un simetrijas apburti, apbrīnodami šokējoši labo gaumi, kas bija izlikta apskatei pati par sevi. Derekam bija ķēriens uz impērijas laikmeta lietām. Ar savu pāriplūstošo bagātīgumu un narcistiski mierinošajām klasiskajām proporcijām tās, šķiet, vislabāk saderējās ar viņa īpašās klientūras būtību.

Viņa galvenais eksponāts bija liels, apaļš astoņpadsmitā gadsimta izliektais spogulis. Tā smalki veidotais apzeltītais ietvars bija rotāts ar smalkiem zelta zvirbuļiem un savītām efeju lapām, kas izcēlās kontrastā ar mirdzoši tumšo sienu. Dereks apgalvoja, ka nepaejot neviena nedēļa, lai kāds nepiedāvātu to nopirkt, taču viņš to nekad nepārdošot. Viņš to bija atvedis no pašas Londonas, kur to izrāva no ķetnām citam antikvāram, kurš nebija pareizi aprēķinājis priekšmeta vērtību. Un tas daudz ko nozīmēja.

Nebija pagājušas ne desmit minūtes pēc viņu pirmās tikšanās sākuma, kad viņš Keitai to piedāvāja.

– Vai tu māki atdarināt?

– Kā, lūdzu?

– Vai tu māki atdarināt, dārgā? Parādi man savu darbu mapi.

Viņa to parādīja.

Saraucis pieri, viņš to izšķirstīja.

– Man ir klienti, kuri gatavi labi maksāt par oriģinālu kopijām. Mazliet tradicionālākā stilā.

– Tā nav mana stiprā puse. Taču esmu iecerējusi lielu abstraktu darbu sēriju, izmantojot par pamatu "Trīs grāciju" mūsdienu versiju...

Dereka sejas izteiksme lika viņai aprauties pusvārdā.

– Vai tu gribi īrēt slotu kambari komunālā dzīvoklī Bruklinā visu savu atlikušo mūžu?

– Alfabētsitijā.

– Vienalga.

– Nē, nepavisam. Taču es iedomājos, ka tad, ja varētu sākt gleznot jaunus darbus sērijām...

Viņš atkal papurināja galvu.

– Iesākumam tev ir vajadzīgs vārds, klientu bāze. Kā pirmklasīgu reprodukciju autorei. Pēc tam, pamazām vien, tu sāc gleznot pati savus darbus. Redzi, tad būs daudz spēcīgākas sākuma pozīcijas. Un es, mana dārgā, labprāt tev palīdzēšu. Pazīstu daudzus cilvēkus, kuri pat nespēj piekārt savas kolekcijas pie sienas, jo apdrošināšana ir pārāk dārga. Un dažus tādus, kuri pārāk kaunas atzīt, ka jau pārdevuši savus vērtīgākos eksemplārus. Par bērnu izglītību galu galā vajag maksāt ar reālu skanošo. – Viņš uzsmaidīja Keitai. – Ļauj man tev palīdzēt. Ļauj man tevi vadīt.

– Es... es nemaz nezinu...

– Vai tu labāk gribi pelnīt naudu ar gleznošanu vai ar oficiantes darbu?

– Ar gleznošanu. Bez šaubām.

Dereks viņu uzlūkoja.

– Nu, pēc tavas izturēšanās to nevar pateikt. Vai tu zini, cik daudzi mākslas studenti ieplūst Ņujorkā katru gadu, un katrs no viņiem domā, ka spēs iekarot šo pilsētu kā viesulis? Tas nav tik vienkārši, kā izskatās. Tev ir vajadzīgi kontakti. Tev ir vajadzīga palīdzība. Tev esmu vajadzīgs... – viņš lēnām pasmaidīja, atzvildams savā krēslā, – es.

– Es esmu tev pateicīga, Derek.

– Āva Rotlinga nupat ir iegādājusies apbrīnojamus augšstāva apartamentus ar skatu uz parku. Un vai zini ko? Viņa grib fantastiski reālistisku gleznu priekšistabā. Bez šaubām, viņa to pagaidām vēl nezina. Taču viņa to uzzinās, kad būšu ar viņu parunājis.

– Fantastiski reālistisku gleznu?

– Jā. Ar daudziem apaļīgiem, sārtiem ķerubiem, kas lēkā pa baltiem, pūkainiem mākonīšiem. Un ar krāšņu Veneru, kura uzlūko aizmigušu Marsu, vēlams, zināmā izģērbšanās stadijā.

Šausmas Keitas balsī bija nepārprotamas.

– Tu domā romantikas laikmetu?

– Jā, romantiku. Un dārgu, mans bērns. Ļoti dārgu.

– Es nezinu...

Viņš samiedza acis.

– Tev tas nav jādara, ja tu nevēlies. Taču es viegli varētu viņai pateikt, ka pazīstu īsto mākslinieci, speciālisti no Londonas, kura varēs paveikt to darbiņu. Patiesībā ir tikai viens cilvēks, kam es uzticētu tik svarīgu pasūtījumu. Pie Āvas apgrozās daudz cilvēku. Tavu darbu redzēs visi.

Apaļīgi ķerubi. Pūkaini mākonīši. Lieliski, Keita domāja. Visi redzēs manu nokopēto Veneru, manu draņķīgas klasikas atdarinājumu.

– Drīz vien tu varēsi pieprasīt, cik vien gribēsi. Taču, bez šaubām, ja šī tēma aizskar tavu cieņu... – Dereks viņu uzlūkoja ar ciešu skatienu, nemirkšķinādams acis. – Man šķiet, ka "Čikāgas ribiņu paviljons" meklē personālu.

– Nekad neesmu gleznojusi ko tādu, – viņa norādīja.

Dereks pasniedzās pēc telefona klausules.

– Cik grūti tas varētu būt? Zīmēt perspektīvā, perspektīvā un vēlreiz perspektīvā! Šā vai tā viņa ir akla kā sikspārnis. Es sarunāšu tikšanos rīt pēcpusdienā. – Viņš sāka sastādīt numuru.

Keita bija iedomājusies, ka Dereks varētu ļaut viņai strādāt savā veikalā, nevis pārtaisīt viņas karjeru.

– Atceries, – viņš turpināja, – tu nupat esi izkāpusi no lidmašīnas. Tava darbu mape vēl nav saņemta. Tu to dari tikai tāpēc, ka esmu tevi pierunājis, saprati? Un, lai ko tu darītu, saki viņai, ka tev galīgi nav laika un tu esi briesmīgi aizņemta. Gribu, lai tu noraidītu viņas piedāvājumu bez variantiem. Pieklājīgi, apburoši, taču noteikti. Ļauj man risināt visas sarunas. Bagāti cilvēki ir kā bērni: viņi grib tikai to, ko nevar dabūt.

Keita nopūtās.

Viņa vismaz varēs gleznot. Un viņai par to maksās. Varbūt Derekam bija taisnība. Varbūt viņai nebija nekā jauna, ko piedāvāt no mākslas viedokļa. Viņa klātbūtnē Keita jutās neaptēsta un neveikla kā pusaudze. Londonā viņa bija jutusies talantīga. Šeit viņa jutās ikdienišķa, banāla.

Varbūt būs labāk, ja viņa rīkosies, paklausot Dereka ieteikumiem.

Tagad viņu atkal pārņēma tāda pati sajūta, it kā viņa atkal atrastos kādā slēptā savas dzīves krustpunktā.

Bet kādas gan bija iespējas? Kāpēc tās bija tik grūti saskatīt?

Nočirkstēja grants. Keita pacēla galvu. Džeks stāvēja uz taciņas, aizsedzis acis ar plaukstu, lai pasargātos pret spožo saules gaismu.

– Vai negribi neko ēst?

– Nē, paldies. – Viņa papurināja galvu. – Šobrīd nē.

– Labi. – Viņš sabāza rokas kabatās. – Es tikai... nu, gribēju pārliecināties.

– Paldies.

Viņš kādu brīdi neveikli pastāvēja, ar kurpi vilkdams nelīdzenu loku pāri akmentiņiem.

– Tu nemūžam neuzminēsi, kas tur bija.

– Kur?

– Pusdienās.

– Ak tā. – Viņa pasmaidīja. – Vista.

Džeks izskatījās patiesi iespaidots.

– Kā tu to zināji?

Keita atbalstījās pret plaukstām.

– Manas mēdija spējas ir slavenas visā pasaulē, Koutsa kungs.

– Patiešām? – Viņš paspēra soli uz priekšu. – Nu tad pasakiet man, Elbionas jaunkundz, par ko es šobrīd domāju?

Dārzs bija kluss, nošķirts no apkārtnes. Pat vējš te ieplūda tikai vieglītēm, augsto sienu aizkavēts.

Viņa piešķieba galvu uz vienu pusi.

– Es nevēlos iejaukties jūsu slēptākajās domās.

– Mums, olimpiskajiem marmora gabaliem, nav nekā slēpjama.

– Vai patiešām?

– Pilnīgi noteikti. – Viņš sakrustoja rokas virs krūtīm. – Šaujiet ārā to ļaunāko.

– Lai notiek. – Viņa piecēlās, pagriezdamās, lai varētu noskatīt Džeku no galvas līdz kājām. – Sagatavojieties pārsteigumiem.

Sauli aizsedza mākonis, un debesis apmācās, itin kā roka būtu aizēnojusi lampu.

Sākumā viņi bija piesardzīgi, tad sāka nedroši smaidīt jau uz smieklu robežas. Tomēr, jo ilgāk Keita nolūkojās uz Džeku, jo vairāk atvilga viņa vaibsti. Viņa vēl nekad nebija tik atklāti nolūkojusies uz kādu tik ilgu laiku ārpus mākslinieka darbnīcas. Tur viņa bija aizslēpusies aiz molberta, būdama vērotāja, kam nedraud atmaskošana. Taču drīz vien viņa aizmirsās, pievērsdamās Džeka skropstu tumšajām bārkstīm, vieglajām krunciņām viņam ap acīm, melnajam uzacu izliekumam, kamēr viņa sejas izteiksme pamazām atbrīvojās, atvērās, atklājās.

Un, kamēr Keita nolūkojās uz Džeku, Džeks nolūkojās uz viņu. Uz gaiši zaļo varavīksnenes centru viņas acīs, kas bija nobārstīts ar zeltainiem punktiņiem, uz viņas aizrautīgo koncentrēšanos. Viņai piemita mākslinieces neslēptais, noteiktais skatiens, spēja vērot bezkaislīgi, saskatīt būtību cauri krāsu un formu slāņiem, saskatīt paslēptās izjūtas. Un Džeks juta, kā viņš atklājas, nespēdams pasargāties pret viņas neslēpto uzmanību.

Džeka acis kļuva dziļākas. Zem inteliģences un pašpaļāvības Keita samanīja pazibam ko citu, spīvi slēptas skumjas. Un tad, lēnītēm, vēl pat zem tā, sīciņu baiļu lausku. Vēsi un precīzi tā pāršķēla viņa varavīksnenes tumši zilo pamatni kā saplīsuša stikla atskabarga.

Viņa to pazina. Tāda pati bija iedūrusies arī viņas trauslajā sirdsapziņas virsmā. Viņa juta to pašu aso metālisko garšu, kas piepildīja muti, tai sūcoties cauri, asiņojot viņā. Piepeši viņa apzinājās, kādas milzīgas pūles nepieciešamas, lai no tās izvairītos, to noslēptu, cik viegli ievainojamus šis brīdis viņus padarīja. Un viņa instinktīvi pasniedzās, vieglītēm uzlikdama savu plaukstu uz viņa sirds, itin kā gribēdama to pasargāt.

Viņas piepešās maiguma izpausmes samulsināts, Džeks uz brīdi sastinga.

– Vai tas pieder pie tavas metodes?

– Piedod, – viņa samirkšķināja acis un sāka atkāpties. Taču Džeks piespieda savu plaukstu virs viņējās. Keita sajuta, kā viņa sirdspuksti kļūst straujāki viņas pieskāriena ietekmē.

Bailes viņa acīs bija pazudušas. Tās bija saasinājušās, kļūstot par kaut ko atkailinātāku, primitīvāku un noteiktāku.

– Vai esmu tevi pārliecinājis?

– Par ko? – Viņas pašas pulss sāka sisties tandēmā ar viņējo. – Ka tu neesi gatavots no marmora?

– Tieši tā.

– Izskatās, ka galu galā tu tomēr sastāvi no miesas un asinīm.

Džeks palaida vaļā viņas roku.

Tā kādu brīdi neizlēmīgi pakavējās gaisā starp viņiem un tad nolaidās viņai gar sāniem.

– Un tomēr tu neatbildēji uz manu jautājumu.

– Kā, lūdzu?

– Par ko es domāju?

Keita atkal ielūkojās viņam sejā.

Mākonis pavirzījās nostāk. Saule atkal atspīdēja visā savā spožumā.

Taču Keita tagad zināja, ka bailes tur eksistē. Un viņa saprata, ka Džeks droši vien atklājis viņai ko tādu, ko pats nemaz neapzinājās.

– Es nezinu, – viņa nomurmināja aizgriezdamās. Viņa juta kādu apdraudējumu, ko pati nespētu nedz nosaukt vārdā, nedz izskaidrot. Sāpīga atmaigšana, nodevīga, maldīga ilgošanās. – Šķiet, ka šodien burvju spējas ir mani pametušas.

– Žēl gan. – Viņš paraustīja plecus, ar kurpes purngalu izspārdīdams granti uz celiņa. Viņas sejas izteiksme bija neatšifrējama – vai viņa uzskatīja Džeku par dīvaini? – Galu galā es biju sagatavojies uz pārsteigumu.

Viņš izklausījās vīlies.

– Kas lai to zina? – Keita noteica, atskatīdamās atpakaļ. – Tādas lietas ir slavenas ar savu nepastāvīgumu. Varbūt kādu citu dienu, Koutsa kungs, es skaidri zināšu, ko jūs domājat.

Sentdžeimsa laukums 5
Londona

1926. gada 24. oktobrī

Dārgumiņ!

Liels paldies par Tavu vēstuli – tā bija patīkamākā, kādu esmu saņēmusi kopš neatminamiem laikiem. Man ļoti žēl, ka Tev nācās raizēties manis dēļ. Es tikai pēdējā laikā esmu mazliet sašļukusi, un tu jau zini, ka man mēdz uznākt šie melnie brīži. Turklāt es briesmīgi ilgojos pēc Tevis. Laikam nebiju īsti aptvērusi, mīļā, ka Tu grasies precēties un jau tik drīz mani pamest. Vai viņš jau ir sameklējis māju?

Varbūt Tev ir taisnība par Šveici. Viņi saprot tādas lietas daudz labāk par mums – viņiem ir visādi dziedinoši līdzekļi un režīmi. Taču es nevēlos likties klīnikā. Baidos, ka, tiklīdz viņi būs mani dabūjuši savās ķetnās, man vairs neļaus doties prom. Zinu, ka biedēju Tevi un ka Tu vēlies, lai es būtu vesela līdz kāzām. Patiesībā es biedēju arī pati sevi. Nezinu, kas izraisa šos melnos brīžus. Viss ir tik ļoti atšķirīgs, Irēna. Vai Tu tiešām nekad neilgojies pēc Īrijas vai Pā, vai mūsu mazās, smieklīgās mājiņas?

Viņdien bija atnācis tēvs Raiens. Svētule viņam bija lūgusi atnākt. Mēs pavadījām ilgu laiku kopā: es runādama un šņukstēdama, bet viņš mādams ar galvu un cenzdamies izrādīt līdzjūtību, taču patiesībā vēlēdamies nepienākt pārāk tuvu un nesaslapināties. Beigās viņš man ieteica ticēt. "Ticēt kam?" es iekliedzos. "Nu, Dieva gribai." Kā lai es zinu, kas tas tāds ir? Viņš tur vienkārši sēdēja, viss piepūties un sārts, atvērdams un aizvērdams muti kā milzīga zivs. Beigās vienīgais, ko viņš spēja izdvest, bija: "Dari, ko māte tev liek un biežāk apmeklē baznīcu." Vai tu spēj iztēloties, ka Dievs varētu vēlēties darīt savu gribu zināmu ar Mā starpniecību? Pēc tam viņa uzstāja, ka man vajadzētu sakopt matus, jo vairākas nedēļas neviens tiem nebija pieskāries. Viņi izmantoja skalojamo ūdeni, kas tos padarīja gluži zeltainus. Vismaz viņa bija apmierināta. Acīmredzot arī Dievs bija apmierināts.

Patiesībā tagad man ir labāk nekā agrāk. Ārsts iesaka garas pastaigas noskaņojuma uzlabošanai, tāpēc princis konsorts, lai Dievs viņu svētī, man ir nopircis spaniela kucēnu, lai viņš mani pavadītu. Es viņu nosaucu par Niko, kas ir mans mazais joks. Viņš ir visskaistākais radījums visā Grīnparkā. Es meklēju kādu mazu piemiņas zīmi, kas atgādinātu par īsto Niku, taču visā Sendžeimsa laukumā nekas nav atrodams. Apbrīnojami, kā princis konsorts ir viņu izslēdzis no savas dzīves.

Es tik ļoti neciešu šo blāvo, auksto lietu, kas pastāvīgi līst! Piedod man, ka esmu uzrakstījusi tikai īsu zīmīti. Dažas dienas prasa pārāk lielu piepūli. Taču es nelikšu Tev vilties Tavā kāzu dienā, apsolu – nebūs nekā cita kā vien smaidi un prieks, un tagad arī gaiša galviņa, ko pieskaņot tavējai!

Diāna

Kad Keita iegāja virtuvē, viņu gaidīja šķīvis ar pārpalikušo vistas cepeti un salātiem. Nokodusi kumosu, viņa sadzirdēja, ka tālākajā pieliekamajā kāds ir. Viņa devās turp un ieraudzīja Džo, kura atkausēja vienu no ledusskapjiem, mazgādama metāla plauktus lielā izlietnē. Keitai par pārsteigumu Džo raudāja.

– Džo?

Džo pacēla galvu un skumji pasmaidīja.

– Nespēju noticēt, ka tik tālu nu ir, – viņa sacīja. – Visi šie gadi, viss šis laiks. Tas nu ir beidzies. Cauri. – Viņa noskaloja ziepju putas un novietoja plauktu žāvētājā.

– Man ļoti žēl, – Keita nomurmināja, nespēdama iedomāties citu sakāmo.

– Un tā istaba. Tas ir dīvaini, vai jums tā nešķiet?

Keita klusēja, juzdamās zināmā mērā atbildīga.

– Visas tās grāmatas. Kad mēs bijām mazi, mans brālis un es, mums nekā nebija. Patiešām. Mēs būtu gatavi nogalināt par tādām grāmatām. Redziet, tas nemaz neizskatās pēc Irēnas. Viņa bija dāsna sieviete. Krietna. Varbūt viņa par tām bija aizmirsusi. – Džo noslaucīja rokas priekšautā. – Vai jūs negribējāt pusdienas?

– Nē. Es tikai kādu brīdi pasēdēju rožu dārzā. Tas ir patiešām skaists.

– Jā, tas ir burvīgs. Irēna mēdza teikt, ka dabas skaistums ir pierādījums Dieva piedošanai.

– Kāpēc? Par ko viņai bija vajadzīga piedošana?

Džo paraustīja plecus.

– Nedomāju, ka tas saistīts ar kaut ko konkrētu. Varbūt viņa domāja iedzimto grēku vai kaut ko tamlīdzīgu. Katoļi tādi ir, vai ne? Vienmēr atrod grēkus tur, kur citi cilvēki saskata tikai cilvēka dabu.

– Man patīk saules pulkstenis. Vai zināt, no kurienes ir tas citāts?

– Nē, – Džo atzinās. – Tas dārzs tika izveidots pēc kara. Pulkvedis deva ļoti precīzus norādījumus. Rozes ir tieši tādā pašā krāsā, un tās nekad nav mainītas. Vienmēr baltas. Acīmredzot ziediem bija kāda īpaša nozīme.

– Kāda, piemēram?

– Es nezinu... Ļaujiet man padomāt... – Viņa nopūtās, cenzdamās atcerēties. – Baltas rozes simbolizē nevainību un šķīstību, kas šķiet atbilstoši. Bet arī kaut ko citu, piemēram, noslēpumus, vai varbūt tas bija klusums.

– Džo, pastāstiet man par cilvēkiem, kuri te dzīvoja. Man gribētos zināt.

– Sers Malkolms un lēdija Eivondeila? Man šķiet, viņš nopirka māju, kad viņi precējās, kā kāzu dāvanu viņai. Pavisam vienkārši. Taču tad izcēlās karš, viņš iestājās armijā un dzīve mainījās. Bez šaubām, kad viņi sākumā te ievācās, viss bija savādāk. Mana māte sāka strādāt pie lēdijas Irēnas, kad viņa vēl bija līgava. Viņa bija slavena debitante. Rīkoja mājas viesības, daudzi cilvēki brauca šurp no Londonas. Mana māte mēdza man par viņiem stāstīt – par spožiem, izsmalcinātiem jauniem cilvēkiem, kuriem visa pasaule pie kājām. Un, bez šaubām, par viņas māsu Mazo.

– Mazo?

– Jā. Nu, viņas īstais vārds bija Diāna, taču visi sauca viņu par Mazo. Viņu vecuma starpība bija tikai pāris gadu, taču Irēna allaž pieskatīja Mazo. Viņa bija mežonīga, allaž iepinās visādās likstās. Viņa piederēja pie grupas, kas rīkoja visādas muļķīgas izdarības, tādas kā dārgumu meklēšana un viesību rotaļas, un izlikās par laupītājiem, lai ielauztos cits cita mājās. Patiešām muļķīgi. Protams, tas viss bija pirms viņas pazušanas.

– Kā jūs domājat, kas ar viņu notika?

Džo paraustīja plecus.

– Neviens īsti nezina. Gadu gaitā ir izteikti visdažādākie minējumi. Laiku pa laikam uzradās žurnālisti, kas klīda pa visu apkārtni, meklējot kādus norādījumus. Kas noticis ar Mazo Blaitu? Kamēr Irēna bija dzīva, viņa nekad par to nerunāja. Redziet, Mazā bija staigājoša nelaime. Tā saka mana māte. Tas ir, viņa bija skaista un populāra, taču ne tā, kā vajag, ja jūs saprotat, ko es gribu teikt. Pārāk daudz mīļāko un pārāk daudz sliktu paradumu. Vairums cilvēku uzskata, ka viņa tikusi nogalināta.

– Nogalināta?

– Noslepkavota. Vai arī nogalināta nejauši. Lai gan līķis tā arī netika atrasts. – Džo noslaucīja galda virsmu. – Kas lai to zina? Viņa varēja aiziet bojā zibenskara laikā vai arī nokrist no klints, mēs jau to nezinām. Kā jau teicu, Irēna nekad par to nerunāja. Nekur mājā nav saglabājusies neviena viņas fotogrāfija. Kara laikā Irēna kļuva visai reliģioza. Un, kad pulkvedis atgriezās, viņi dzīvoja ļoti klusi.

– Cik žēl, ka šī māja tiks izsolīta.

– Tā jau ir pārdota. Tas advokāts Simss pirms pāris nedēļām ieradās ar attīstītājiem. Tiklīdz mantas būs pārdotas vairāksolīšanā, viņi uzsāks darbus. Viņi grasās nolīdzināt ar zemi veco kotedžu. Sākt no sākuma. Pēc diviem gadiem jums vajadzēs pieteikties, lai atkal apskatītu šo vietu. Ak kungs! – Viņa pašūpoja galvu. – Es te esmu pavadījusi vairāk stundu nekā pati savā mājā! Rūpēšanās par cilvēkiem paņem visu mūžu.

– Un kurp jūs dosieties tagad? – Keita uzmanīgi apvaicājās.

– Nezinu. Man vienmēr gribējies ceļot, bet mamma tagad ir pārāk veca. Es patiešām nezinu. – Viņa nosusināja acis ar trauku lupatas malu. – Nespēju noticēt, ka pēc visiem šiem gadiem tas nu ir cauri.

Tovakar Keita un Džeks ēda vakariņas virtuvē.

Džeks bakstīja ar dakšiņu vistas gaļas sautējumu, kamēr Keita izklaidīgi stumdīja dārzeņus pa šķīvi.

– Ko tu zini par Diānu Blaitu? – viņa beidzot ievaicājās.

Džeks paraustīja plecus.

– To pašu, ko zina visi. Viņa bija pazudusi. Viņa bija slavena ar to, ka bija slavena, skaista un neapdomīga. Viena no jaunajām un spožajām.

– Tu to domā kā "Grēcīgajā miesā"? Ivlinam Vo?

Viņš pamāja.

Keita atbīdīja sagriezto kartupeli vienā pusē.

– Vai tev neliekas dīvaini, ka te nekur nav viņas fotogrāfiju? Viņas taču bija māsas. Bet te nekā nav.

– Daudziem cilvēkiem nav ģimenes locekļu fotogrāfiju. Dažiem tas šķiet pārāk personiski. Turklāt varbūt Irēnai bija sāpīgi jebkādi atgādinājumi par māsu, ja reiz viņa bija pazudusi.

– Kā tu domā, kas ar viņu notika?

– Nezinu. Neesmu par to aizdomājies. – Viņš iedzēra malku vīna. – Varbūt viņa aizbēga. Tādi cilvēki allaž metās bēgt, tiklīdz parādījās pirmās īstās dzīves pazīmes.

– Un kādi bija tie cilvēki?

– Tu jau zini, izlutinātas, jaunas sievietes, kurām nebija, ko darīt.

Tas izskanēja skarbāk, nekā viņš bija gribējis. Džeks pacēla galvu.

Keita stingi lūkojās viņā.

– Saprotu.

Viņi ēda klusēdami, jūtot, kā abu starpā iezogas spriedze.

– Vai esmu tevi aizskārusi, Džek?

– Nē, es tikai esmu noguris.

– Tu izskaties apbēdināts.

Viņa domas pavērsās citā virzienā.

– Kā tu tiki iekšā tajā istabā? – viņš piepeši iejautājās.

– Es atmūķēju slēdzeni.

Džeks samirkšķināja acis.

– Ak tā.

Piepeši viņa sāka smieties.

Viņš arī smējās.

– Jā. Es protu atmūķēt slēdzeni, Džek. Protu arī iedarbināt mašīnu pa tiešo, ja ir tāda vajadzība.

– Un kur tu to visu iemācījies?

– No tēva. Viņš bija profesionāls ņirga.

– Tu neesi tāda, kā izskaties.

– Kāda tad?

– Prātā nāk izteiciens "vēsa kā klavieres".

– Izskats var izrādīties mānīgs.

– Man vajadzēja paturēt prātā, ka tas ir tavs darbarīks.

Džeks pats nezināja, kāpēc ir to pateicis. Uz kādu brīdi spriedze viņu starpā bija mazinājusies. Tad kāpēc viņam vajadzēja izmest tādu divdomīgu piezīmi? Tā vien likās, it kā viņš to būtu izdarījis pats pret savu gribu.

– Ne gluži, – viņa beidzot noteica, salocīdama savu salveti un pieceldamās. – Diena bija gara.

– Paklau, es atvainojos. – Džeks arī mēģināja piecelties, taču ietriecās galdā, izšļakstīdams vīnu uz sava šķīvja. – Sasodīts! – Tas nopilēja uz viņa biksēm. Džeks paķēra salveti un sāka to uzslaucīt.

– Te būs. – Keita pasniedza viņam trauku lupatu un turpināja likt šķīvjus izlietnē.

Viņas miers bija vēl kaitinošāks par paša neveiklību. Džeks nometa salveti, nelikdamies ne zinis par traipu.

– Keita... – Viņš satvēra meiteni aiz rokas.

Viņa satraukti pacēla galvu. Uz mirkli Džeks bija viņu atmaskojis.

Viņš pasniedzās pēc Keitas otras rokas.

– Es zinu, ka tev nepatīku. – Viņas balss noplīkšķēja kā pātaga, brīdinot viņu netuvoties.

– Tas nav tiesa. – Viņa satvēriens kļuva ciešāks.

– Taču mēs vismaz varētu izturēties pieklājīgi. – Viņas tonī bija kaut kas nepabeigts, gandrīz lūdzošs.

– Tas nav tiesa, – viņš atkārtoja vēlreiz, klusītēm, pieliekdamies tuvāk. Viņas vieglā citronu parfīma neuzkrītošais aromāts saplūda kopā ar tvanīgāko matu un ādas siltumu. Viņas augums pavisam vieglītēm padevās viņējam. – Tas nav tiesa.

Kaut kur mājas dziļumā iezvanījās telefons – spalgi un uzstājīgi.

Džeks atbrīvoja pirkstus, un viņa atkāpās ar noliektu galvu, nozuzdama tumšajā gaitenī.

Uz viesistabas galda atradās rezerves telefons. Viņa nocēla klausuli.

– Hallo? Hallo? – Savienojums bija sprakšķošs, pieklusināts.

– Jā, hallo? – Keita atsaucās. – Reičela? Vai tā esi tu?

– Keitij! Paldies dievam! Es visu laiku atstāju tev ziņas. Vai tur nav neviena administratora?

Keita sagrozījās, iedomājoties par Džeka pirkstiem uz savas ādas, par viņa acu skatienu.

– Ak jā... nujā, dažreiz, – viņa meloja, cenzdamās koncentrēties. – Kāpēc? Vai viss kārtībā?

– Jā... nu... – Reičela vilcinājās. – Tā varētu teikt.

Keitai rīklē iespriedās kamols.

– Ko tu ar to gribi sacīt?

Iestājās klusums.

– Pie manis bija kāds apmeklētājs, – Reičela beidzot noteica. – Kāds vīrietis, kurš gribēja tevi satikt. Kāds no Ņujorkas.

Braukdami atpakaļ uz Londonu, viņi izturējās pieklājīgi, oficiāli. Pārlieku ceremoniāli.

Nu Endslijas inventarizācija bija pabeigta. Tagad atlika vienīgi sastādīt katalogu un sarīkot izsoli.

Džeks ieslēdza radio. Patīkamo spriedzi, kuru viņš bija jutis turpceļā, cerību kņudoņu noklusināja vilšanās un neapmierinātība.

Keita sēdēja viņam līdzās ar kamolu krūtīs un nemierīgu prātu. Apmeklētājs no Ņujorkas. Vīrietis. Viņš esot ienācis birojā, apjautājies pēc viņas, atstājis aploksni.

– Kā viņš izskatījās? – viņa bija jautājusi.

– Nu... – Reičela atkal bija apklususi. – Ne gluži izskatīgs, taču labi ģērbies. Gara auguma. Ar brillēm.

– Brillēm?

– Jā.

– Ak tā. Es saprotu.

Viņš bija atsūtījis ziņnesi.

– Vai gribi, lai es to atvērtu? – Reičela bija ierosinājusi vakar vakarā. – Tā tepat vien ir.

– Nē. – Keitas atbilde bija asa, baiļpilna.

– Vai gribi, lai metu to projām?

Klusums.

– Keitij? Vai man vajadzētu to aizmest?

– Es nezinu.

Keita nopūtās, sagrozīdamās sēdeklī. Viņa bija aizbraukusi – sākusi visu no sākuma citā valstī. Tad kāpēc Reičelas jautājumi likās tik mulsinoši?

Džeks sāniski palūkojās uz viņu.

Viņš bija visu sabojājis. Vienīgais, ko Džeks nespēja saprast, – vai viņš ir visu sabojājis tāpēc, ka nebija Keitu noskūpstījis, vai tāpēc, ka gandrīz bija. Lai kāda arī būtu atbilde, nu viņa bija attālinājusies, nozudusi pati savas dzīves raizēs.

Tā nu viņi brauca mājup, garām lēzenajiem pakalniem, gleznainajiem piejūras ciematiem un šīs zaļās un patīkamās zemes vēstures pieminekļiem, kas bija slaveni visas valsts mērogā. Viņi brauca nesarunādamies, iegrimuši domās, kamēr radio zaudēja un atkal atguva zonu.

Pusceļā uz mājām debesis satumsa. Džeks piebrauca ceļmalā un atvāza kabrioleta jumtu. Gandrīz tūlīt pat sāka krist smagas lietus lāses, un vējstikla tīrītāji enerģiski iedarbojās, lai neļautu pelēkā lietus izveidotajam aizsegam nomākt redzamību.

Keita aizvēra acis. Viņas dzīve likās tikpat nevaldāma un neizprotama kā vētra, kas trakoja viņiem apkārt, plūstot viņai caur pirkstu starpām kā ūdens. Viņa automātiski iedomājās par apavu kārbu, kas bija noslēpta drēbju somā. Tā viņu pievilka, izraujot no samudžinātajām domām un piepildot vientulības tuksnesi. Viņa bija zagle, kura nozagusi pagātnes fragmentus no vecās mājas, kura pa atslēgas caurumu ielūkojusies mirušas sievietes privātajā dzīvē. Vēl vairāk, tas bija arī bīstami, nelikumīgi. Viņa bija paņēmusi *Tiffany* rokassprādzi – Reičelas klienta privātīpašumu. No vienas puses, Keita bažījās par to, kas notiks, ja kāds to uzzinās. Un tomēr bija neiedomājami nolikt to visu atpakaļ vietā.

Vai tā bija viņas iztēle, vai arī saistība, kuru viņa izjuta ar šo māju un ar noslēpumainajām māsām, bija īsta?

Riteņi švīkstēja pret asfaltu. Vēl pēc kādas stundas viņi būs atpakaļ Londonā.

Keita prātoja, kāda gan Irēna izskatījusies jaunībā. Kādas smaržas lietojusi, kāda bijusi viņas iemīļotākā dziesma.

Viņi vilkās uz priekšu, smagajām mašīnām aizšvīkstot garām, kamēr kabriolets cīnījās pret vēju.

Piepeši Keita viņu saskatīja sēžam līdzās savam jaunajam vīram, kad viņi pirmoreiz iegriezās garajā Endlijas piebraucamajā ceļā. Bija agra rudens pēcpusdiena, spoža un dzidra. Viņš apturēja savu *Daimler*, izslēdza motoru. Priecīga satraukuma pārņemta, Irēna izkāpa no mašīnas ar plati ieplestām acīm, pārsteigumā smiedamās.

Viņa pagriezās, lai uzlūkotu vīru, jūras brāzmai iepūšot viņas tumšās cirtas glītajā sejā.

– Vai tā patiešām pieder mums?

– Jā, – viņš smaidot pamāja. – Tā patiešām pieder mums.

Viņš izņēma no jakas kabatas atslēgu komplektu. Un, aplicis roku Irēnai ap pleciem, viņš veda sievu uz parādes durvīm.

– Mēs te būsim laimīgi, – viņš apsolīja, piespiezdams lūpas viņai pie pieres.

– Jā, es zinu, ka būsim. – Viņas acis mirdzēja.

Viņas vīrs pagrieza atslēgu slēdzenē.

– Esi sveicināta Endslijā.

OTRĀ DAĻA

Sentdžeimsa laukums 5
Londona

1932. gada 13. jūlijā

Mana visudārgā Rēna!

Ak, cik ļoti es ilgojos pēc Tevis! Lai gan man jāteic, ka pagājusī nedēļas nogale Endslijā bija pilnīgi debešķīga. Tu esi izcila namamāte – nemaz nezinu, kā Tev izdevās panākt, lai lords Rotermīrs nodziedātu "Jaunkundzi no Armantjēras" bez zobiem, taču tas bija pilnīgi vienreizēji! Cilvēkam, kurš redzējis viņa smaganas, ir neiespējami iztēloties, kā viņš var dot padomus premjerministram. Un Džoks Vitnijs, kuru pēc visa tā vajadzētu saukāt par Laupītāju, nožēlojami krāpās pusnakts sacensībās ar olu un karoti. Viņš mani bez žēlastības paklupināja, un viņa laupītāja rokas ir ārkārtīgi nogurdinošas. Varu derēt, ka darījumos viņš ir tikpat liels krāpnieks kā spēles laukumā. Bez šaubām, Tava pavāre ir lieliska, un tas visu izšķir. Tāds daudzums svaigu austeru – visīstākā ekstravagance! Taču es netieku gudra ar Tavu istabmeitu. Zinu, ka viņa ir vietējā un ļoti jauna, taču man tā vien šķiet, ka kaut kas ar viņu nav lāgā; it kā viņa visu laiku vērotu. Uzmani savas dārglietas!

Un visbrīnišķīgākais ir tas, ka Tu tik labi izskaties, mīļā. Veselīga un atpūtusies, un – vai es drīkstu tā teikt? – apaļīga! Mēdz teikt, ka trešā reize esot veiksmīgākā, un esmu pārliecināta, ka Tavā gadījumā tā arī būs. Zinu, ka visa šī padarīšana ir sagādājusi vienas vienīgas mocības un ka Tu esi izturējusies neizsakāmi drosmīgi, pārdzīvojot visas vilšanās. Arī tāpēc, ka Mā nebeidz vien daudzināt par asiņu sabiezināšanu. Viņa izsakās par asinīm ar tik nejauku nevērību. Nevaru ne sagaidīt, kad mēs dosimies iepirkt mēbeles un jaunus aizkarus – es būšu vislabsirdīgākā tante, kāda jebkad redzēta!

Un tagad par jaunumiem Londonā. Pinkijs ir sācis satikties ar Gloriju Manningu, kurai ir mati kā pūdelim un acis kā vardei. Es viņu strikti atšuvu Grosvenorhausā sestdien, taču galu galā jābūt kādam noteiktam reižu skaitam, cik bieži vīrietis drīkst bildināt – katru reizi, kad Pinkijs izdzer glāzi šampanieša, viņš krīt uz viena ceļgala. Tas ir gaužām apnicīgi. "Harpers Bazaar" ir nodrukāta mana fotogrāfija, kurā es dejoju "Četros simtos", izskatīdamās gandrīz vai histēriska, un es nekādi nespēju saprast, vai tas ir labi vai nav. Un Sesils grib, lai es viņam atkal pozētu – šoreiz Veneras tēlā. Es Tev nespēju ne izsacīt, cik ļoti tas mani garlaiko jau tagad. Taču viņš mani vajā, apgalvo, ka tas būšot kas jauns un izaicinošs. Man ir apnicis, ka cilvēki mani fotografē. Es jūtos kā nacionālas nozīmes piemineklis. Tā skaistuma būšana tiek briesmīgi pārvērtēta. Jo īpaši tāpēc, ka cilvēki uzskata – viņiem ir tiesības atklāti uz tevi blenzt un izteikt tev sejā visu, kas vien ienāk prātā. Viņdien es atrados pie Wilton's, kad divas resnas amerikānietes pienāca man tieši klāt, nopētīja no galvas līdz kājām un tad skaļi paziņoja, aurodamas kā divas miglas taures: "Nu, es gan nesaprotu, par ko jāceļ tāda jezga!" Man likās, ka es tūlīt nomiršu aiz kauna un dusmām. Esmu pārliecināta, ka būtu metusies viņām pakaļ, ja tur nebūtu Enas.

Ena ir tik jauka. Un es apbrīnoju, ka viņa ir pati noīrējusi sev dzīvokli. Viņa strādā grāmatu veikalā netālu no Pikadillija laukuma, veic norēķinus un nosūta pasūtījumus, kas izklausās briesmīgi garlaicīgi, taču viņa apgalvo, ka tā esot īsta svētlaime. Man bail, ka tikai viņa nekļūst par komunisti – viņa ir sajūsmā par spāņiem un viņu jauno republiku. Visu laiku dēvē to par jaunā laikmeta sākumu, lai arī, godīgi sakot, man tas šķiet ļoti līdzīgs tam pašam vecajam laikmetam. Viņas līgavainis Pols ir kaut kāds liels vīrs tajā kustībā – tas ir, ja vien komunisti drīkst būt lieli vīri. Viņš valkā tikai melnas un brūnas drēbes ar mazu, sarkanu lakatiņu ap kaklu, kas, manuprāt, viņam noderētu tad, kad viņš gatavotos sējai un kad viņam vajadzētu noslaucīt sviedrus no savas dižciltīgās pieres. Un viņš nekad nerunā ar mani tieši, bet piemin mani tikai trešajā personā kā "dekadentisko buržuāziju", kas nav nemaz tik mīļi, kā izklausās. Ena visu laiku atvainojas man viņa vietā un viņam manā vietā. Es daudz neiebilstu, ja vien nezinātu, ka viņš ir mācījies Ītonā un viņa tēvs ir pērs.

Ja runājam par mani, es klīstu apkārt vientuļa kā mākonis! Digbijs Smits šovakar rīko masku balli par godu Esmes divdesmit pirmajai dzimšanas dienai, un es pārģērbšos par Kleopatru. Donalds Hārgrīvss būs mana odze. Donijs ir briesmīgs dzērājs, taču fantastisks dejotājs. Un pēc tam, jādomā, uz Kit–Cat klubu. Neļauj Svētulei Tevi nobarot kā tādu zosi, mīļā.

Mīlestības jūras no Tavas
Dī
Bučas!

Keita devās augšup pa Vimpolstrītas mājas kāpnēm, uz otro stāvu, kur virs zobārsta kabineta bija Reičelas dzīvoklis. Tās bija plašas telpas, kas aizņēma divus stāvus, kur ikviena virsma bija noklāta ar grāmatām, gleznām, lietām, kas bija palikušas pāri pēc dažādiem pasūtījumiem. Pēdējoreiz atjaunots tūkstoš deviņi simti astoņdesmit ceturtajā gadā, dzīvoklis bija kā sastindzis laikā, kas bija viņas un Pola laulības uzplaukuma periods. Viesistabu rotāja koši sarkanas sienas, bet virtuvi – saulaini dzeltenas. Sūnu zaļš paklājs, nelīdzens, izbalojis un bezveidīgs, stiepās cauri visam stāvam. Agrāk viņi bija bieži rīkojuši plašas izklaides – lielas pusdienas un viesības, kas ilga līdz pat rīta gaismai. Pie pusdienu galda viegli varēja sasēsties divpadsmit cilvēki, un visur bija papildu krēsli: sarindoti pie viesistabas sienām, sabāzti stūros, gatavi uzņemt atlikušos viesus. Nekas nebija mainījies pēc Pola nāves. Taču bija pagājis ilgs laiks, kopš kāds bija iegājis augšstāva viesu guļamistabās vai apsēdies, lai baudītu kādas no Reičelas slavenajām cepeša vakariņām.

Keita nolika savu somu gaitenī.

Tā viņu gaidīja ēdamistabas galda vidū – bieza, balta aploksne. Reičela iznāca ārā no virtuves, slaucīdama rokas priekšautā. Viņa gatavoja vistas zupu par godu Keitas pārbraukšanai: gaisu piepildīja smaržīgs svaigu zaļumu aromāts.

– Sveika! – viņa pasmaidīja, apskaudama Keitu. – Nu, kā gāja? Ceru, ka ar Džeku nebija pārāk grūti saprasties.

– Nē. Viņš bija patīkams.

– Labi.

Keita lūkojās viņai garām uz ēdamistabu.

Reičela pagriezās, sekodama Keitas skatienam.

– Ak... jā, – viņa zīmīgi noteica.

Keita piegāja klāt un to paņēma.

Viņas vārds bija uzrakstīts priekšpusē, "Keitai Elbionai". Taču tas nebija viņa rokraksts. Viņa jutās pārsteigta, ka tas izraisa tik lielu atvieglojumu un reizē vilšanos – cik ļoti viņa bija vēlējusies ieraudzīt kaut ko no viņa un tajā pašā laikā baidījusies no tā.

Reičela apsēdās.

– Vai tu gribi man pateikt, no kā tā ir?

Keita papurināja galvu.

– Vai gribi, lai es pasēžu pie tevis, kamēr tu to izlasīsi?

– Nē.

– Zini, tu vari to neatvērt.

Keita neko neteica.

Saraukusi pieri, Reičela nogludināja galdautu sev priekšā, lai izlīdzinātu krokas. Viņa nebija radusi spēlēt mātes lomu un nebija pārliecināta par to, kā to vajadzētu turpināt.

– Es tikai gribu tev palīdzēt, mīļā.

– Jā. Jā, es zinu.

– Bet tu tomēr negribi man neko teikt, – viņa secināja.

– Vēl ne. Tas ir... – Keita palūkojās uz viņu ar bažīgu skatienu, – ja tu neiebilsti.

Reičela nopūzdamās piecēlās.

– Labi. Vai tu gribi zupu ar rīsiem vai ar nūdelēm?

– Ar nūdelēm, lūdzu.

– Lai notiek. – Reičela rezignēti devās atpakaļ uz virtuvi, aizvērdama aiz sevis ēdamistabas durvis.

Keita noslīga krēslā, grozīdama aploksni pirkstos. Ja viņa to atvērtu, viņa nevarētu būt īsti droša, kas notiks tālāk. Tā bija gadījies arī agrāk: viņa bija noskatījusies, kā labie nodomi un ciešās apņemšanās izgaist pēc pāris vienkāršiem vārdiem. Un tomēr te bija satraukums – gluži vai taustāma enerģija. Viņš gribēja viņu. Vai gan citādi viņš būtu centies sazināties? Keitas pašapziņa pieauga, piepūzdamās kā tukšs gaisa balons. Viņa bija iekārojama, valdzinoša un, kamēr vien aploksne palika neatvērta, noteicēja pār visu.

Iegaudojās ugunsdzēsības signalizācija. Reičela iesteidzās ēdamistabā.

– Kas notika?

– Piedod! – Keita strauji vēcināja rokas ap vecu marmora pelnu trauku, kurā liesmu apņemtā aploksne saruka aizvien mazāka. – Piedod! Šausmīgi atvainojos! Es tikai... tu jau zini... centos atbrīvoties no tā.

Reičela atrāva vaļā logus un sāka plivināt savu priekšautu.

– Zini, tu to varēji vienkārši izmest.

– Jā, bet... bet es neuzticos pati sev!

Reičela paķēra no kamīna dzegas augu smidzinātāju un laida to darbā, līdz liesmas izčūkstēja.

– Nu... – viņa nopētīja vēstules atliekas, – tagad tu nevarēsi to izlasīt.

Viņas abas nolūkojās uz pārogļojošos papīra kaudzīti.

– Nē. – Un pirmo reizi šajā dienā Keita sāka smieties. – Man ļoti žēl, mīļā. Es sēžu kā uz adatām. Negribu, lai tu raizētos. Tur nav nekā, par ko vajadzētu raizēties. Es tev apsolu.

Reičela aplika roku ap Keitas pleciem un viegli tos saspieda.

– Varbūt vienīgi atskaitot iespējamu mājas nodedzināšanu!

– Ak! Jā. Tas gan.

Reičela paņēma pelnu trauku, iztukšoja to virtuves atkritumu spainī un izslaucīja tīru.

Keita sekoja viņai uz virtuvi.

– Pasaki man, ja tev būtu kāds vecs apģērba gabals un tu gribētu uzzināt kaut ko vairāk par to, vai varbūt somiņa vai kurpju pāris, vai kaut kas tamlīdzīgs, pie kā tu vērstos, lai iegūtu kādu informāciju?

– Apģērba gabals? – Reičela apmaisīja zupu. – Kāds apģērba gabals?

– Kaut kas, ko es atradu vienā no vietējiem Devonas senlietu veikaliem.

– Nu, jādomā, ka to var aiznest uz Alfija senlietu tirdziņu. Vai arī aiziet uz Viktorijas un Alberta muzeja bibliotēku. Viņiem ir visplašākie resursi modes vēstures jautājumos.

Keita atbalstījās pret galda virsmu.

– Tā ir laba doma.

– Patiesībā man tur strādā paziņa, modes nodaļā. Viņi šad un tad nosola mantas, kas nonāk vairāksolīšanā. Ir gan pagājis kāds laiks, taču es varētu tevi savest kopā ar viņu. – Reičela koncentrējās, saraukusi pieri. – Teodors. Pareizi. Viņš varēs tev palīdzēt. Vai tu arī sāc kļūt par kolekcionāri?

Keita paraustīja plecus.

– Mani tikai urda ziņkārība. Tas arī viss.

– Jūtos pārsteigta, ka tu neatradi neko Endslijā. Vai tu zini, ka tā piederēja vienai no māsām Blaitām?

– Jā, šķiet, ka Džeks to kādā brīdī pieminēja, – Keita nevērīgi atzina.

– Nu, tās nu reiz bija māsas, kuras atšķīrās kā uguns un ūdens!

– Tiešām? – Keita paņēma svaiga burkāna šķiezniņu, kas bija palikusi uz griežamā dēļa, salda un kraukšķīga.

– Vecākā, Irēna, bija nodevusies labdarībai, jo īpaši saistībā ar bēgļu bērniem kara laikā. Taču Diāna bija pilnīgi pretēja – mežonīga, neizvēlīga, ja bija runa par vīriešiem. Staigājoša nelaime ar lielo burtu.

– Kā tu domā, kas ar viņu notika?

– Es personiski domāju, ka viņa būs aizbēgusi.

– Kāpēc?

Reičela pārspīlēti izbolīja acis.

– Kāpēc cilvēki mēdz aizbēgt? Man gribētos domāt par viņu kā par sačākstējušu vecu sievieti, kura vada mierīgu dzīvi kaut kur dzīvojamo vagoniņu parkā Arizonā.

– Visai drosmīgs minējums.

– Drosmīgus minējumus dzīve parasti mēdz piepildīt, dārgā.

Keita pasmaidīja. Taču iekšēji viņa ļoti labi zināja, kāpēc cilvēki mēdz aizbēgt. Bija grūti, gandrīz neiespējami mainīt sevi pašu. Vai cilvēkus tiešām varēja vainot par to, ka viņi tā vietā izvēlējās labāk mainīt apkārtni?

Varbūt Reičelai bija taisnība un kaut kur, kādā nepretenciozā nostūrī Diāna Blaita bija paveikusi neiespējamo – pamanījusies aizbēgt no sevis vienreiz un uz visiem laikiem.

– Vai gribi, lai es rīt no rīta piezvanītu Teodoram?

– Protams, tas būtu lieliski.

– Starp citu, kas tas ir?

– Nekas īpašs. Tikai šādi tādi nieki. Paklau, es patiešām ļoti atvainojos par to ugunsdrošības signalizāciju. – Viņa uzspieda skūpstu Reičelai uz vaiga. – Labāk iešu izkravāt mantas.

Dodamās augšā ar somu, Keita sajuta gluži vai taustāmu atvieglojumu. Tas nu bija cauri. Vēstule bija iznīcināta. Bet kāpēc lai viņš sūtītu kādu trešo tādu gaisa gabalu, lai to nogādātu? Kāpēc to nevarēja vienkārši iemest pastkastītē?

Viņa apstājās un cieši satvēra margas.

Ja vien, protams, viņš šobrīd neatradās Londonā.

Nebūtu nekādas vajadzības mest vēstuli pastkastē, ja viņš atrastos šeit. Un viņš nemūžam nenāktu uz māju pats. Viņš nemēdza uzņemties risku, darot ko tādu, par kā rezultātu nevarēja būt pilnīgi pārliecināts.

Viņš bija ar mieru pavilkt garumā.

Galu galā runa nebija par mīlestību.

Runa bija par piederību.

Reičela iztukšoja olu nūdeļu paciņu verdošajā zupā. Atvērusi atkritumu spaiņa vāku, lai iemestu tajā tukšo paciņu, viņa tur kaut ko pamanīja. Tas bija spīdīgs un melns, izlocījies kā nepareizi samīcīts māls un rēgojās ārā no sadeguša, samirkuša rakstāmpapīra starp miklajiem pelniem. Viņa piesardzīgi to izcēla ārā, nespēdama pretoties ziņkārei.

– Žēlīgais dievs!

Tās bija melnas *American Express* kredītkartes atliekas – no tām kartēm, kurām ir piešķirts bezgalīgs kredītlimits. Tādas tika piedāvātas vienīgi klientiem ar privātām rekomendācijām, kuru bankas kontu atlikumi bija mērāmi miljonos, nevis tūkstošos. Reičela savā darbā bija saskārusies tikai ar pāris tādām, un tās tika izmantotas, lai iegādātos lietas, ko parasta kredītkarte nespētu nosegt. "*K. Elbiona*" bija rakstīts ar zelta burtiem pašā apakšmalā. Reičela apgrieza to otrādi. Tik tikko saredzams aizmugurē vīdēja Keitas izbalojušais paraksts.

Reičela aši atlocīja izmirkušo papīru, kurā karte bija iesaiņota.

Tā nebija mīlestības vēstule, kuru viņa bija cerējusi atrast. Patiesībā centrā bija uzdrukāti tikai trīs vārdi.

"Par visu samaksāts." A. Monro

Sentdžeimsa laukums 5
Londona

1932. gada 14. jūlijā

Ak, mīļumiņ!

Rakstu Tev agrā rīta stundā ar drebošu roku – Elinora Ogilvija–Smita man uzklupa Esmes karnevāla ballē! Viņa uzglūnēja man garderobē, un vienu brīdi man likās, ka viņa tikai zaudējusi līdzsvaru, taču tad es sapratu, ka viņas lūpas grasās saskarties ar manējām un ka viņa cenšas mani noskūpstīt! Ak, kādas šausmas! Un, kad es viņai pateicu, ka nevaru, viņa sāka raudāt un lūdzās, lai es to nestāstītu viņas mātei. Zvēru, ka viņa bija mazliet iekērusi, taču sagrāba manu roku (viņai ir īsts jūrnieka tvēriens) un apgalvoja, ka esot manī iemīlējusies jau ilgus gadus. Tas viss bija ārkārtīgi nepatīkami. Mani nepavisam nepārsteigtu, ja tā rīkotos Brenda vai Liza, bet Elinora? Jādomā, ka Romeo tērps, kuru viņa bija uzvilkusi, bija mājiens par to. Viņa patiešām ir visai spēcīga un biedējoša. Ak, ko lai es iesāku? Man daudz labāk patika, kad viņa mani ienīda.

Lūdzu, padomā, cik ātri vien iespējams!

Izbiedētā Dī, kurai ir bail iziet no mājas, lai kāds nemestos virsū.

Bučas!

Viktorijas un Alberta muzeja plašais vestibils bija klasiskās marmora arhitektūras un elegantu modernu iekštelpu sajaukums: izlocīta, līkumaina Deila Čihuli lustra karājās virs informācijas stenda, debeszilam un smaragdzaļam stiklam ar gariem čūskveida taustekļiem izlokoties kā bezsejainai jūras Medūzai.

Keitas papēži atbalsojās sienās, viņai ieejot un uzrādot apsargam savu somu, lai iekļūtu iekšā.

Viņš izņēma ārā veco apavu kārbu un, aizdomīgi viņu uzlūkodams, atvēra to.

– Man ir sarunāta tikšanās modes nodaļā, – viņa paskaidroja, atkal uzlikdama kārbai vāku.

Sargs norādīja uz administratoru leti. Pie tās viņai vajadzēja pagaidīt, kamēr administrators sazvanīja Teodora palīdzi. Lēnām staigādama pa milzīgo vestibilu, viņa vēroja cilvēku grupas, kas gāja iekšā un ārā, juzdama, kā nervi saspringst. Te nebija, no kā baidīties. Un tomēr viņa apzinājās pieaugošu īpašnieciskumu pret kurpēm, pret priekšmetiem, pret visu savu atklājumu. Viņa vēlējās uzzināt visas atbildes, taču īsti nevēlējās dalīties noslēpumā. Ko tad, ja šis vīrietis, šis Teodors atņems viņai kurpes? Ko tad, ja viņa tiks atmaskota kā zagle?

Lēnām soļodama uz priekšu, Keita pētīja marmora raksta ielaidumu uz grīdas, spiezdama somu sev pie krūtīm. Viņa uzdos dažus jautājumus un dosies projām. Tas bija viss.

– Elbionas jaunkundz?

Viņa pacēla galvu.

Pievilcīga tumšmataina meitene stāvēja viņas priekšā, ģērbusies biezās melnās zeķbiksēs, bezpapēžu baletkurpēs un kleitā, kas izskatījās pilnībā pagatavota no brūna ietinamā papīra un līmlentes. Vārds "KLEITA" bija uzrakstīts tās priekšpusē ar sarkanu tinti.

Meitene pasmaidīja.

– Es esmu Sama, Vaita kunga palīdze. Viņa kabinets atrodas apakšstāvā. Lūdzu, sekojiet man!

Keita samirkšķināja acis.

– Jā, bez šaubām.

Sama pagriezās, un Keita sekoja viņai galeriju labirintā, kas veda uz muzeja modes nodaļu. Blāvi apgaismotajās telpās, kurās manekeni bija izstādīti garās stikla vitrīnās, atdarinot spilgtākos modes tendences gadu gaitā, valdīja bijīgs pieklusums. Samas neiedomājamais tērps, viņai kustoties, radīja gurkstošu, švīkstošu troksni. Cilvēki pagriezās un blenza uz viņu, taču Samu, tas, šķiet, it nemaz nesatrauca. Beigu beigās viņas pienāca pie biezām mahagonija durvīm ar drošības slēdzeni. Sama ievietoja tajā savu caurlaidi, un viņas abas devās lejā ēkas dziļumos, garām darbistabu un kabinetu rindai uz muzeja pagrabu.

Dienasgaismas lampas mirkšķināja un dūca viņām virs galvas, un gaisā varēja just dažādu krāsu un līmju smaku, kam piejaucās patīkamais spēcīgas itāliešu kafijas aromāts. Radio spēlēja tapešu atjaunošanas darbnīcā; ejot garām cepuru un aksesuāru telpai, tajā atskanēja piesmakuši smiekli, bet ādas galantērijas nodaļā pilnā sparā ritēja strīds par līmes un kniežu priekšrocībām. Jo tālāk viņas gāja, jo klusāks kļuva. Viņas pagāja garām neskaitāmām velvēm ar tajās pakārtiem tērpiem, kas bija saspiesti kopā uz automatizētiem pakaramajiem līdz pat griestiem. Tur bija kārbu kaudzes un gaiteņi, kas piekrauti ar plakātiem un vecām brošūrām, kur uz pakaramajiem gozējās karalienes Viktorijas laika šineļi, Mērijas Kvantas minisvārki un Armani vakarkleitas. Manekenu daļas varēja manīt visur: rokas, kas rēgojas laukā no melniem atkritumu maisiem, galvas, kas šūpojas virs dokumentu skapjiem. Te bija pilns ar dārgumiem, retiem aizritējušo gadu fragmentiem, kas tika paglābti, izpētīti un atjaunoti ar mīlestības pilnu, aizrautīgu skatienu.

Viņas nogriezās ap stūri un nonāca pie neliela kabineta, kas bija nošķīries no apkārt valdošās kņadas. Tur, sēžot pie gara galda, kas bija augstu apkrauts ar auduma paraugiem, rokasgrāmatām, vecām kafijas krūzēm un modernu *GS Macintosh* datoru, sēdēja neliela auguma pavecāks vīrs vecumā pēc sešdesmit ar kuplu, sārtenu matu ērkuli. Viņš bija ģērbies sarkani rūtainās biksēs no Vivjēnas Vestvudas sadomazohistu kolekcijas un kreklā ar uzrotītām piedurknēm. Melni, biezi briļļu rāmji ietvēra viņa spoži zilās acis. Uz sienas viņam aiz muguras atradās plaša Jaunavai Marijai veltītu piemiņas lietu kolekcija.

Viņš piecēlās.

– Es esmu Teo, – viņš stādījās priekšā. – Lūdzu, apsēdieties. Vai gribat kaut ko iedzert? Kafiju? Ūdeni?

– Nē, pateicos, viss kārtībā. – Keita apsēdās uz pašas krēsla maliņas.

Viņš iesmējās.

– Nevajag nervozēt! Mēs gatavojamies jaunai izstādei, kas būs veltīta dadaistiem un pankiem. "Radikāļu balsis mākslā". Mēs ar Samu dažreiz pārāk aizraujamies, vai ne? – Viņš pamirkšķināja Samai.

– Patiesībā man patīk tā kleita, – Keita apgalvoja.

Samas seja atplauka.

– Tā ir darināta pēc Pjēra Kardēna oriģinālā sešdesmito gadu modeļa, kuru es atradu internetā. Mani interesē vienreiz lietojamas drēbes vienreiz lietojamai sabiedrībai. Un pārstrādājamas. Vienreiz lietojamas un pārstrādājamas. – viņa izlaboja pati sevi. – Šobrīd es strādāju pie *Burberry* stila lietusmēteļa, kas pilnībā darināts no melniem atkritumu maisiņiem.

– Un kā tev veicas? – Teo apjautājās.

– Jāatzīst, ka kritums nav īpaši labs.

– Tev ir vajadzīgi rūpnieciski izturīgi atkritumu maisiņi. Tādi, kādus izmanto celtnieki.

– Hmm. – Viņa pamāja. – Man šķiet, ka tev taisnība.

Teo pagriezās pret Keitu.

– Mums patīk dzīvot savos pētījumos. Pagājušajā gadā tēma bija "Modernās atvadas: sēru tradīcija gadsimtu gaitā". Visi bez izņēmuma visu gadu staigāja melnā no galvas līdz papēžiem. Bet nu jau būs gana. Vai jūs teicāt, ka gribat kafiju?

– Nē. Nē, paldies.

Viņš pamāja Samai.

– Atvainojiet, – viņa noteica, dodamās projām.

Teo iekārtojās aiz rakstāmgalda, piešķiebdams galvu uz vienu pusi.

– Tu mani neatceries, vai ne?

– Atvainojiet... – Keita sastomījās, izmisīgi cenzdamās viņu atminēties. – Es īsti nevaru atsaukt atmiņā...

– Tam nav nozīmes. Tas bija pirms daudziem gadiem. Tava semestra beigu izstāde. Tava tante mūs iepazīstināja.

– Ak, lūdzu piedošanu. Man ir nekam nederīga atmiņa.

– Nu... – Teds viņu uzlūkoja cauri savām biezajām brillēm, – šķiet, tovakar tu biji mazliet nesakarīgāka.

Keita sajuta, kā viņas vaigi pietvīkst.

– Ceru, ka es nebiju rupja.

– Nepavisam. Tu biji tikai... nu, teiksim tā, tu svinēji. Izstāde bija ārkārtīgi neparasta. Es nemūžam neaizmirsīšu to darbu ar bērniem un palagu.

– "Mēdeja".

– Jā, tas ir īstais! Ļoti dramatisks darbs.

Keita bija tīšām aizmirsusi šo gleznu. Ar asinīm piesūcies palags, nekustīgs bērns. Tas bija togad, kad bija miris viņas tēvs. Viņa bija cīnījusies ar darbu un cīnījusies ar sevi pašu.

Keita pablenza grīdā.

– To neizdevās pārdot.

Teo saāķēja pirkstus, domīgi piespiezdams tos pie lūpām.

– Tas bija ļoti spēcīgs.

– Tas bija neglīts.

– Māksla jau nenozīmē tikai skaistumu vien. Tā nozīmē patiesību. Un es pilnīgi noteikti neticu, ka tie abi vienmēr ir saistīti.

Keita paraudzījās uz madonnām viņam aiz muguras – uz viņu apģērbu košajām, spilgtajām krāsām, viegli pieliektajām daudz cietušajām galvām.

– Ko tu dari tagad? – Teo apjautājās, paliekdamies uz priekšu. – Ceru, ka tu drīz atkal sarīkosi kādu izstādi.

– Tagad es nodarbojos ar... ar tradicionālākiem darbiem. Ar reprodukcijām.

– Patiešām? – Viņš izklausījās pārsteigts.

– Pēc pasūtījuma.

– Ak tā. Jā, nu labi... – viņš nosprieda. – Man tavos darbos patika atvēziens un pārdrošība. Kā mūsdienu sievieškārtas Karavadžo. Nu tad, – viņš atkal iekārtojās krēslā, – kā varu tev palīdzēt?

Atvērusi somu, Keita izņēma ārā apavu kārbu un pastūma to uz viņa pusi.

– Iedomājos, ka varbūt jūs man varēsiet kaut ko pateikt par šīm?

Teo atvēra kārbu un nopētīja kurpes.

– Jā, Pinē no Bondstrītas. Es teiktu, ka darinātas starp tūkstoš deviņi simti divdesmit devīto un trīsdesmit trešo gadu. Tas bija ļoti dārgs apavu veikals, pat tiem laikiem. – Viņš apgrieza kurpes otrādi. – Tikpat kā nav valkātas. Acīmredzami vakara variants. Taču vakars laikam bijis īss. Un tās ir sabojātas.

– Patiešām? – Keita saliecās uz priekšu.

– Šeit pat. – Teodors viņai parādīja vietu, kur viena no siksniņām bija iegriezta. – Tās nebūtu ilgi izturējušas. Kur tu tās atradi?

– Nesen biju Devonā. Tās nāk no kādas vecas mājas. Patiesībā... – viņa pavilcinājās, – man šķiet, ka tās piederējušas Irēnai Eivondeilai.

Teodors saslējās sēdus, un viņa skatiens iemirdzējās.

– Tu domā Irēnu Blaitu? Vienu no māsām Blaitām?

– Jā.

– Ak! Skaistās māsas Blaitas man ir jo īpaši mīļas. Kuram gan nav? Taču diemžēl atbilde ir nē, – viņš apņēmīgi noteica, uzlikdams kārbai vāku.

– Kā tā nē?

– Nē, tās nevarēja piederēt viņai.

– Bet kā jūs varat būt tik drošs par to?

– Man patīk kolekcionēt lietas. – Viņš norādīja uz sienu sev aiz muguras. – Varbūt tu šobrīd apbrīno manu bezgaumīgo madonnu kolekciju. Vai varbūt nē. Taču lai kā tur būtu, sākotnēji es aizrāvos ar apavu liestu kolekcionēšanu.

– Piedošanu?

– Liestes. Tas ir precīzs pēdas atveidojums, kas izgrebts no koka un glabājas pie kurpniekiem, kuri gatavo apavus pēc individuāla pasūtījuma. Klientam vienreiz tiek izgatavota lieste un glabāta darbnīcā līdz pat viņa nāvei. Ikviens kurpju pāris tiek darināts pēc pasūtījuma, lai precīzi piegulētu pēdai. Šīs manas aizraušanās rezultātā mēs pirms kādiem pieciem vai sešiem gadiem sarīkojām izstādi ar nosaukumu "Ja kurpe der" par šādām apavu darbnīcām. Un tā nu sagadījās, ka muzejs par lielu naudu iegādājās vairākas Irēnas Blaitas pēdas liestes. Vienu bija izgatavojusi "Fostera un dēlu" darbnīca Džermainstrītā un otru pats Ferragamo. Lēdijai Eivondeilai piemita tā pati kroplīgā īpatnība, kas ļāva viņai justies kā mājās augstākajā sabiedrībā – ļoti garas, šauras pēdas un plakans pēdas izliekums. Viņa nemūžam nebūtu varējusi iegādāties gatavas kurpes, lai cik dārgas tās būtu. Viņa neizturētu tādās ne divas sekundes. Turklāt... – viņš pastūma kārbu atpakaļ uz Keitas pusi, – tas nav īstais izmērs. Viņas pēdas līdzinājās garām, šaurām laivām. Patiešām neparasti.

– Ak tā.

– Šeit, mana mīļā, tev ir burvīgas senatnīgas kurpītes, kas varētu maksāt kādas piecdesmit mārciņas mūsdienu tirgū. Jā, un arī gluži glīta kārbiņa.

– Skaidrs.

– Vai tu gribētu redzēt liestes? – viņš aizrautīgi iejautājās. – Tās glabājas dažas telpas tālāk. Amatnieku prasme ir fantastiska.

– Ak, nē. Tas nav nepieciešams. – Keita ielika kārbu atpakaļ somā.

– Tu izskaties vīlusies.

– Es... es tikai biju domājusi... – Viņa aprāvās. – Patiesībā tam nav nozīmes.

Viņš atzvila krēslā, sakrustodams rokas sev priekšā.

– Daži cilvēki ir ļoti noslēpumaini. Viņiem piemīt spožums, kas kairina iztēli. Māsas Blaitas ir tieši tādas. Viņas bija dzīvs romantikas, starpkaru laika spriedzes iemiesojums. Tu neesi pirmā, kas nokļuvusi viņu burvības varā.

– Nē, – Keita nopūtās. – Jādomā, ka neesmu gan.

Teodors piecēlās. Saruna bija beigusies.

– Man ļoti žēl, ka nevarēju izrādīties noderīgāks. Taču, paklau, atsūti man ziņu, ja tu atkal rīkosi izstādi Londonā. Un, ja tu gribi kaut ko redzēt, kādu no mūsu izrādēm, tad dod man ziņu, un es labprāt tev noorganizēšu biļetes.

– Paldies. Tas ir ļoti laipni.

Viņš atvēra durvis.

Keitai kaut kas iešāvās prātā.

– Un viņas māsa?

– Mazā?

– Jā. Vai kurpes nevarēja piederēt viņai?

Teodors sakrunkoja pieri, saraukdams degunu.

– Mazā Blaita pazuda... īsti neatceros... tas bija īsi pēc kara sākuma. – Viņš paraustīja plecus. – Es gribu teikt, ka nevaru būt drošs. Galu galā neviens nezina, kas ar viņu notika. Viss ir iespējams un tajā pašā laikā maz ticams.

Sama atkal kavējās tuvumā, gaidīdama, kad vajadzēs vest Keitu atpakaļ cauri lielajai galerijai.

– Tas izraisa atkarību, vai ne? – viņš iesmējās, noglāstīdams Keitas plecu.

– Kā jūs to domājat?

– Tiklīdz āķis ir lūpā, tā kolekcionēšanas paradumu grūti atmest, vai ne, Sama?

Sama pamāja.

– Ikvienai lietai ir sava vēsture.

– Par nožēlošanu, – Teodors piebilda, – tikai retu reizi mēs uzzinām, kāda tā īsti ir.

– Jā, jā, domāju, ka jums taisnība, – Keita noteica.

Sekodama Samai cauri gaiteņiem, viņa juta, ka dūša sašļūk papēžos. Atkal jau viņas pašas dzīves lielās un neatrisināmās problēmas parādījās apziņas perifērijā kā draudīgas ēnas, nesot sev līdzi pazīstamo baiļu izjūtu.

Viņa nepaguva ne attapties, kad jau nonāca atpakaļ lielajā modes galerijā ar tās garajām, blāvi apgaismotajām vitrīnu rindām. Piepeši Sama apstājās.

Keita pacēla galvu.

Viņas bija apstājušās pie vienkāršas, slīpā diegā darinātas vakarkleitas ar lencītēm no gluda, gaiši sārta atlasa. Tā bija piegulоša augumam, jutekliska, gandrīz vai miesas krāsā. Tās īpašniecei vajadzēja būt miniatūrai: viduklis bija šmaugs, toties krūšu daļa visai izteikta.

Keita pagriezās pret Samu. Viņas acis mirdzēja.

– Tā ir oriģināla *Vionnet* kleita, – Sama nočukstēja. – No Parīzes.

– Jā..?

– Tā piederēja Mazajai Blaitai.

Keita atkal to uzlūkoja. Proporcijas bija pārsteidzošas, reizē smalkas un jutekliskas.

– Nelaime tāda, – Sama turpināja, – ka tas nav ticis oficiāli apstiprināts. Ar šo kleitu saistās skandāls. Mēs to saņēmām no gluži negaidīta avota. – Viņa satvēra Keitu aiz rokas, pievilkdama viņu tuvāk. – Klīst baumas, ka tā ir saņemta mantojumā no Rotermīru īpašuma. Lords Rotermīrs bija viens no galvenajiem Čemberlena padomniekiem laikā pirms Otrā pasaules kara. Taču viņš bija arī kaislīgs mednieks, kurš mēdza doties lapsu medībās ar Velsas princi un kuram piederēja vesels īpašums Meltonmobrejā, kas bija paredzēts tikai šim nolūkam. Bija domāts, ka mantojums sastāvēs no jāšanas piederumiem un militāristu formastērpiem. Viņš iztaisījās par gatavo frantu. Taču vienā no lādēm, ietīstīts zīda spilvendrānā, atradās šis tērps! Iekšpusē bija iešūts Diānas vārds. Šķiet, ka tas vēl aizvien smaržoja pēc parfīma Worth "*Je Reviens*". Un, – viņa pieliecās tuvāk, – tas bija ieplēsts – aizmugurē!

– Patiešām?

– Tam klāt bija zīmīte. "Par visu samaksāts." Un paraksta vietā B burts. Lords Rotermīrs bija precējies un liels morālists, un svētulis. Ticiet man, nepavisam ne skaistulis. Dievs vien zina, kā tā kleita varēja tikt saplēsta. Restaurācijas nodaļa galīgi nomocījās, lai to salāpītu; tāpēc arī tā ir izstādīta šādā veidā. – Sama norādīja uz leņķi, kādā kleita bija novietota vitrīnā. – Esmu pārliecināta, ka tad, ja ģimene būtu zinājusi, kas atrodas tajā vecajā lādē, mēs to nemūžam nebūtu saņēmuši. Taču man ir aizdomas, ka viņš to bija nobēdzinājis kā tādu nelegālu pagātnes trofeju. Protams, neviens nevar neko pierādīt. Un tad zīmīte tika nosūtīta uz arhīvu un pazuda birokrātijas jūrā. Taču tas ir lielisks *Madame Vionnet* darinājums. Tolaik tas noteikti izmaksājis veselu bagātību.

Keita stingi blenza uz kleitu.

– Viņa patiešām bijusi ļoti smalciņa, vai ne?

Sama pamāja.

– Kā tu domā, cik liela varēja būt viņas pēda?

– Ak, es nezinu... maza... Varbūt kāds ceturtais izmērs, vai arī četri ar pusi?

Keita klusībā pasmaidīja. Vēl aizvien pastāvēja neliela cerība.

– Kad es dzirdēju tevi to pieminam, iedomājos, ka tas varētu tevi interesēt, – Sama noteica.

– Jā, mani interesē viss, kam ir kāds sakars ar māsām Blaitām. Paldies, ka parādīji man to.

– Nav par ko. Vai neesi mēģinājusi apjautāties Nacionālajā portretu galerijā? Nekad jau nevar zināt. Viņiem ir apbrīnojama slavenu seju kolekcija. Mēs visu laiku izmantojam viņu arhīvu.

– Tā ir laba doma. – Keita klusībā apņēmās likt to lietā.

Sama nopūtās, uzgriezdama manekenam muguru.

– Bet kāpēc? Lūk, to es nevaru saprast. – Viņa neticīgi pašūpoja galvu. – Kāpēc tik skaistai, tik populārai meitenei vajadzētu sapīties ar kaut kādu vecu plikpauri? Es to nekādi nespēju saprast.

Keitas skatiens nespēja atrauties no greznās kleitas ideālajām atlasa krokām.

– Ne visu, ko mēs darām, ir iespējams racionāli izskaidrot, – viņa beidzot noteica.

Keita izgāja ārā karstajā saulē uz cilvēku pilnās Eksibišenroudas un devās uz autobusa pieturu. Ja kurpes piederēja Mazajai Blaitai, tad viss, visi pārējie priekšmeti arī, visticamāk, bija viņējie. Atslēga, rokassprādze, fotogrāfija... vai tās varēja būt kādas trūkstošas norādes, lai atrisinātu viņas pazušanas noslēpumu? Varbūt viņa bija vienīgais dzīvais cilvēks, kas spēja salikt kopā šo mozaīku. Un viņa atkal iedomājās par kleitu, par zīmīti, par plīsumu, kuru tā arī nebija izdevies pilnībā salabot. Keitas prātā zibēja jautājumi un iespējas. Kurš bija uzdāvinājis Mazajai Blaitai rokassprādzi? Kāpēc tā bija noslēpta? Vai jūrnieks bija viņas mīļākais?

Piebrauca autobuss. Keita uzkāpa augšstāvā un apsēdās pie loga.

Lūkodamās uz nelielo dārza skvēru pretējā pusē, viņa apbrīnoja gaišās karaļa Džordža laika terasveida mājas un Bromptonas kapelu. Tā bija reizē valdonīga un iešķība, tās sienas bija izrobotas un rētainas pēc bombardēšanas Otrā pasaules kara laikā. Apbrīnojami, cik ļoti karš vēl aizvien ietekmēja Londonu: tās būtība vēl aizvien bija iezīmēta, ievainojumi tik svaigi, it kā būtu gūti vēl tikai vakardien. Un Keita iedomājās, vai Mazā Blaita kādreiz ir staigājusi pa šīm ielām – varbūt kādu gaidot šajā skvērā vai vērojusi kādu kāzu ceremoniju šajā baznīcā. Keitu pārņēma spokaina sajūta, it kā viņu dzīves savītos, pārklādamās viena otrai pāri, neskatoties uz aizritējušajiem gadu desmitiem.

Kāds nolūkojās uz viņu, stāvot uz trotuāra. Tas bija kāds vīrietis: gara auguma, slaids, ar brillēm, un viņš lūkojās uz Keitu, nenovēršot skatienu.

Aizgriezusies viņa aizklāja seju ar rokām, domām drudžaini darbojoties.

Vai vīrietis bija viņu izsekojis? Vai tā bija tikai sagadīšanās, vai arī viņš bija sūtīts, nolīgts, lai ziņotu par viņas atrašanās vietu? Viņš vēl aizvien skatījās, Keita jutās par to pārliecināta.

Autobuss izbrauca no pieturas, iekļaudamies satiksmes straumē. Viņa automātiski pagriezās un palūkojās atpakaļ. Autobusa pieturu bija aizņēmis ārzemju studentu bars. Vīrietis nekur nebija manāms. Varbūt viņa bija tikai to iedomājusies savā pārmērīgi sakaitētajā fantāzijā. Un tomēr viņa nevarēja būt par to droša.

Keitas sirds salēcās. Piepeši Londona vairs nebija tā drošā miera osta, par kādu viņa bija to uzskatījusi: ikvienā pagriezienā, ikvienā ielas stūrī varēja parādīties kāds draudīga izskata svešinieks.

Sentdžeimsa laukums 5
Londona

1932. gada 30. jūlijā

Mana dārgā Rēna!

Tu nemūžam neuzminēsi, ar ko es saskrējos, gluži burtiskā nozīmē, Melnbaltajā ballē – ar Niku Vobērtonu, kurš izskatījās tieši tikpat glīts, kādu es viņu atcerējos, brīnišķīgi ģērbies un ar tām pašām smaidīgajām acīm. Es gluži mežonīgi virpuļoju pa deju grīdu, ģērbusies fantastiskā sudraba vakarkleitā un kurpēs (galu galā sudraba krāsa ir melnās un baltās sajaukums, un nav jau obligāti jāsaplūst ar pārējo pūli), kad piepeši sadzirdēju pazīstamu balsi sakām: "Neizskatās, ka tavas vājās vietas tevi kaut mazliet nomāktu."

Es pagriezos, un tur jau viņš bija, malkojot šampanieti un uzsmaidot man. "Nu, re." Viņš nolika savu glāzi un satvēra mani aiz rokas. "Ļauj man tev parādīt, kā to dara pieaugušie."

Ak, cik debešķīgi!

Mēs dejojām. Bez šaubām, Pinkijs to uztvēra visai nejauki, stāvēdams deju grīdas malā un BLENZDAMS. Galu galā es viņam pārstāju pievērst uzmanību. Un Niks rēca vien, kad es viņam pastāstīju par dzīvi Sentdžeimsa laukumā kopā ar Svētuli un viņa tēvu. Pastāstīju visu par to, kā viņa grib ieslodzīt mani klosterī, lai paglābtu manu samaitāto dvēseli, kamēr viņš grib mani izprecināt kādam no tiem radījumiem, kam nav zoda, bet ir tituls. Viņš apgalvo, ka es uzprasoties uz pērienu. Teicu, lai ķeras vien klāt. Un ar to arī tas beidzās – patīkamā kārtā.

Tad pateicu viņam, ka mana deju karte ir pavisam pilna un es nevaru ilgāk kavēties ar vīriešiem bez kādām perspektīvām vai noteiktiem nolūkiem. Par atbildi viņš pasmējās un pavēstīja, ka viņam esot pavisam noteikti nolūki, un tad atļāvās noraut siksniņu no manas labās kājas kurpes! "Un tagad, Mazā, tu izmežģīsi potīti, turpinādama dejot ar tādu kurpi. Ir laiks nākt man līdzi un apsēsties, kā kārtīgai meitenei klājas. Tu zini, cik ļoti man patīk tavas pēdiņas." Un mēs pavadījām vakara atlikušo daļu, sēdēdami atpūtas krēslos ārpusē ar skatu uz parku, ēzdami zemenes un sarunādamies. Viņš uzlika manu pēdu uz maza spilventiņa, un katru reizi, kad kāds pienāca klāt, lai aicinātu mani uz deju, mēs norādījām uz to un šausminājāmies par tās slikto stāvokli. Taču, mana mīļā, es būtu varējusi pavadīt visu nakti kopā ar viņu. Vai Tu kādreiz esi satikusi cilvēku, kurš pilnībā saprot ikvienu sīko iedomu Tavā galvā, ikvienu pavērsienu un pagriezienu, ikvienu izjūtu, tā ka pusi no tā, ko tu vēlies teikt, pasaka viņš, pirms tu vispār pagūsti to noformulēt vārdos? Un viņam piemīt īpašs vieglums, kas ir tik valdzinošs; rakstura noteiktība, kāda nav vērojama jauniem vīriešiem.

Viņš nepavadīja mani uz mājām. Taču šorīt tika saņemts pušķis ar garām, baltām lilijām līdz ar kartīti, kurā bija teikts: "Ar visdziļāko līdzjūtību pret Tavu kurpi". Un, bez šaubām, tā bija adresēta Mazajai Blaitai, kas padarīja Mā vai traku. "Man gan negribētos, lai tu staigātu pa pilsētu, apkarināta ar kaut kādu smieklīgu iesauku!"

Un tad Vecais sargkareivis viņai pievienojās: "Un ko tad, ja tas nonāktu avīzēs? Kas ir šis vīrietis? No kādas ģimenes?" (Ārkārtīgi smieklīgi.)

Es gluži vienkārši aizslīdēju projām kā mākonī.

Ak, manu eņģel! Vai tāda ir mīlestība? Kad tev šķietami nav kuņģa un pazūd vēlēšanās gulēt, un galvā visu laiku kaut kas dūc? Man gribētos, kaut šī saruna visu laiku turpinātos un nekad nebeigtos.

Sūtu Tev ikvienu mīlestības collu!
Mazā
Bučas!

Reičela bija atradusi papīra gabalu ar māsas telefona numuru. Tas visu laiku bija atradies turpat acu priekšā, pielīmēts ar līmlapiņu pie datora monitora. Viņa to noņēma un domīgi pagrozīja pirkstos.

Vēl bija agrs, un viņa birojā atradās viena. Reičelai patika braukt uz Holbornu pirms rīta sastrēgumstundām, jo īpaši vasaras mēnešos. Tās bija dārgas zelta stundas, kas pazudīs, pienākot rudenim. Taču tagad tās bija īsta dāvana. Līdz ar gadiem Reičela bija iemācījusies tās novērtēt un izmantot. Pēc īsa brīža visa apkārtne būs pilna ar cilvēkiem, taču šobrīd te valdīja klusums pirms dienas sākuma.

Viņa iedzēra vēl vienu malku no kafijas krūzes. Telpa bija pilna ar lietām – trofejām no viņas un Pola kopīgajiem darbiem un piedzīvojumiem. Melnkoka mopsis no karalienes Annas stila mājas Češīrā. Ozolkoka lasāmpults no senas publiskās bibliotēkas Ailsberijā. Kanaleto reprodukcija no Bāsas. Šis darbs bija nozīmējis visu viņu dzīvi. Šodien tāpat kā allaž likās jo īpaši neiespējami, ka visas šīs lietas bija palikušas, bet viņa paša vairs nebija. Viņš bija reālāks par katru no tām, un tomēr Reičela te stāvēja, noraugoties uz gleznām, istabas augu kastītēm un tukšiem krēsliem.

Viņa lika sev pagriezties, nocēla klausuli un sāka sastādīt numuru.

Tad viņa aprāvās un nolika klausuli atpakaļ.

Ko lai viņa saka? Ka Keitijai ir nepatikšanas? Ka viņa raizējas par māsasmeitu? Vai tikai to, ka viņa ieradusies ciemos? Varbūt tad, ja viņa atstās ziņu, Anna pārzvanīs un pati aprunāsies ar Keitiju.

Reičela nopūtās, izbraukdama ar pirkstiem cauri matiem.

Kāpēc tas bija tik sarežģīti – šie būtiskākie fakti, kas izplūda cauri viņas pirkstiem kā ūdens?

Tā notika ar Keitiju, un tā mēdza notikt arī ar viņas tēvu. Visvienkāršākās lietas kļuva nenotveramas, sarežģītas. Pēc divām minūtēm viņu sabiedrībā cilvēki vairs nezināja, kas viņi ir un ko dara.

Parakņādamās pa rokassomiņu, Reičela meklēja cigaretes, taču atrastā paciņa izrādījās tukša. Samīcījusi to bumbā, viņa nomērķēja uz papīrgrozu, taču aizmeta garām. Papīra bumba uzkrita virsū kārbai ar veciem katalogiem, kurus viņa bija grasījusies nodot arhīvā jau mēnešiem ilgi.

Viņa ilgojās pēc Pola. Šīs ilgas nozīmēja smeldzošu tukšumu krūtīs, kas bija fizisks un reāls, it kā viņas sirds gluži kā muļķa dzīvnieks censtos aizsniegties un pieskarties kam tādam, kā tur vairs nav, bet kā trūkumu viņš nespēj aptvert. Par spīti kopā pavadītajiem gadiem, kas bija labi gadi, ar tiem nepietika.

Un tagad Reičela ar zināmu aizkaitinājumu atklāja, ka ilgojas arī pēc savas māsas Annas. Taču tas bija savādāk. Tās nebija patīkamas, sentimentālas ilgas, bet drīzāk gan kādas senākas izjūtas, bērnišķīgas un spītīgas – izjūtas, kurām būtu vajadzējis izzust jau pirms ilgiem gadiem. Viņa jutās greizsirdīga, pavisam vienkārši greizsirdīga. Viņa apskauda savas māsas jauno dzīvi.

Un piepeši priekšmeti viņai apkārt pārstāja atgādināt dārgas piemiņas lietas, bet gan nastu, atsvaru, kas piesēja viņu pie pagātnes, lai viņa nespētu izbēgt.

Kāpēc viņa vienmēr vēlējās to, kas piederēja Annai?

Reičelai būtu vajadzējis priecāties par māsu. Vismaz tik daudz viņa bija Annai parādā.

Un, pati to nevēlēdamās, viņa iedomājās par Raienu, Keitijas tēvu.

Pieceldamās viņa atvēra durvis, ielaizdama plaušās un prātā svaigu gaisu.

Taču, vienreiz atsauktas, šīs atmiņas neatkāpās, turpinot viņu vajāt.

Šī briesmīgā, pretīgā vasara. Māja, kuru viņi bija noīrējuši jūras krastā.

Reičelas domas pārtrauca automašīnas taures signāls. Pāri ielai viņa ieraudzīja Džeku, kurš piebrauca savā jocīgajā mazajā *Triumph*, kas tik ļoti piederējās kādam citam laikmetam. Tas nemaz neizskatījās pēc viņa – ierasties te tik bieži un tik agri. Reičela viņam pamāja.

– Gribi kafiju? – viņš uzsauca, kāpdams ārā no mašīnas.

Viņa papurināja galvu, un Džeks devās tālāk uz kafejnīcas pusi.

Reičela aizvēra durvis un devās atpakaļ pie rakstāmgalda.

Viņa piezvanīs vēlāk. Kad būs viena pati. Viņai bija daudz darāmā. Un šī bija tā diena, kad viņa visu sakārtos, visu padarīs.

Keita sēdēja pie viena no datoriem Merilbonas bibliotēkas vēsajās marmora sienās. Viņa te bija pavadījusi gandrīz visu rītu.

Bibliotekāre bija viņai palīdzējusi sameklēt vairākas spodrpapīra bilžu grāmatas ar māsu Blaitu attēliem, kuriem viņa bija kāri izurbusies cauri. Izskatījās, ka Mazā ar savu spožo izskatu un noslēpumaino pazušanu bija iedvesmojusi jo īpaši daudzus mākslinieku. Taču nebija tikpat kā nekādu pierādījumu par to, kas patiesībā ar viņu noticis – tikai romantiskas spekulācijas. Tagad, ievadot meklēšanas kritērijus "Mazā Blaita" vai "Diāna Blaita", parādījās daudzas no jau redzētajām fotogrāfijām, taču nekādu būtisku jaunu materiālu.

Keita bija nonākusi strupceļā.

"Irēna Eivondeila" viņa uzrakstīja.

Ekrāns atdzīvojās, piedāvādams veselu lapu ar jaunām vietnēm, kurās lielākoties bija lasāmi nekrologi pēc viņas nesenās nāves. Keita uz viena no tiem noklikšķināja.

"Irēna, lēdija Eivondeila, dzimusi tūkstoš deviņi simti septītā gada trīspadsmitajā septembrī, precējusies ar pulkvedi seru Malkolmu Eivondeilu, baronetu, tūkstoš deviņi simti divdesmit septītajā gadā, mirusi Devonā, Anglijā tūkstoš deviņi simti deviņdesmit devītā gada deviņpadsmitajā martā.

Irēna un viņas māsa Diāna (1910 – ?) ir dzimušas īru rakstnieka un vēsturnieka Benedikta Blaita un viņa jaunās sievas Gvenivjeras ģimenē Dublinā. Dzīves apstākļi bija ārkārtīgi pieticīgi, taču tie strauji mainījās pēc tēva nāves tūkstoš deviņi simti astoņpadsmitajā gadā, kad meiteņu māte apprecējās ar lordu Vobērtonu, lielās Vobērtonu bagātības mantinieku, tūkstoš deviņi simti divdesmit pirmajā gadā. Abas māsas izgāja sabiedrībā un tika uzskatītas par divām visskaistākajām debitantēm sava gadagājuma meiteņu vidū. Viņas bija ārkārtīgi populāras, izgudroja sarežģītas viesību spēles un maskarādes, lai izklaidētu savus draugus. Viena no tādām bija slavenās Svētā Valentīna dienas dārgumu meklēšana, kad meitenes pierunāja lordu Bīverbrūku no avīzes *Evening Standard* publicēt avīzē informāciju par norādēm, kas aizveda līdz dažādām paslēptuvēm visā Londonas teritorijā. Uzvarētājam tika solīts skūpsts no viņa izraudzītās māsas, taču spēle tika pasludināta par krāpšanu, kad uzvarētājs izrādījās jauneklis no viņu tuvākajām aprindām, kurš balvā pieprasīja skūpstu no abām māsām.

Irēna, būdama konservatīvākā un klusākā no abām, apprecējās ar pulkvedi seru Malkolmu Eivondeilu, baronetu, tūkstoš deviņi simti divdesmit septītajā gadā. Viņš bija populārs konservatīvo partijas biedrs, kurš kļuva pazīstams ar savām iedarbīgajām publiskajām runām, iebilstot pret Čemberlena izlīgšanas politiku un jau agri nostājoties Čērčila pusē. Vēlāk viņš izcēlās, dienējot armijā Birmā, kur ieguva pulkveža pakāpi. Arī Irēna kara laikā strādāja par medmāsu Devonportas jūras spēku bāzē Plimutā. Pēc māsas noslēpumainās pazušanas tūkstoš deviņi simti četrdesmit pirmajā gadā viņa aizgāja no sabiedriskās dzīves, meklēdama mierinājumu katoļu baznīcas paspārnē un ticībā. Viņiem ar vīru nebija bērnu, lai arī vēlākās dzīves laikā viņa aktīvi sadarbojās ar UNICEF un tika apbalvota ar Britu impērijas ordeni par savu ieguldījumu šajā jomā tūkstoš deviņi simti septiņdesmit sestajā gadā. Pēc vīra nāves tūkstoš deviņi simti astoņdesmit piektajā gadā viņa tikpat kā neatstāja abu mājvietu Devonā – Endslijas muižu, līdz pat savai nāvei šī gada martā."

Keita atzvila savā krēslā, lai pārdomātu.

Viņa nezināja, ka māsu Blaitu izcelsme ir tik vienkārša. Tas noteikti bija šoks viņām kā jaunām meitenēm saskarties ar tik lielu bagātību un ietekmi – pārcelties no Dublinas nomales uz pašu spožās Londonas sabiedrības centru starpkaru periodā. Viņām vajadzēja būt izcilām personībām, lai tik ātri sāktu dominēt šajās aprindās, atšķiroties no pārējiem cilvēkiem, kuri visu laiku bija apreibuši no punša starplaikā starp nebeidzamajām ballītēm, viesībām un notikumiem.

Un viņas nebija vietējās. Keita to visu laiku bija zinājusi, taču tas nebija iespiedies viņas apziņā. Viņas nebija piederīgas šai šķirai no dzimšanas, un tomēr bija pamanījušās to iekarot. Vai viņas bija pieminējušas savu audzināšanu, jokojušās par to? Vai arī vienkārši nebija to pieminējušas, tāpat kā to bija darījusi viņa pati, ļaujot tai pārtapt citu cilvēku auglīgajā iztēlē, kas tika piebarota ar baumām un tīšu, neuzkrītošu dezinformāciju?

Keita iedomājās par to, kā Dereks bija viņu ievedis Ņujorkas sabiedrībā, vadājot uz galeriju atklāšanām, restorāniem un gala koncertiem. Viņas vārds tika saisināts uz Keitu un pagātne piepeši kļuva neskaidra un izplūdusi, krietni vairāk iegūstot no nepateiktā. Viņš sūtīja Keitu uz bāru pēc dzērieniem un tad pieliecās sarunas biedriem tuvāk, pavedinoši pieklusinādams balsi. "Bez šaubām, viņa ir londoniete. Taču viņas māte lielāko daļu laika pavada kontinentā. Viņa ir mācījusies visās labākajās skolās. Diemžēl viņas tēvs jau ir miris, taču viņam piederēja māja Meifērā un liela teikšana mūzikas nozarē. Es censos Keitu pārliecināt palikt Ņujorkā, taču tas ir grūti, jo viņai ir pārāk daudz citu piedāvājumu."

Pirmajā reizē, izdzirdējusi Dereku tā sakām, viņa nesaprata, par ko viņš runā. Kad Keita beidzot to aptvēra, viņa pavilka savu labdari sānis.

– Mana māte atpūšas Malagā, un manam tēvam nekad nekas nav piederējis. Viņš dzīvoja Pībodija nama dzīvoklī netālu no Bondstrītas stacijas.

– Spānija taču atrodas kontinentā, mana dārgā. Un viss, kas atrodas aiz Oksfordstrītas un pirms Sentdžeimsa parka, ir Meifēra neatkarīgi no tā, vai tas ir augšstāva apartaments, vai parka soliņš.

Dereka pašpārliecinātība Keitu atbruņoja. Viņa lūkojās uz šo vīrieti, nespēdama apgāzt viņa loģiku. Vai viņa tiešām bija baudījusi tik spožu audzināšanu un pati to nebija pamanījusi?

– To sauc par ietvara nomaiņu, – viņš paskaidroja. – Ja tu uzsvērsi negatīvo, tieši to arī saņemsi atpakaļ. Tagad tu atrodies Amerikā. Viņiem patīk panākumi, un viņi dievina cilvēkus, kuri ir uzrāpušies augšā pa sociālajām kāpnēm. Patiesību sakot, viņi tādiem uzgavilē. Un nekādas neiederīgas angļu pieticības. Tici man, tā tev neko nedos. Katrā ziņā ne ātri.

Tobrīd Keita nebija to sapratusi, taču viņai zem kājām bija izveidojusies plaisa. Sākumā sajūta bija aizraujoša, cerību un iespēju pilna. Pirmo reizi mūžā viņas pagātne neguva virsroku pār viņas pašas pieredzi. Taču bez uzmanīšanas plaisa pārvērtās aizā, nesavienojamā pretišķībā starp to, kas viņa bija, un par ko izlikās. Keita vairs nezināja, kas ir patiess, un konstatēja, ka nespēj uzticēties pati saviem jutekļiem.

Tagad viņai ienāca prātā, ka viņas pagātnē nav bijis nekā īpaši negatīva – katrā ziņā nekā tāda, ko būtu vērts slēpt. Tā tikai bija skumja. Un varbūt trakākais bija tas, ka šī pagātne izrādījās parasta. Tā bija kārtējā visiem izmēriem derīgā disfunkcionālas ģimenes drāma, kas izrādījās tik bieži sastopama, ka padarīja "normālas" ģimenes par retumu.

Vai māsām Blaitām arī bija nomainīts ietvars? Vai viņas bija cīnījušās ar spriedzi, nespējot savas iedomas savietot ar to, kas viņas bija patiesībā?

Izberzējusi acis, Keita pacēla skatienu uz masīvo pulksteni virs informācijas letes.

Laiks dzert kafiju.

Un, paņēmusi grāmatu kaudzi sev līdzi, viņa izgāja ārā spožajā saules gaismā meklēt kādu kafejnīcu Merilbonroudā.

Reičela sēdēja uz soliņa *Grey's Inn Gardens* ar tunča sviestmaizi. Būdams viens no lielākajiem publiskajiem skvēriem Londonā, tas bija glīts un simetriski veidots, grants celiņiem izvijoties cauri kārtīgi apcirptajiem mauriņiem, kurus norobežoja iespaidīgs sarkanu ķieģeļu juridiskais kantoris. Skvērs jau tagad pildījās ar biroju darbiniekiem, kuri centās izmantot nepieredzēti labo laiku, iekārtojoties papeļu vēsajā ēnā ar savām pusdienām.

Reičela iedzēra malku diētiskās kolas. Nez kā Anna pacieš Spānijas lielo karstumu? Viņas pirksti automātiski pieskārās līmlapiņai ar Annas telefona numuru, kuru viņa bija iebāzusi savas kleitas kabatā pirms iziešanas no biroja. Bez šaubām, tas bija savādāk, vai ne? Anglija nebija piemērota krasām laika svārstībām. Kontinentā viss bija vieglāk.

Viņa attina savu sviestmaizi, taču tā neskarta palika guļam Reičelai klēpī. Tā vietā, lai ķertos pie ēšanas, viņa sāka vērot kādu jaunu pārīti, kas, rokās sadevušies, meklēja kādu nomaļāku kaktiņu, kur patverties. Beigu beigās abi iekārtojās nolaidenajā zāles pleķītī aiz augstas sienas, ko veidoja krūmu hortenzijas. Drīz vien abi bija cieši apskāvušies, žigli aizmirstot visas domas par ēdienu.

Piepeši Reičela sajutās veca, neredzama un vientuļa.

Atmiņas, no kurām viņa bija centusies šorīt izvairīties, atkal atgriezās. Tikai tagad te nebija nekā, ar ko novērst uzmanību.

Vai tā bija viņa vaina? Vai viņējā?

Pa daļai Reičelai izmisīgi gribējās novelt vainu. Tomēr lielākā daļa viņas aizvainojuma vērsās pret Annu, kas bija neprāts. Protams, viņa apzinājās, kāpēc.

Keitija. Toreiz viņa bija pavisam maza. Vēl pat īsti nestaigāja.

Nevainojama. Neaptraipīta.

Kauns atkal neatstājās.

Tas notika toreiz, kad Raiens, Keitijas tēvs, strādāja par *Rolling Stones* viesizrāžu turnejas administratoru. Reičela nespēja atcerēties, kā viņš bija ticis pie šī darba, taču šajā īsajā laika posmā viņš tikpat labi būtu varējis izrādīties viens no viņiem, spriežot pēc Raiena izturēšanās. Viņam piemita rokzvaigznēm raksturīgā nevērība un spožums. Un pirmoreiz mūžā viņam turējās arī nauda. Viņš runāja par to, kā iekļausies ierakstu industrijā. Kā Miks esot redzējis, ka viņš esot ļoti talantīgs, un gribot palīdzēt. Viņš sauca Džegeru par Miku, it kā viņi visu laiku sarunātos un turētos kopā. Pastāvīgi tika pieminēti aicinājumi pavadīt nedēļas nogali Džegera lauku mājā, kas tā arī nekad nerealizējās.

Reičela salīdzinājumā bija jutusies novecojusi un neinteresanta. Viņi ar Polu novērtēja un iztukšoja vecas mājas. Tā vien likās, it kā viņi būtu tikai kādu nieku labāki par atkritumu savācējiem. Neviens tolaik nedzīvoja Merilbonā, tas bija tuksnesis. Londonas dzīve mutuļoja Čelsijā, Kingsroudā, Hempstedā... visur citur, tikai ne tur, kur dzīvoja viņi.

Un viņiem nebija bērna. Reičelai tā bija kļuvusi par apsēstību. Lai kur viņa ietu, viņa redzēja tikai tās: grūtnieces, apaļīgas un mīkstas, mazuļus, zīdaiņus, ģimenes. Viņas trūkums bija kļuvis par vakuumu, kas iesūca visus dzīves priekus vienā melnā, koncentrētā caurumā. Taču, lai ko viņi darīja, viņa nespēja ieņemt bērnu. Viņi bija atmetuši mēģinājumus, jo tie bija kļuvuši pārāk nogurdinoši. Sekss viņiem bija kļuvis par veltīgiem pūliņiem, darbu, kas katru mēnesi izrādījās neizdevies.

Tā nu viņi bija nolēmuši nedomāt vairs par to, bet labāk doties brīvdienās. Atpūsties pie jūras.

Anna un viņas ģimene bija nolēmuši pievienoties Reičelai un Polam garā nedēļas nogalē. Un viņa bija tik jauka un starojoša, patiešām īsti laimīga. Viņa smējās, valkāja minisvārkus, kas atklāja viņas garās kājas, un izskatījās tik lepna par Raienu, kurš bija kļuvis pašapzinīgs, vīrišķīgs, noslēpumaini seksuāls. Viņi staigāja pa šikām vietām, guva panākumus dzīvē. Un viņiem bija Keitija. Pirmais bērns no daudziem.

Tobrīd Reičela ienīda Polu. Viņš likās tik sastindzis, tik sterils un neiederīgs. Viņi bija precējušies sešus gadus. Tā nebija tā dzīve, kādu viņa bija iecerējusi un uz kādu parakstījusies. Pols bija viņu apprecējis, maldinot ar nepatiesiem solījumiem.

Reičelas sarūgtinājums kļuva par vilinošu un mēmu indi, kas tik lielā mērā kļuva par viņas sastāvdaļu, ka viņa nespēja no tās atbrīvoties, saskatīt skaidri. Un tā izplatījās, cenšoties saindēt Annu.

Reičela atkal palūkojās uz jauno pārīti, kas bija patvēries ēnā, neievērodams nevienu sev apkārt. Vai tas bija dienesta romāns? Vai kaut kas slepens, ko nevajadzēja rādīt citiem?

Viņa bija nopirkusi jaunu kleitu. *Zandra Rhodes*. Jau pirkdama kleitu, nedēļu pirms došanās uz jūru, viņa apzinājās, ka kaut kas nav pareizi. Reičela nepirka kleitu sev vai savam vīram. Tā bija ar dziļu izgriezumu, plīvojoša. Tā bija kleita, kas piesaistīja uzmanību un to noturēja, kas lika viņai sajusties seksīgai un dzīvai – kā īstai sievietei.

Tajā nedēļas nogalē bija pārāk daudz sarkanvīna, pārāk daudz marihuānas.

Un viņa bija kustējusies tikai mazliet lēnāk, jutekliskāk. Pavadījusi nedēļas nogali, piesaistot Raiena skatienu. Smejoties par viņa jokiem. Pieliekdamās tuvāk, kad viņš runāja, dāvādama viņam nedalītu uzmanību, ļaudama savai plaukstai pakavēties uz viņa pleca mazu drusciņu par ilgu. Un viņš bija to norijis, uzskatot, ka tas viņam pienākas. Bija tikai taisnīgi, ka viņš beidzot saņems jau ilgi pelnīto atzinību. Un Reičela bija vērojusi, kā Pols vēro viņu... viņa seja bija saspringta, skatiens nikns. Viņa bija to darījusi viņa deguna priekšā, cenšoties vīru sodīt.

Anna bija aizņemta ar Keitiju, ķerdama bērnu, kurš iekūlās vienā ķezā pēc otras. Un Reičela bija viņai to ļāvusi.

Viņa nebija pieradusi pie bērna klātbūtnes mājā. Viņa nebija zinājusi, ka vajag novākt dažās lietas. Novietot tālāk.

Cik ļoti bērniem kārojās visam pieskarties.

Reičela paraudzījās augšup debesīs, kurās mākoņu vilnainās plūksnas lēnītēm slīdēja pāri zilajam klājam. Aizritējušie gadi nebija padarījuši atmiņas vieglākas.

Viņas ķermenis vēl aizvien bija tvirts, valdzinošs. Anna bija dzemdējusi. Viņa bija mīkstāka, apaļīgāka; viņa bija valkājusi viendaļīgu peldkostīmu ar spicu iekšā iestrādātu krūšturi. Reičela bija izrādījusi savu augumu, tērpusies violetā tamborētā bikini. Ar smagnējām kvadrātveida Džekijas O. stila saulesbrillēm.

Viņa bija aizsūtījusi Polu uz veikalu pēc ēdamā.

Viņi devās uz pludmali. Keitija pavadīja pārāk daudz laika, skriedama taisnā ceļā ūdenī un ēzdama smiltis. Drīz vien viņa bija nogurusi un gribēja nosnausties. Anna devās ar viņu atpakaļ uz vasarnīcu, nesdama bērnu augšā pa stāvo taciņu. Viņa bija saspringta, viegli aizkaitināma.

Reičela novilka peldkostīma augšdaļu un apgūlās uz vēdera. Raiens pasniedza viņai kāsīti. Viņa pasniedzās pēc tā, nepūlēdamās noslēpt savas krūtis, slinki pagriezdamās un spēcīgi ievilkdama dūmu. Tēlodama pieredzējušo. Raiens izlikās nemanām viņas kailumu, nemanām viņu pašu. Aizvēris acis un aizgriezies.

Taču Reičela zināja.

Vēlāk, agrā vakarā, iznākusi no dušas un iesmaržojusies...

– Es atstāju brilles pludmalē. Aiziešu tām pakaļ.

– Es aiziešu, – Pols bija pieteicies.

Reičela klupa viņam virsū.

– Tu nezini, kur tās ir, – viņa atcirta.

Viņš uzmeta sievai skatienu. Skatienu, kuru viņa nemūžam neaizmirsa.

Tad Pols piecēlās, paņēma mašīnas atslēgas.

– Iešu pabraukāties, – tas bija viss, ko viņš izmeta pirms aiziešanas.

Un Reičela ļāva viņam aiziet. Tas bija pagrieziena punkts. Viņi abi to zināja. Un tomēr tā vien likās, ka viņu vada kaut kas lielāks, kāda griba, kuru viņa nespēja kontrolēt.

Raiens atradās ārā: viņš sēdēja uz pakāpieniem un smēķēja.

Reičela pagāja viņam garām.

– Es aizmirsu savas brilles.

Tas bija vienīgais, ko viņa pateica. Vienīgais, kas viņai bija jāsaka.

Viņš piecēlās.

Viņa gāja tālāk, mazliet pa priekšu.

Viņš sekoja lēniem, slinkiem soļiem.

Krēsloja. Pludmale bija praktiski pamesta – tikai kāds vīrs staigāja ar suni.

Tur bija niša, ko ieskāva augsta, šaura klinšu siena. Kad Reičela nonāca līdz tai, Raiens atradās tieši viņai aiz muguras, kustēdamies ātri un steidzīgi. Tur vairs nebija nekā no pēcpusdienā pludmalē valdījušās izsmalcinātās, bīstamās spriedzes. Tiklīdz Reičela pagriezās, viņš metās tai virsū, saķerdams viņu. Viņa sasita galvu pret klinti, juzdama, kā mati aizķeras aiz raupjās virsmas. Un tad jau viņš atradās viņā, plosīdams viņas blūzes caurspīdīgo audumu, iecirzdams pirkstus viņas augšstilbos. Viņš bija lielāks par Polu, un tas bija sāpīgi. Reičela mēģināja izrauties, taču viņš turēja to cieši, kustēdamies aizvien spēcīgāk. Un piepeši ar šausminošu apskaidrību viņa aptvēra notiekošā šokējošo, grēcīgo īstenību, apjauzdama, ko ir izdarījusi.

Viņi bija dzirdējuši Annas saucienus. Viņas balss bija saspringta, it kā viņa būtu raudājusi. Viņa meklēja savu vīru... un savu māsu.

Reičela mēģināja izrauties, taču viņš aizspieda viņas muti ar plaukstu un turpināja.

Un tad viņš kulminēja: šķita, ka tas ilgst veselu mūžību, tāpat kā straumīte, kas tecēja lejup pa viņas augšstilba iekšpusi.

Reičela atkal sarāvās, atmiņām atnesot sev līdzi kaunu un nicinājumu pašai pret sevi: pēc trīsdesmit gadiem šīs izjūtas vēl aizvien bija tikpat dzīvas, it kā viss būtu noticis vakardien.

Keitija bija palikusi viena pati mājā. Kad viņi mazo atrada, viņa asiņoja un raudāja. Viņa bija pret kaut ko sasitusi galvu. Paldies Dievam, viņai nekas nekaitēja. Paldies Dievam, ar viņu nebija atgadījies nekas briesmīgāks.

Reičela nebija palikusi stāvoklī.

Tā vietā viņa dabūja herpes infekciju. Slimību, kuru viņai nācās paskaidrot Polam līdz ar visu, ko tā nozīmēja. Slimību, kas viņu pēc tam vajāja visu mūžu. Pols uz dažām nedēļām aizgāja, sākās runas par šķiršanos. Taču pat tad, kad viņš atgriezās, katra viņu tuvības reize bija aptumšota.

Pēc kāda laika cilvēki pārstāja taujāt, kad viņi izveidos īstu ģimeni. Pēc kāda laika viņi pārstāja jautāt arī, kāpēc.

Pieceldamās Reičela iemeta neapēsto sviestmaizi atkritumu tvertnē.

Anna neko neuzzināja.

Vai varbūt uzzināja?

Reičela nevarēja būt droša par to, ko Raiens varēja viņai pateikt, kad bija piedzēries, kādas skarbas un nežēlīgas patiesības varētu tikt vērstas pret viņu. Tā bija rēta, kas nekad nesadzija, viņas noslēpums, kura svars brīžam kļuva nepanesams.

Šī vasara, šī konkrētā apsēstība bija viņai maksājusi pašas identitāti. Kad tas beidzās, viņa vairs nespēja uzlūkot pasauli agrākajā pārākuma pilnajā veidā, nespēja nicināt savu māsu, nespēja uzvarēt nevienā strīdā ar Polu. Reičela bija kritusi nežēlastībā kā kāda no Bībeles varonēm un kopš tā brīža pastāvīgi dzīvojusi šķīstītavā. Tagad viņa ne tik daudz pakļāvās citiem kā apziņai, ka viņa nav spējīga izrādīt pašcieņu vai rakstura stingrību, lai iebilstu pret sava sapņa zaudēšanu.

Iziedama no parka, Reičela garāmejot ieskatījās cilvēku sejās. Vai kāds no tiem, kas šobrīd bija atlaidies zālē šajā skaistajā vasaras dienā, kādreiz bija nodevis cilvēkus, kurus visvairāk mīlēja? Vai nodevis sevi pašu?

Dodoties atpakaļ uz biroju, viņas papēži klikšķēja pret asfaltu.

Patiesībā Reičelai nemaz tik ļoti nepatika sarkanas kurpes. Taču, valkādama tās, viņa atzina to, ko neviens cits nezināja un nevarēja zināt: tā bija ārēja iekšējas vājības zīme.

Kad viņa nonāca atpakaļ Žokejfīldsā, birojs bija slēgts. Džeks bija devies pusdienās. Pagriezusi atslēgu slēdzenē, viņa taisnā ceļā devās pie rakstāmgalda un izņēma no somas numuru. Viņa to sastādīja un atvieglоti nopūtās, kad otrā galā atskanēja automātiskā atbildētāja ieraksts.

– Sveiki, te Anna. Lūdzu, atstājiet ziņu, un es jums pārzvanīšu.

Mašīna nopīkstēja.

– Te Reičela. Mīļā, Keitija ir šeit. Viņa ir atgriezusies. Tam ir kāds sakars ar viņas draugu, lai gan es nespēju izdabūt no viņas sakarīgu atbildi. Es... es iedomājos, ka tev vajadzētu to zināt.

Viņa nolika klausuli. Atvilkusi krēslu, Reičela tajā ieslīga, nolūkodamās uz dokumentu kaudzi.

Vēl palika viss, ko viņa nebija pateikusi, piemēram, "Keitija ir iekļuvusi ķezā. Es baidos par viņu. Un nezinu, ko lai iesāk."

Taču viņas attiecības ar Annu allaž bija noteicis nepateiktais.

Sentdžeimsa laukums 5
Londona

1933. gada 8. augustā

Manu dārgo Putniņ!

Cik Tu esi drosmīga, braukādama apkārt pa laukiem, teikdama runas un aģitēdama par Malkolma vēlēšanu kampaņu viņa vecajā un sagrabējušajā mašīnā! Esmu droša, ka Tu esi viņa lielākais dārgums, bet vai Tu esi pārliecināta, ka tā ir laba doma sievietei Tavā stāvoklī? Bez šaubām, es domāšu savādāk, kad Tu mani aicināsi uz tēju Dauningstrītas desmitajā numurā pēc dažiem gadiem, taču līdz tam laikam esmu un palieku noraizējusies. Slepenībā es cerēju, ka Tu varētu būt vienīgais cilvēks pasaulē, kas nezaudēs prātu un ka Endslija varētu kļūt par patvērumu no radikāli politiski domājošo kliķes, kas uzkundzējusies mums, nabaga mietpilsoņiem. Taču nu es redzu, ka man vienīgajai nāksies vicināt sakarīgu sarunu karogu pie Tava galdiņa. Šī paša iemesla dēļ man negribas šajā nedēļas nogalē doties uz laukiem pie Nensijas, lai arī Niks tur būs un Londonā šajā gadalaikā ir tik karsti un smacīgi, ka man tā vien kārojas kārtīgi izpeldēties viņu jaukajā baseinā.

Lords R. ir atgriezies no Parīzes, un šodien no viņa kabineta man tika atsūtīta burvīga kleita. Nemaz nezināju, ko lai saka! Piezvanīju, lai pateiktu, ka tā droši vien ir kļūda, taču viņš paņēma klausuli un paziņoja, ka viņa sieva vēloties, lai tā tiktu man pasniegta, un ka viņi priecāšoties, ja es to uzvilkšot Vūtonā nākamajā nedēļas nogalē. Trakākais ir tas, ka kleita pieguļ kā sapnis. Es gluži vienkārši nespēju viņu atšifrēt.

Niks drīzumā dodas uz Portofino, un es daru visu iespējamo, lai nemestos zem vilciena. Interesanti, cik ātri tam jābrauc, lai tas patiešām izdotos? Kā Tu domā, vai ir iespējams mirt no kvēlām fiziskām ilgām? Bez šaubām, Mā nespers kāju ārā no Anglijas vēl vismaz nākamos deviņus mēnešus, tāpēc man ir iespējas pamēģināt kādam pieglaimoties un mēģināt izspiest no kāda ielūgumu. Ak, jā! Un Pinkijs bildināja Gloriju Manningu, un tā nabadzīte ir teikusi jāvārdu! Viņš izskatās pilnīgi satriekts, gluži kā cilvēks, kurš visu laiku atrodas pa ceļam pie zobārsta.

Interesanti, vai viņa zina, cik slapji ir viņa skūpsti?

Ar plānu kalšanu un ilgošanos nodarbinātā

Mazā

Bučas

Sēdēdama itāliešu kafejnīcā un dzerdama stipru kapučino, Keita šķirstīja grāmatu ar Bītona fotogrāfijām, kuru viņai bija ieteikusi bibliotekāre – neskaitāmas lappuses ar augstākās sabiedrības dzīvi starpkaru laikā. Tas nenoliedzami bija zelta laikmets. Viņi lūkojās pretī, šīs būtnes no cita gadsimta, ar jaunības pašpārliecinātību un dzelžaino augstprātību, ko piešķir privilēģijas. Savas bagātības un skaistuma aizsegā viņi likās neaizskarami, tālu no visa, kas bija pārāk reāls vai pārāk nepatīkams.

Tad Keita apstājās.

Te bija fotogrāfija ar vairākiem jauniem vīriešiem peldbiksēs, kuri smējās, stāvēdami pie peldbaseina saulainā vasaras dienā.

Un viena seja bija ļoti pazīstama.

Viņa uzmeklēja parakstu. "Deivids Astors, Nikolass Vobērtons un Bils Fārtings sauļojas".

Tas bija tas pats jaunais vīrietis – jūrnieks no apavu kārbā ievietotās fotogrāfijas. Viņš bija garāks par pārējiem, kopts un muskuļots, ar tām pašām dzīvīgajām melnajām acīm. Viņā jautās kaut kas harizmātisks: viņš bija ne tikai ārkārtīgi izskatīgs, bet arī likās apveltīts ar dabisku vieglumu un atlētiskumu.

Keita vērās attēlā ilgāku laiku. Nikolass Vobērtons. Viņš bija tas pats pazudušais jūrnieks, Keita jutās par to pārliecināta. Un viņa atpazina šo vārdu. Vai fotogrāfijā redzamajam jūrniekam nevarēja būt kāda radniecība ar māsu Blaitu patēvu? Atšķīrusi personu rādītāju, viņa meklēja, vai neatradīsies arī citas fotogrāfijas. Diemžēl šī izrādījās vienīgā.

Atstājusi pusizdzerto kafiju, Keita aši samaksāja rēķinu un devās atpakaļ uz bibliotēku, pieliekdamās un spraukdamās cauri pusdienlaikam raksturīgajam pūlim.

Nonākusi atpakaļ pie datora, viņa ievadīja meklētājā vārdu "Nikolass Vobērtons" un gaidpilni nospieda taustiņu.

Ekrānā parādījās informācija par zobārstu Hārlijstrītā, par kādu Kanādas profesoru, viesnīcas mājaslapa Meiferā un saite uz Vobērtonu ceptuvēm, kas slavēja Vobērtonu pilngraudu maizes labās īpašības.

Keita mēģināja vēlreiz. Un atkal nekā.

Tas likās neticami.

Viņa uzrakstīja "*HMS Vivid*" – nosaukumu, kas bija uzšūts uz vīrieša jūrnieka formastērpa.

Parādījās lapas ar Plimutas jūras flotes vēsturi. "Karaliskās jūras flotes kazarmas Kīhemā sākotnēji saucās par *HMS Vivid*, bet tūkstoš deviņi simti trīsdesmit ceturtajā gadā tika pārdēvētas par *HMS Drake*."

Tātad Nikolass Vobērtons bija flotes virsnieks laikā pirms tūkstoš deviņi simti trīsdesmit ceturtā gada. Vai viņš varēja būt dienējis Pirmajā pasaules karā? Tas nozīmētu, ka viņš bijis krietni vecāks par Diānu.

Keita atgriezās atpakaļ pie Plimutas jūras flotes vēstures lappusēm un atzīmēja dažus vārdus un flotes bāzes adresi. Varbūt tad, ja viņa aizrakstīs kādam no arhīva nodaļas, viņiem būs vēl kāda informācija.

Neapmierināti nopūtusies, viņa ierakstīja meklētāja "Lords Vobērtons".

Atkal parādījās saites, kas veda uz Vobērtona pilngraudu maizi, uz lielu muižu Hempšīrā, kas bija pasludināta par arhitektūras pieminekli, un dažām ar Mazo Blaitu saistītām lapām, kuras viņa jau bija izpētījusi. Keita noklikšķināja uz arhitektūras pieminekļu lapas.

"Hārgreivshausa ir plaša privāta muiža un viena no organiskās lauksaimniecības pionierēm Anglijā. Zemi un vēlīnā gotikas laikmeta stilā ieturēto karalienes Viktorijas laika māju valstij novēlēja lords Vobērtons pēc savas sievas lēdijas Vobērtonas nāves tūkstoš deviņi simti septiņdesmit otrajā gadā. Hārgreivshausa tika iegādāta kā patvēruma vieta lēdijai Vobērtonai, kur viņa varēja paglābties no Londonas dzīves virpuļa laikā starp abiem pasaules kariem, un tā spēlēja arī galveno lomu viņas labdarības centienos, sniedzot patvērumu katoļu bēgļiem no visas Eiropas. Patiesībā viņas interese par barības vielām un jo īpaši viņas Otrā pasaules kara laikā gūtā pieredze no Londonas Īstendas evakuēto bērnu izmitināšanā, no kuriem daudzi cieta rahīta un nepietiekama uztura dēļ, vēlakajos gados iedvesmoja lēdiju Vobērtonu uzsākt eksperimentus ar naturālas lauksaimniecības iespēju izmantošanu. Lords Vobērtons deva priekšroku Londonai un pavadīja beidzamos dzīves gadus, vadīdams neatkarīgu dzīvi, kas centrējās ap politiku. Viņa Meiferas savrupmājā Sentdžeimsa laukuma piektajā numurā tagad atrodas labējās konservatīvās partijas īpašo interešu grupas jeb Trešdienas kluba mītne, kas tiek atvērta apmeklētāju apskatei tikai pēc iepriekšēja pieraksta.

Mūsdienās Hārgreivshausa ražo plašu organisko produktu klāstu, tās teritorijā atrodas kafejnīca un veikals, un tā kļuvusi plaši pieprasīta kā pieredzes apmaiņas vieta, kurā bieži notiek reģionāli lauksaimniecības pasākumi."

Keita pārskrēja ar acīm daudzajiem attēliem ar zaļajiem, leknajiem laukiem un labi koptajiem dārziem, ko papildināja tumšas, ar mahagoniju pilnas mājas un gaišas, mūsdienīgas kafejnīcas fotogrāfijas – izrādījās, ka kafejnīca ir ierīkota vienā no šķūņiem.

Saraukusi pieri, viņa atgriezās pie dažādajiem meklēšanas rezultātiem.

Kaut kas te šķita dīvains.

Keita noklikšķināja saiti uz viesnīcu Meiferā.

Parādījās lapa, kas bija veltīta nelielas, privātas dizaina viesnīcas vēsturei Hilstrītā.

"Tūkstoš deviņi simti divdesmit trešajā gadā atvērtā Belmonta viesnīca sākotnēji sastāvēja no vairākiem nelieliem, taču grezni iekārtotiem vecpuišu mājokļiem ar restorānu un vārtu sardzi pirmajā stāvā. Tā darbojās kā privāts džentlmeņu klubs, un iestājai tajā bija nepieciešamas rekomendācijas. Dāmām bija stingri aizliegts ienākt telpās, izņemot pagrabstāva bāru, kas iekaroja popularitāti kā ekskluzīvs klubs un kazino, kas bija atvērts vēlās nakts stundās un kurā viens no tā dibinātājiem, ceptuvju mantinieks, titulētais Nikolass Vobērtons zaudēja divdesmit tūkstošus mārciņu derībās par to, kādas krāsas kaklasaiti Edvards VIII būs aplicis ap kaklu, atsakoties no troņa. "Lai kādā krāsā arī tā būtu," viņš atzīmēja, "varat būt pārliecināti, ka viņš to nebūs izvēlējies pats." Mūsdienās, lai arī Belmonta viesnīca kļuvusi par vadošo luksusa iestādījumu Londonas greznajā Meiferas rajonā, klubs ar vienkāršo nosaukumu "106" vēl aizvien ir privāts kazino tā biedriem un cigāru telpa, kuru visi viesi tiek automātiski uzaicināti apmeklēt pēc reģistrācijas."

Keita vēlreiz pārlasīja rindkopu. Tātad Nikolass Vobērtons bijis lorda Vobērtona dēls un mantinieks – un Mazās Blaitas pusbrālis pēc mātes kāzām!

Atrodot kārbu, viņa jutās pārliecināta, ka tā ir pilna ar piemiņas lietām no kāda mīlas sakara. Vai viņa būtu to pārpratusi? Vai varbūt Mazā Blaita un Nikolass Vobērtons bija šķērsojuši ļoti smalko sabiedrības novilkto robežlīniju? Varbūt tāpēc kārba bija paslēpta. Varbūt visas šīs attiecības bija noslēpums.

Taču, ja tā, tad kāpēc šīs mantas bija paslēptas Endslijā?

Keita atbalstīja zodu plaukstā un koncentrējās.

Lordam Vobērtonam bija dēls. Un tomēr viņš bija atstājis abus savus plašos īpašumus valstij.

Kāpēc? Vai Nikolass bija gājis bojā kara laikā?

Tā vien likās, ka kāds ir vēlējies pilnībā izdzēst visas viņa pēdas, izliekoties, ka viņš nekad nav eksistējis.

Sentdžeimsa laukums 5
Londona

1934. gada 14. septembrī

Mana dārgā!

Cik jauki saņemt no Tevis ziņu! Piedod, ka aizvainoju Tevi ar savu dejošanu strūklakā Pikadillija laukumā, taču patiesība ir tāda, ka es neko no tā neatceros. Ja nebūtu visu to fotogrāfiju avīzēs, es būtu varējusi apzvērēt, ka atrados gultā. Tomēr es atminos, ka bija karsts vakars un ka galīgi nebija kur iet pēc tam, kad tika slēgta Cafe de Paris. Jādomā, tagad, kad Tu esi daudzsološa parlamenta deputāta sieva, šāda uzvedība slikti atsaucas uz tevi, taču varbūt Tu varētu mierināt sevi ar to, ka, man kļūstot nevaldāmākai, Tu salīdzinājumā atstāj vēl cienījamāku iespaidu. Tā ka patiesībā es Tev izdaru milzu pakalpojumu. Mēs visi šajā nedēļas nogalē dosimies uz Gudvudu un pēc tam uz Nicu, tāpēc Tu beidzot varēsi dažas nedēļas justies mierīga un lasīt The Times bez satraukuma.

Zinu, ka Tu tikai centies būt prātīga, ieteikdama man apsvērt Džofrija Taindeila uzmanības apliecinājumus, un viņš patiešām ir ļoti uzjautrinošs un ļoti bagāts. Vēl viņš ir arī neglīts kā krupis. Un Tu maldītos, ja uzskatītu, ka man nav jāuzklausa tamlīdzīgi padomi no Mā ikvienu sekundi. Gan kādu dienu drīzumā es apprecēšos, taču šobrīd dzīve ir pārāk jautra un pārāk aizraujoša, lai to pavadītu, staigājot pa baznīcas eju tilla plīvurā. Un man šķiet, mēs abas zinām, kuru es izvēlēšos šim darbiņam, kad beidzot būšu ar mieru!

Lūdzu, būsim draugos, mīļā. Tu patiešām smiesies, kad es Tev pastāstīšu, ka pagājušajā nedēļā redzēju Elinoru Purdy's veikalā pasūtām safari apģērbus un kaudzi ar jauniem ieročiem: viņa ir piekritusi precēt kādu vecu un sačākstējuši kafijas plantāciju īpašnieku Kenijas biezākajos džungļos – kādu viņas tēva draugu, kuru pēdējo reizi redzējusi sešu gadu vecumā. Nekad nebiju redzējusi viņu tik priecīgi satrauktu, lai arī tik lielā haki krāsas drēbju kaudzē viņa izskatīsies pēc lielas telts. Nedomāju, ka viņai vajadzēs pistoli – ikviens lauva būs šausmās, nonākot pārāk tuvu viņai. Un Ena ir pilnībā atteikusies no komunisma pēc tam, kad kādu vakaru, atgriezusies dzīvoklī, lai paslēptu tur jaunu cepuri, pieķēra Polu nozieguma vietā ar kādu neiedomājami spalvainu rakstnieci no The Week. Izskatās, ka viņi bija mīlējušies kā govis un nebija dzirdējuši Enu ienākam. Nabadzīte. Viņa ir satriekta, taču tajā pašā laikā ir skaidri redzams, ka arī noilgojusies pēc kaviāra ēšanas un Vogue lasīšanas, un tagad viņa beidzot var novilkt tās savas briesmīgās zempapēžu kurpes un aiziet padejot. Es viņu tūlīt pat aizvedu uz Scott's restorānu ieturēt īsti dekadentisku mietpilsoņu pusdienas, un tad šampanieša iespaidā mēs aizlikāmies uz Simpson's, un es viņai nopirku satriecošu jaunu mēteli pāvu zilā tonī. Viņas tēvs jau ir sazinājies ar juristiem, lai arī Pols četras reizes ir atrakstījis, lai lūgtu viņu atgriezties. Taču Ena apgalvo, ka visu mūžu viņu vajās murgi, atceroties to brīdi, kad viņa stāvējusi durvīs, cenšoties apjēgt, ko viņš tur dara ar to sīko, tumšmataino vīreli ar ūsām un plakanajām krūtīm.

Es visu laiku domāju par Tevi – par to, kā Tu atklāj svētku pasākumus, saki runas un pārgriez lentītes vietējās bibliotēkās. Cik Tu esi laba! Es redzēju Malkolmu Londonā tikai īsu laiku, kad viņš pārskrēja no vienas telpas uz otru kā svītraina viesuļvētra. Kā jau Tu vari iedomāties, mēs apgrozāmies pavisam atšķirīgos slāņos. Esmu pārliecināta, ka viņš mani nosoda, par spīti tam, ko Tu saki. Un viņš turpina runāt par "valdošo šķiru". Nav nekāds brīnums, ka princis konsorts priekā pietvīkst katru reizi, kad viņu ierauga. (Pilnīgi nopietni, viņš tiešām tvīkst! Man šķiet, viņš varbūt ir zināmā mērā iekēries, kas nebūtu nekāds brīnums, ņemot vērā to, ka viņš ir precējies ar Mā.) Vienu vakaru jau pirms vairākiem mēnešiem mums bija sarunātas vakariņas Dorčesteras viesnīcā, un esmu pārliecināta, ka man draudēja barga morāles lasīšana, taču parlamentā notika balsošana un viņš pēdējā brīdī tika aizsaukts turp. Zinu, ka viņš Tev ir dārgs, taču nevarētu teikt, ka es biju vīlusies.

Taču, manu eņģel, ja nevaru Tev atklāt savas sirds noslēpumus... kam lai es tos atklāju? Tikai Tev, kas mani pazīst labāk par visiem.

Ar vissirsnīgāko mīlestību

Mazā
Bučas

Nacionālā portretu galerija nebija tik biedējoša kā tās kaimiņiene Nacionālā galerija. Tā bija mazāka, šaurāka, ne tik visaptveroša. Telpā viena pēc otras slavenas sejas vijās augšup līdz bezgalībai, visos iedomājamos stilos, sākot no Tjūdoru portretiem līdz modernajai glezniecībai, fotogrāfijām un skečiem. Te bija pārstāvētas visas gaumes – karaliskā ģimene, slavenības, valstsvīri, mākslas un zinātnes vīri un sievas, politiķi, filmzvaigznes. Viņi nolūkojās uz apmeklētājiem, daži pašapzinīgi, citi izaicinoši vai kautrīgi, vēl citi vienaldzīgi un izklaidīgi. Tā bija pilnīga liecība par gadsimtu gaitā izmainītajiem sociālajiem standartiem un modi, par sasniegumiem, pretrunām, pašslavināšanos, varonību, pazemību, kas atklājās aizvien plašākajā liekulības tirgū.

Keitu tā allaž pārsteidza kā izteikti anglisks iestādījums, kas bija paredzēts cilvēkiem, kuri uzskata nolūkošanos citam uz citu vai, vēl ļaunāk, iespēju, ka kāds varētu ieraudzīt viņus, par anatēmu. Šeit beidzot bija iespējams blenzt atklāti un tūkstoš dažādās sejās atklāt kādu smalku cilvēcisku stīgu, kas kompensēja mūžam mainīgo nacionālo raksturu.

Tūristu bariņi bija nosprostojuši centrālās koka kāpnes, kad Keita devās augšup. Viņa apstājās, piepeši sajuzdamās nogurusi un nez kāpēc apskurbusi. Pārāk maz miega un nepietiekami daudz ēdamā. Anglijai neparastais karstuma vilnis un nācijas spītīgā atteikšanās ieguldīt naudu kondicionēšanas ierīcēs nebija ļāvusi viņai aizmigt. Turklāt viņai bija uzmākušās šaubas par sadedzināto vēstuli. Varbūt viņai vajadzēja to izlasīt. Galu galā kas viņai bija šeit, Londonā? Viņas domas šaudījās riņķī un apkārt kā mazi nazīši, kas knābā pašapziņu.

Kad Keita nonāca kāpņu augšgalā, viņa apsēdās uz soliņa. Ja vien viņa spētu pārstāt domāt, vienkārši izslēdzot galvu! Pēc kāda brītiņa pienāca viens no sargiem – pūtains jauns vīrietis formas tērpā.

– Vai jums nekas nekaiš?

– Nē, – viņa papurināja galvu. – Es tikai aizdomājos.

– Ja jums kaut kas būs vajadzīgs... tas ir, ja jūs nejūtaties labi, es varu kādu pasaukt.

Keita piecēlās.

– Viss kārtībā.

– Jūs esat pārliecināta?

– Jā. Pateicos.

Dodamās uz priekšu, viņa paņēma galerijas plānu no tuvākā informācijas stenda un iegāja nākamajā telpā, lai nozustu no sarga redzesloka. Tā izrādījās galvenā mūsdienu mākslas galerija ar augstiem, spraišļotiem griestiem, spožu saules gaismu un tīrām, baltām sienām. Tā Keitai atgādināja Ņujorku: pozitīvu, drošu un absolūtu.

Viņa apsēdās uz viena no soliņiem centrā un atvēra plānu, meklēdama to, kā dēļ bija atnākusi: trīsdesmit otrā zāle, Sesila Bītona darbi. Parakņājusies somiņā, Keita atrada vecu piparmētru ledeņu paciņu. Pateicoties spēcīgai sūkāšanai, to cukurotā garša padarīja domas skaidrākas.

Viņai bija tik daudz atmiņu par bezmaksas publiskajām Londonas galerijām. Vollesa kolekcija, Teita galerija, Nacionālā galerija... Cik daudzas svētdienas viņa bērnībā bija pavadījusi, staigājot pa tām, cieši turēdamās mātei pie rokas, lai nosistu laiku? Gaidot, kamēr tēvs pamodīsies pēc atlūšanas uz dzīvojamās istabas dīvāna un atkal dosies uz krogu. Gaidot, kamēr būs droši atgriezties mājās. Tā nu viņas klīda pa galerijām un muzejiem, kur ekspozīcijas bija bez maksas, un māte centās izlikties bezrūpīga un jautra, itin kā tas nebūtu nekas vairāk par brīnišķīgu izglītojošu piedzīvojumu, kuru viņa jau sen bija iecerējusi svētdienas pēcpusdienai. Taču, par spīti apstākļiem, kaut kas iedarbojās. Šo spožo iestādījumu sienās Keita nokļuva citā pasaulē. Viņa pierada uztver mākslu un jo sevišķi glezniecību kā kaut ko svētu, kā patvērumu no dzīves neprognozējamības un haosa.

Keita bija pieradusi viena pati apstaigāt galerijas arī Ņujorkā. Viņas iemīļotākā bija Gugenheima muzejs. Viņa varēja sēdēt pie masīvajiem Poloka audekliem stundām ilgi. Viņai patika Poloka dusmas un nesavaldība. Tā bija reliģija, kurai Keita bija gatava noticēt – reliģija, kas piešķīra balsi tam, kas bija nezināms, neatrisināms un patiesi svēts. Viņa sapņoja par to, ka kādu dienu apsēdīsies pie kādas no savām gleznām, kas karāsies pie pretējās sienas, par to, ka spēs atrast sev vietu starp darbiem, kam ticēja visvairāk.

Taču tad viņa sastapa Dereku Konstantainu, un viņš mainīja Keitas viedokli.

– Tas Poloks ir sācis atslāņoties. Viņa gleznu vērtība samazinās ar katru dienu. Turklāt viņš nomira kā dzērājs.

Viņa vārdi Keitai bija kā dunča dūriens. Viņš nomira kā dzērājs. Pat glezna mira, krāsai lēnītēm loboties nost no audekla. Mākslas cēlums, tās marmoram līdzīgās nemirstības ciešais solījums bija tikpat pārejošs kā viss pārējais, ko viņa bija uzskatījusi par vērtīgu. Arī tas pakļāvās laika kaprīzēm.

Tagad viņa nespēja to uzlūkot, neiedomājoties par to, ka kaut kā pietrūkst, ka glezna plaisā un izbalo viņas acu priekšā.

– Mēs varam to pārspēt, – viņš apsolīja.

Londona bija pagātnes, vēstures, ēnu un ņirdzīgu sociālo smalkumu pilsēta. Ņujorkai vajadzēja kļūt par tukšu audeklu, uz kura viņai izveidot jaunu dzīvi, jaunu personu. Viņš grasījās parādīt ceļu, izvadīt viņu cauri lamatām.

Taču viņa tik un tā bija paklupusi un iekritusi tajās. Atkal piecēlusies, Keita meklēja telpu labirintā, ielūkodamās dziļākajos, slēptākajos nostūros. Gleznas atkāpās, atdodot savu vietu melnbaltām fotogrāfijām, kas bija izvietotas uz tumšajām sienām. Beidzot viņa to atrada. Trīsdesmit otrajā zālē. Sesila Bītona darbi. Gar sienām rindojās sabiedrībā pazīstamu cilvēku un filmzvaigžņu portreti, sākot no divdesmitā gadsimta divdesmito gadu sākuma, līdz pat septiņdesmitajiem gadiem. Edīte Sitvela nolūkojās ar karalisku pārākumu, Volisa Simpsone iekaroja, un viņas vīrs, Vindzoras hercogs, ilgpilni skatījās tālumā, itin kā fotoaparāts būtu pārāk nenozīmīgs objekts, lai pievērstu tam uzmanību. Tur bija Vinstons Čērčils pēc uzvaras karā, Marlons Brando ar uzmestu lūpu, klaunam līdzīgais Salvadors Dali... Duglass Fērbenkss ar kvēlu skatienu un dvīņu māsas, vikontese Fērnesa un Redžinalda Vanderbilta kundze, divi ķermeņi ar vienu un to pašu žilbinošo seju, kas atspoguļoja vienu otru spokainā simetrijā.

Keita apstājās. "Četras debitantes".

Te viņa bija. Diāna Blaita. Viņai varēja būt kādi septiņpadsmit gadi, pavisam vēl bērns. Būdama visskaistākā no visām četrām meitenēm, viņa bija ģērbusies tradicionālajā garajā, baltajā kleitā, kas bija paredzēta pirmajai iziešanai sabiedrībā. Viņai bija jauna, cerību pilna, neiedomājami skaista seja.

Debitante. Tā bija gluži cita pasaule, pilna ar skaistām sabiedrības princesēm plīvojošās, spoži baltās kleitās.

Mazliet tālāk atradās vēl viens portrets, šoreiz ar Diānu un Irēnu, kuras gulēja mauriņā, galvas kopā salikušas, un sauļojās. Diānas gaišie mati kontrastēja ar Irēnas tumšajām sprogām. Viņas smējās, aizvērušas acis.

Vēl bija arī Irēnas vienas pašas portrets, kurā viņa izskatījās stīva un oficiāla, būdama tikko apprecējusies. Viņa bija ģērbusies tumšā sarža kostīmā, kantainā cepurē un rotājusies ar lapsādu. Viņai varēja būt tikai nedaudz pāri divdesmit gadiem, bet jau tad viņa izskatījās daudz pieredzējusi un nopietna – nākamais sabiedrības pīlārs.

Un tālāk nāca vēl viens. Diāna, "Mazā" Blaita, ģērbusies kā Venera – visai stīvs, diletantisks uzņēmums. Ietinusies caurspīdīga auduma slāņos, caur kuriem provokatīvi rēgojās viņas auguma aprises, ko apslēpa vienīgi rūpīgi izvēlētās gaismas. Bija pazudusi agrākajos uzņēmumos manāmā bērnišķīgā naivitāte. Viņai piemita uzlēcošas Holivudas zvaigznes tiešā, biedējošā seksuālā enerģija un dievietes debešķīgais, skulpturālais skaistums. Paraksts zem fotogrāfijas paskaidroja: "Šis portrets tika uzskatīts par pārāk drosmīgu un atklātu, lai to izstādītu uzreiz pēc uzņemšanas, un tas glabājās galerijas arhīvos gandrīz sešdesmit gadus.

Tas ir viens no nedaudzajiem Bītona uzņemtajiem kailportretiem. Diāna, "Mazā" Blaita, bija slavena sabiedrības skaistule, kuras kāre pēc izpriecām un neparastie izlēcieni sagādāja viņai pamatīgu slavu līdz viņas noslēpumainajai nozušanai tūkstoš deviņi simti četrdesmit pirmajā gadā."

Kāre pēc izpriecām un neparastie izlēcieni. Te nu viņa bija, praktiski kaila. Viņas pārdrošais skatiens bija neizsakāmi erotisks. Un tomēr visā šajā etīdē jautās kas nedrošs. Varbūt Veneras iestudētā augstprātība nesaderējās ar viņas dabiskumu un siltumu.

Vēlāk galerijas veikalā Keita nopirka dažas pastkartes ar māsām Blaitām, un ieslidināja tās somā. Pulkstenis rādīja gandrīz pieci.

Izgājusi ārā, viņa šķērsoja ielu un nonāca Senmārtinleinā, kur bija pilns ar slaveniem teātriem – Londonas Kolizejs, Jorkas hercoga, Alberiju teātris. Tik maz kas te bija mainījies kopš tā laika, kad māsas Blaitas bija sēdējušas šajās pārpilnajās, piedūmotajās zālēs, baudīdamas mūziklus un komiskās rēvijas. Keita devās tālāk pa Sesilkortu, šauru šķērsielu starp Senmārtinleinu un Čeringkrosroudu, kurā netrūka specializētu grāmatu antikvariātu. Reti pirmizdevumi bija izlikti vitrīnās, un ārpusē izvietotās kastes bija pilnas ar manuskriptiem un grāmatām, tā vien aicinot garāmgājējus ieskatīties.

Viens veikals lepojās ar izdevumiem par augiem un dzīvniekiem, cits ar modes ilustrācijām, vēl cits ar vecām politiskām karikatūrām. Pagātnes nostalģijā slēpās kas neatvairāms un mierinošs. Keita apstājās, šķirstīdama dažādos piedāvājumus.

Pārskatīdama politikas plauktu, viņa izvilka ārā kādu no ierāmētajām karikatūrām. Tā bija datēta ar tūkstoš deviņi simti trīsdesmit sesto gadu. Tajā bija attēlots izskatīgs kungs melnā kaklasaitē ar spožu jaunu sievieti vakarkleitā. Viņi devās iekšā teātrī un sasveicinājās ar tikpat modīgu pāri pie bāra, pavecākam, korpulentam pārim mulsi noskatoties. "Tā ir jaunā mode!" sieva paskaidroja vīram. Paraksts zem karikatūras vēstīja: "Beletāžas fašisti".

Fašisti?

Keita ienesa karikatūru veikalā. Viņai ienākot, ieskanējās durvju zvaniņš. Tas bija šaurs, tumšs iestādījums, ko no augšas līdz apakšai piepildīja grāmatu skapji: to plaukti vai lūza no apputējušiem sējumiem. Kastes un izdevumi bija sakrauti augstās kaudzēs ikvienā pieejamā vietā, kamēr telpas dziļumā pie rakstāmgalda pavecāks kungs lasīja *Independent*, dzerdams kūpošu tēju no tases.

Viņš pacēla galvu.

– Vai varu jums palīdzēt?

Keita viņam pasniedza karikatūru.

– Iedomājos, ka varbūt jūs man varētu kaut ko par to pastāstīt. Es to nesaprotu. Par ko tur ir runa?

Viņš palūkojās cauri brillēm, uzmanīgi nopētīdams attēlu.

– Nujā, izskatās, ka tas ir joks par noteiktu politiskās domāšanas novirzienu trīsdesmito gadu sākumā. Ja runa ir par pāri, esmu diezgan drošs, ka tur ir domāta sabiedrības dāma Ena Kārtraita un labā spārna konservatīvais parlamenta loceklis Džeimss Dannings. Viņš bija slavens ar saviem pārdrošajiem izteicieniem pirmskara gados. Un viņa pieslējās visādām politiskajām mācībām, sākot no komunisma līdz fašismam. Viņš uz kādu laiku tika internēts pēc kara izcelšanās.

– Internēts? Kāpēc?

– Savu provācisko uzskatu dēļ. Nelaimīgā kārtā tolaik bija ļoti moderni pieslieties fašistu mācībām – no Moslija līdz Mitfordiem, līdz par Klaivedenu pulciņam.

– Klaivedenu pulciņš? Nekad neesmu par tādu dzirdējusi.

– Klaivedenu pulciņš bija komunistu avīzes *The Week* izdomāts apzīmējums. Viņiem vajadzēja būt, lai gan neviens nav īsti drošs, tādiem kā trīsdesmito gadu labā spārna ideju ģeneratoriem. Visi no augstākās sabiedrības, visi draugos ar Nensiju Astoru, kuru mums abiem pieklātos dēvēt par vikontesi Astoru. Viņi mēdza sanākt viņas mājās Klaivedenā. Tagad tur ir slavena viesnīca. Varbūt jūs to atcerēsieties no Profūmo lietas. Starpkaru laikā viņi bija ļoti ietekmīgi gan politikā, gan sabiedriskās domas veidošanā. Acīmredzot viņi iestājās par izdabāšanu Hitleram un draudzīgu attiecību uzturēšanu ar nacistisko Vāciju par katru cenu. Pie pulciņa piederēja Džofrijs Dosons, *The Times* redaktors, Filips Kerrs, Edvards Rotermīrs...

– Rotermīrs? Ar tādu pašu uzvārdu kā lordam Rotermīram?

– Jā, tas pats vien būs. Beigu beigās viņš kļuva par Amerikas sūtni. Vismaz uz kādu laiku.

– Un šie cilvēki bija fašisti?

– Nu, – vīrietis nopūtās, – neviens to īsti droši nezina. Tie bija sarežģīti laiki. Vēl sarežģītākus tos padarīja hedonistiski noskaņotu jaunu cilvēku ieplūšana grupā: viņu pieredze un ideāli bija, maigi sakot, naivi. Taču prese viņus dievināja. Tā nu tādi cilvēki kā Ena Kārtraita, kuri katru nedēļu pieslējās citai politiskajai tendencei, centās iegūt pēc iespējas lielāku publicitāti, vienalga, vai tā bija laba vai slikta.

Keita atkal palūkojās uz karikatūru – uz jauno sievieti vakarkleitā ar ieplestajām acīm.

– Kas ar viņu notika?

Vīrietis paraustīja plecus.

– Pienāca karš. Ballīte beidzās.

– Jūsu stāsts ir ļoti iespaidīgs, – Keita atzina.

– Nu, tā ir mana specializācija. Turklāt, – viņš pasmaidīja, – nezinot vēsturi, nav iespējams saprast jokus. Un man patīk labi joki. – Viņš pasniedza karikatūru atpakaļ Keitai. – Nu, – viņš pieškieba galvu uz vienu pusi, – vai jūs gribēsiet to ielikt maisiņā?

Keita pasmaidīja.

– To mēs tūlīt redzēsim. – Viņa izņēma maku. – Cik tā maksā?

– Piecas mārciņas.

Viņš ielika karikatūru brūnā papīra aploksnē, un Keita pasita to padusē.

– Paldies. Un paldies par vēstures stundu!

– Kam gan ir domāti veci vīri? – Viņš piemiedza Keitai ar aci.

Viņa devās atpakaļ pa Sesilkortu.

Mazās Blaitas pasaulē bija kāda noslēpumaina vīle, par kuras eksistenci viņa līdz šim nebija neko nojautusi. Ballīšu un spožuma paēnā vīdēja spēcīga politiskā ekstrēmisma straume, kas rāva sev līdzi kā neatvairāms zemūdens atvars. Vai viņa bija kritusi par upuri šīm modernajām idejām?

Spraukdamās cauri pūlim uz Strendas pusi, Keita izkļuva cauri sastrēgumam pie Senmārtinas un devās tālāk uz Holbornu.

Viņa bija kaut ko palaidusi garām, par to Keita bija pārliecināta. Kaut ko acīmredzamu, taču svarīgu, kas atradās tieši viņas acu priekšā.

Ja vien viņa varētu atgriezties Endslijā, vēl tikai vienu reizi, varbūt viņa to saskatītu skaidrāk. Jo īpaši tajā neparastajā apzeltītajā istabā. Vai tā bija tikai viņas iztēle, vai arī šai telpai piemita spokains miers, gaidu sajūta gaisā? It kā tā būtu aizturējusi elpu.

It kā tā kādu gaidītu.

Reičela bija devusies mājās agri, sūdzēdamās par galvassāpēm, un Džeks bija palicis viens birojā. Viņš atkal pārbaudīja Endslijas piezīmes. Keitas rokraksts, kas bija glīts un rūpīgs pirmajās lapās, vēlāk bija mainījies uz slikto pusi. Viņš sarauca pieri, cenzdamies atšifrēt aprakstus un savietot tos ar labākajām fotogrāfijām kataloga vajadzībām. Viņš bija cītīgi nostrādājis visu dienu. Viņa pleci smeldza no sēdēšanas pie datora. Parastos apstākļos Džeks būtu paveicis lielāko daļu no tā visa mājās, nogādādams pabeigtu darbu ar kurjera palīdzību, ierakstītu diskā.

Parasti viņš nepavadīja tik daudz laika, strādājot birojā. Viņš to zināja. Reičela arī to zināja. Taču neviens no abiem neko par to neteica. Viņa pat nepapūlējās Džeku paķircināt, un tas jau daudz ko nozīmēja. Viņi abi saprata, ko viņš dara – piespēlē Liktenim, palielinot savas izredzes vēlreiz satikt Keitu. Taču tas nebija iedarbojies. Viņa nebija te rādījusies visu nedēļu. Un tā vietā, lai izbaudītu sava ikdienas darba vientulību, viņš vadīja dienas gaidīdams, gatavodamies brīdim, kad durvis atvērsies un viņa ienāks iekšā.

Un ko viņš tad darītu? Ko viņš teiktu, kad beidzot viņu ieraudzītu? Viņš bija neskaidri apņēmies izturēties pret Keitu labāk. Taču nekāda plāna nebija.

Viņš noņēma brilles, saberzēja acis un atkal pievērsās priekšā noliktajām piezīmēm.

– Pavaldonības laika kumode, mahagonijs ar baltu marmora virsmu, otrādi apriezti balsti... atkailināta...

Atkailināta?

Ko tas īsti nozīmēja?

Džeks aplūkoja attiecīgās fotogrāfijas. Te tā bija – pilnīgi parasts mēbeles gabals. Viņš bija drošs, ka nav neko teicis par atkailināšanu. Virs kumodes fotogrāfijā karājās spogulis. Tik tikko saskatāms attēlā bija Keitas pleca izliekums, gaišu matu šķipsna.

Neapmierināti atstūmis krēslu nost no galda, viņš piecēlās un, atvēris pagalma durvis, izgāja ārā mazajā pagalmiņā starp ēkām, lai izstaipītu krampju sarautās kājas. Viņš pabeigs šo darbu šodien, pat ja nāksies strādāt līdz vēlai naktij. Tad viņš dosies mājās un izbeigs izturēties kā muļķis.

Keita atgrūda vaļā biroja durvis.

– Hallo? Reičela?

Telpa bija tukša, pagalma durvis atstātas vaļā. Kur viņa bija palikusi?

– Reičela?

Viegla vēsmiņa lika uz galda sakrautajiem papīriem iečaukstēties, un dators vēl aizvien bija ieslēgts.

Viņa nevarēja būt nekur tālu aizgājusi.

Atslīgusi vienā no ādas klubkrēsliem, Keita aizvēra acis. Viņa bija tik ļoti nogurusi. Viņa atlaidās vēsajā ādas krēslā, kas atgādināja apskāvienu. Viņai vajadzēja atpūsties. Tikai vienu minūtīti. Tikai tikmēr, kamēr Reičela atgriezīsies.

Kad Džeks atgriezās, viņa bija aizmigusi: galva noliekta uz vienu pusi, rokas sakrustotas virs krūtīm, un pār viņas lūpām nāca klusa šņākuļošana.

– Keita?

Viņš nosauca Keitu vārdā klusi, pārāk klusi. Patiesībā Džeks nevēlējās viņu pamodināt.

– Keita, – viņš noteica atkal, īsti to negribēdams. Viņa izskatījās tā, it kā kāds būtu izrāvis kontaktdakšu, viņu izslēdzot.

Džeks nostājās gabaliņu nostāk, sabāzis rokas kabatās. Viņš taču vēlējās, lai viņa atnāktu. Tagad viņa bija te. Vai tādi bija kosmosa likumi?

Ja tā būtu.

Viņš saberzēja acis. Viņam vajadzēja atkal ķerties pie darba. Vai arī pamodināt Keitu un aizvest viņu mājās. Tas būtu tikai loģiski.

Tā vietā Džeks apsēdās uz krēsla viņai pretī.

Vai maz bija kas trauslāks par miegu?

Īsi pēc apprecēšanās viņš mēdza vērot savu sievu, kad viņa bija aizmigusi. Viņš mēdza to pamodināt nakts vidū un apbrīnot viņas sejas skaistumu, viņas garos, tumšos matus, kas bija izklājušies pa spilvenu, viņas lūpas, kas bija viegli pavērtas, un rokas, kas bija piespiestas pie krūtīm kā bērnam.

Tad pamazām, gadiem ejot, viņš aizmirsa vērot sievas miegu. Bieži vien viņa likās gulēt pirms viņa. "Esmu pārgurusi," viņa sacīja tonī, kas bija brīdinošs un apsūdzošs. "Tāpēc nemēģini mani aiztikt" – tas bija neizteiktais teikuma nobeigums. Džeks iemācījās atlaist viņu bez pretošanās: viņš pavadīja laiku pie datora vai skatoties televīziju. Tā bija vieglāk nekā apvainoties. Kad viņš ienāca guļamistabā, viņa jau bija aizmigusi, uzgriezusi viņam muguru, ieņēmusi savu gultas pusi. Viss trauslums un atklātība bija zudusi.

Keita sakustējās, iekārtodamās dziļāk vecajā krēslā.

Kas tas bija? Džeks pievirzījās tuvāk. Neliela, tikko manāma rētiņa, balta gluži kā sirpjveida spoks, netālu no viņas labajiem deniņiem.

Pēc kāda brīža Džeks pagatavoja sev tasi tējas. No debesīm pamazām aizplūda gaisma. Apkārtne pēc darba laika beigām mainījās. Tā vairs nemudžēja no solīdu biroju darbinieku pūļiem un tagad izskatījās drīzāk pamesta un vientuļa. Atdzīvojās pašvaldības dzīvojamās ēkas un krogi, kuru trokšņainie apmeklētāji piepildīja galveno ielu. Taču Žokejfīldsa bija pamesta un atgādināja Dikensa laika ainavu spokainajā veco gāzes laternu gaismā.

Džeks nolika tējas tasi zemē uz grīdas sev līdzās un iekārtojās vecajā vietā.

Viņa bija šeit. Viņš gribēja, lai viņa atnāktu, un viņa bija šeit.

Keita atvēra acis un izslējās, mirkšķinādama plakstiņus.

– Ko tu te dari? Vai tev nekas nekaiš?

– Nē, – Džeks iesmējās, – man nekas nekaiš. Taču tu gan aizmigi.

– Ak kungs, kāds kauns! Vai es siekalojos?

– Ja neskaita krākšanu, viss bija kārtībā.

Keita nožāvādamās atkal atslīga krēslā.

– Es pilnīgi noliedzu jebkādu krākšanu. Tomēr dažreiz es paskaļi ievelku elpu caur degunu.

– Tā jau arī būs krākšana.

– Nē, tā ir elpošana – ar uzsvaru.

– Vai krākšana.

Viņa uzsmaidīja Džekam; viņas vaibsti likās maigi vienīgās lampas siltajā gaismā.

– Jūs neesat īpaši romantisks, Koutsa kungs.

– Kopš kura laika melošana uzskatāma par romantiku?

– Tas ir romantikas pamatu pamats.

Viņš atbalstīja zodu plaukstā.

– Vai to tu vēlies?

– Vairāk par visu. Es ilgojos pēc meliem.

– Tu esi ciniķe.

– Tā notiek, kad romantika saiet grīstē. Cilvēks pēc tam nekad vairs nespēj pilnībā atgūties.

– Nu tad izglīto mani. Ko īsti vēlas romantiķi? Protams, atskaitot to, lai viņiem melotu.

– Jādomā, – viņa nopūtās, slinki izstaipīdamās, – ka visvairāk mēs gribam noticēt kādam brīnišķīgam pasaules taisnīgumam, dižai, varonīgai, emocionālai simetrijai mīlestībā.

– Un krākšana neiederas šajā skatījumā.

– Nepavisam ne.

– Žēl gan. Tāpēc ka man tava uzsvērtā elpošana likās visai apburoša.

– Vai tiešām?

– Nu, – viņš apdomājās, – es visu laiku zināju, kurā vietā tu atrodies šajā telpā.

– Nu, re! Tas nemaz nav romantiski!

Džeks paraustīja plecus.

– Taču tā ir patiesība. Vai tev nav nekādas vēlmes pēc realitātes?

– Nekādas. Realitāte ir pārāk skaļa un trokšņaina!

Džeks pasmaidīja.

– Gluži kā pūtēju orķestris?

– Tieši tā. Starp citu, cik ir pulkstenis?

– Pāri deviņiem.

– Tiešām? Kur ir Reičela?

– Viņa aizgāja jau pirms vairākām stundām. Man šķiet, viņa nezināja, ka tu grasies ierasties.

– Nu, es arī pati nezināju, ka grasos ierasties, tātad tā laikam man būs laba mācība.

– Aizvedīšu tevi mājās, – Džeks piedāvājās pieceldamies. Viņa kakls likās stīvs. Viņš to paberzēja.

– Vai esi pārliecināts, ka tev nav iebildumu?

– Nē, skaidrs, ka nav. – Džeks savāca dokumentus, saglabāja padarīto un izslēdza datoru. – Ko tu visu dienu sadarīji? – Viņš centās runāt nevērīgi.

– Neko lielu.

– Iepirkies?

– Patiesībā es aizgāju uz Nacionālo portretu galeriju. Gribēju kaut ko izpētīt.

– Izpētīt? Ko tad?

– Māsas Blaitas. Tur ir dažas patiesi brīnišķīgas fotogrāfijas.

– Vai tu esi kaut ko iecerējusi – kādu gleznu?

– Nē, mani tikai moka ziņkārība, jo īpaši pēc tam, kad redzēju Endsliju. Vai tev viņas nešķiet aizraujošas?

Džeks papurināja galvu.

– Nē. Ne gluži.

– Taču viņām piemita tik neparasts stils, neparasts skaistums.

– Varbūt, taču viņas neko nedarīja. Būt skaistai nav nekāda nodarbošanās.

– Izbeidz mēģināt izturēties saprātīgi. Tas ir patiesi garlaicīgi. Turklāt es nemaz negaidīju, ka tu to sapratīsi. Tā ir meiteņu darīšana.

– Paldies Dievam.

Keita piegāja pie loga.

– Esmu izsalkusi kā vilks.

Džeks sabāza dokumentus portfelī, aizvēra un aizbultēja pagalma durvis.

– Jā? Nu, mēs katrā brīdī varam kaut kur iegriezties pa ceļam uz mājām. Es arī neesmu ēdis.

– Labi.

– Lieliski. – Viņa domas sāka šaudīties uz visām pusēm. Kurp lai aiziet? Lai vieta nebūtu pārāk grezna, pārāk lēta...

– Džek?

Paķēris savu portfeli, viņš izslēdza galda lampu. Pār viņiem nolaidās bieza tumsa.

– Jā?

Keita stāvēja bāli zilā gaismas oreolā, ko meta ielas laterna, un lūkojās ārā pa logu.

– Kāpēc tu mani vienkārši nepamodināji?

– Es to negribēju.

Kaita pagriezās, lai uzlūkotu viņu.

– Kāpēc ne?

Džeks apsvēra savu atbildi. Tāpēc, ka esmu kā apsēsts ar tevi? Tāpēc, ka gribēju pēc iespējas ilgāk nolūkoties uz tevi netraucēti?

– Tu izskatījies nogurusi, – viņš beidzot noteica.

Viņš atvēra durvis. Abi izgāja ārā uz ielas, un Džeks aizslēdza aiz viņiem durvis.

Viņš pastiepa roku, un Keita to satvēra.

Viņa paraudzījās uz Džeku.

– Man kārojas pēc saldējuma.

Vai tās bija tikai viņa iedomas, vai arī Keita piespiedās viņam tuvāk?

– Un kā būtu ar īstu ēdienu?

– Ko tu galu galā saproti ar īstu ēdienu?

Viņi apgāja ap stūri. Džeka automašīna bija novietota ielas otrā pusē.

– Nu, tu jau zini – gaļu, kartupeļus, dārzeņus. Īstu ēdienu, – viņš neatlaidās.

– Ja tu gribi īstu ēdienu, mēs tādu arī ēdīsim.

Viņš atslēdza mašīnas durvis, pieturēdams tās viņas priekšā. Taču Keita apstājās, pirms iekāpt mašīnā, neatraudama savu skatienu no viņējā.

– Tas bija mīļi no tavas puses – ļaut man pagulēt. Paldies!

– Nav par ko. Katrā laikā, kad sajūties mazliet miegaina, tu zini, kur mani meklēt.

– Jā. – Keita pasmaidīja atkal, piešķiebdama galvu. – Jā, zinu gan.

Viņi aizbrauca uz Primrouzhilu, uz kādu nelielu grieķu restorānu. Viņi tika apsēdināti ārpusē, viens otram līdzās pie četrkantaina koka galdiņa, no kura varēja pārredzēt ielu. Keita pasūtīja vistu ar rīsiem, bet Džeks jērgaļu ar ceptiem kartupeļiem.

– Kā tu zināji par šo vietu? – viņa apjautājās, bakstīdama ar dakšiņu olīvu.

– Es mēdzu braukt garām un redzēju, kā vasarās cilvēki te ietur vakariņas ārpusē. Te vienmēr bija pilns ar cilvēkiem. Iedomājos, ka restorānam jābūt labam.

– Taču tu nekad agrāk neesi te bijis?

– Nē.

Izskatījās, ka Keita mazliet atlaižas krēslā.

– Kāpēc? Vai tev likās, ka te apgrozās tikai pastāvīgie apmeklētāji?

Keita paraudzījās uz viegli izliekto Rīdžentpārkroudas loku.

– Tā vien šķiet, ka ikvienā Londonas restorānā apgrozās tikai pastāvīgie apmeklētāji.

– Nekad agrāk neesmu te bijis, – Džeks apliecināja, nolauzdams siltas maizes gabalu un iemērcēdams to olīveļļā. – Šī ir kartē neiezīmēta teritorija.

– Labi.

Keitas īpašnieciskums Džeku iepriecināja: viņa vēlējās kaut ko īpašu viņiem abiem.

– Zini, – viņš pasmaidīja, – tu pa miegam runāji.

– Nē! Patiešām?

– Nu, ne tik daudz runāji kā murmināji.

– Es redzēju sapni.

– Par ko?

Viņa nosarka.

– Es tev neteikšu!

– Saki vien! Cik ļauns tas varētu būt?

– Pavisam ļauns!

– Nu... – Džeks saberzēja rokas, – tagad man tas ir jādzird!

– Ak... nu labi. – Keita kautrīgi pasmaidīja. – Es gāju kopā ar kādu... ar kādu vīrieti, pa kādu atklātu vietu, kas varēja būt parks vai kas tamlīdzīgs, un... – viņa jutās pārsteigta par to, cik grūti nākas to pateikt, – un viņš turēja mani aiz rokas.

Džeks gaidīja turpinājumu.

– Vai tas ir viss?

– Jā. Nu, tas bija viens no tiem sapņiem, kad pēc pamošanās sapņa radītā noskaņa nepazūd – tāda brīnišķīgi silta sajūta, kas rodas, atrodoties kādam pavisam tuvu. – Viņa aprāvās, piepeši sajuzdamās neveikli. – Tas bija... patīkami.

– Patīkami?

– Jā, patīkami.

– Es cerēju uz ko vairāk par patīkamo.

– Uz ko, piemēram?

– Ak, es nezinu... varbūt kaut ko saistībā ar cirka poniju, pāris raženām dvīnēm un lielu putukrējuma bļodu.

– Jūs atmaskojāt sevi, Koutsa kungs.

– Ak, tā bija tikai tāda vēlēšanās, Elbionas jaunkundz.

– Turklāt, – viņa izbolīja acis, – putukrējums ir izgājis no modes.

– Es esmu vecmodīgs puisis.

– Jā. Pavisam konservatīvs.

Kādu laiciņu visi sēdēja klusēdami.

– Protams, – Džeks atzinās, – ir pagājis ilgs laiks, kopš es pēdējoreiz turēju kādu pie rokas.

– Vai tas ir pārsteidzoši?

Nosvilpojis pāris taktis no Mocarta melodijas, viņš izstiepa rokas, pirkstiem viegli skarot viņējos.

– Ak, nē! – Keita brīdināja. – Nemaz nedomā par to, pozētāj!

– Pozētājs? Oho. Tu nu gan zini, kā aizvainot puisi.

– Un tā ir pēdējā reize, kad es tev kaut ko uzticu, draudziņ!

– Draudziņš. Stop. Es vairs nespēju izturēt. – Džeks saķēra viņas roku un piespieda to pie galda.

– Ko tu dari?

– Es turēšu tavu roku, – viņš paziņoja. – Un izbeidz to atraut.

– Izbeidz ākstīties! – viņa izlocījās.

– Es to nedaru! Es tev piedāvāju brīdi no... no... Ak tu tētīt! Vai tu nevari pasēdēt mierīgi?

– Tu āksties!

– Es? Es esmu pati nopietnība, Keita, mani ir pārņēmusi vēlēšanās paturēt tavu roku.

– Keitija.

– Kā, lūdzu?

– Mans īstais vārds ir Keitija.

– Laikam man vajadzētu justies atvieglotam par to, ka tevi nesauc Frenks. Vai ir vēl kaut kas, ko tu vēlies man pateikt?

– Šobrīd nē.

– Nu tad atgriežamies pie iesāktā. – Viņš apvērsa plaukstu otrādi.

– Izbeidz! – viņa iesmējās, uzsizdama pa to.

– Kāpēc ne? – Džeks apvaicājās, pasniegdams plaukstu visā nopietnībā. – Galu galā tas taču neko nenozīmē, vai ne?

Keita neatbildēja. Tā vietā viņa ļāva Džekam apvīt savus siltos pirkstus ap viņas vēsajiem, saspiežot tos ciešāk.

– Nu redzi, nav nemaz tik ļauni, Keitij.

– Tas ir briesmīgi.

Un tomēr viņi kādu laiku nosēdēja, nolūkodamies uz ielu, atlaižot rokas tikai līdz ar vakariņu parādīšanos.

Pēc tam viņi aizstaigāja līdz *Marine Ices*, kur Džeks nopirka Keitai pistāciju saldējumu un sev šokolādes. Viņi pastaigājās siltajā vakarā gar Praimrouzhilu, apsēdās uz soliņa kalna galā ar skatu uz Londonu.

– Jau ir vēls.

– Jā.

– Vai iesim?

– Ja vēlies.

Viņi neizkustējās.

Pēc brītiņa Keita norādīja uz blāvu ēnu tālumā.

– Kā tu domā, kas tas ir?

– Kāds svarīgs arhitektūras un kultūras piemineklis.

– Hmm.

Džeks norādīja uz ceļa rādītāju dažu pēdu attālumā no viņiem.

– Mēs varam palūkoties kartē.

– Jā...

Viņi sēdēja, nolūkodamies nedaudzajās zvaigznēs, kas vīdēja caurspīdīgajās nakts debesīs.

– Tev uz pieres ir rēta.

– Jā. Neatceros, kā esmu pie tās tikusi. Laikam pakritu, kad biju vēl maza.

Vēja pūsma sakustināja koku zarus. Londona mirguļoja tālumā kā tālīns gadatirgus, kura atrakcijas, mūzika un trokšņi ir nozuduši, novākti uz nakti.

– Vai tu ilgojies pēc Ņujorkas?

Keita pagriezās.

– Kāpēc?

– Nezinu. Nav nekādas vajadzības sacelt spuras – tas ir nevainīgs jautājums.

– Es nesaceļu spuras.

Džeks pavīpsnāja.

– Izbeidz vīpsnāt.

– Labi, bez vīpsnāšanas – vai tu ilgojies pēc Ņujorkas?

– Dažreiz.

Džeks izstiepa savas garās kājas sev priekšā.

– Un kā ir ar tavām, nu... tavām... attiecībām?

– Kāpēc? Kāpēc tu gribi to zināt?

Džeks paraustīja plecus.

– Ak, nezinu. Es veicu pētījumu vai varbūt strādāju izlūkdienestā, vai varbūt vienkārši uzdodu normālu jautājumu. Izlem tu pati.

Keita smagi nopūtās.

– Vai ir tik ļauni?

– Redzi... – Viņa aprāvās, cieši sakrustodama rokas uz krūtīm.

– Kas?

– Tas nebija viennozīmīgi.

– Mūsdienās reti kas ir viennozīmīgs.

Keita viņu cieši uzlūkoja.

– Es biju mīļākā.

Vēl nekad agrāk viņa nebija to izteikusi skaļi. Tas izklausījās pārspīlēti, kā no astoņpadsmitā gadsimta.

Džeks iesmējās.

– Kā, lūdzu?

Keita atkārtoja, šoreiz jau skaidrāk.

– Mīļākā.

Viņš pārstāja smieties. Viņa skatiens mainījās, siltumam tajā atkāpjoties.

– Tu to neatbalsti, – viņa nosprieda, nolūkodamās lejā uz attālumu starp savām pēdām. – Tas nekas. Es arī neatbalstīju.

– Tad kāpēc tu to darīji? – Džeks centās runāt neitrālā tonī, taču jau pats šis jautājums izklausījās nosodošs, it kā viņš būtu kāds skolmeistars.

Keita pacēla skatienu, piepeši izlikdamās pavisam sīka, kā izmesta krastā.

– Nezinu.

Viņš sajutās nereāls, gandrīz nejutīgs.

– Vai tu viņu mīli?

– Ko tu teici? – Viņa samirkšķināja acis, paraudzīdamās uz Džeku ar neredzošu skatienu.

– Lai paliek.

Keitai bija bail par to runāt. Viņai bija bail par to nerunāt. Un nu viņa bija aizgājusi par tālu.

– Tā nav mīlestība.

– Kas tad tas ir?

– Sava veida dvēseles slimība.

Keitas atbilde Džekam laupīja drosmi. Tas nebija stāsts, kuru viņš savā prātā bija viņai piedēvējis – ne tās romantiskās, pavedinošās vakara beigas, pēc kurām viņš bija ilgojies. Viņš jutās piekrāpts. Tagad viņš sēdēja, nolūkodamies pāri Praimrouzhilai, neredzēdams ainavu, nespēdams saņemt nepieciešamo saviesīgo veiklību, lai pateiktu kaut ko mīkstinošu, un tomēr nevēlēdamies likt šai tēmai mieru.

– Vai viņš ir bagāts? – Tas bija zemisks jautājums, un Džeks tūlīt pat to nožēloja.

– Bagātāks par daudziem.

– Klients?

Keita uzlūkoja viņu ar stingu skatienu. Džeka jautājumi bija uzmācīgi, tomēr neatvairāmi.

– Mums nav par to jārunā, – viņš pielaidās.

– Nē, tev taisnība: mums nav tas jāapspriež. Piedod.

– Es to nedomāju tā...

– Protams, ka nē. – Keita piecēlās. – Paklau, es pati varu tikt līdz mājām.

– Neesi nu auša. – Džeks arī piecēlās.

– Labāk iešu viena.

– Keitij...

Skatiens, kuru viņa uzmeta Džekam, bija spīvs.

Sabāzis rokas kabatās, viņš atmeta centienus sarunāties ar Keitu un noraudzījās tumsā.

– Mūsu ceļi ved katrs uz savu pusi. – Viņa paķēra somu un uzmeta to plecā. – Turklāt ir jau vēls. Nu jau par daudz vēls.

Džeks atkāpās, ļaujot viņai aiziet.

Un, kad Keita pagāja viņam garām, viņš viegli pieliecа galvu – tas bija savāds, formāls žests no cita gadsimta: iespējams, neveikli atzīstot sev uzticēto stāstu, lai cik tas būtu nevēlams.

Ja arī Keita to pamanīja, viņa neko neizrādīja, dodamās tālāk ar taisnu muguru un augšup paceltu zodu, projām naktī.

Sentdžeimsa laukums 5
Londona

1935. gada 12. augustā

Mana dārgā!

Man ir ārkārtīgi žēl.

Es ļoti nožēloju Tavu zaudējumu, mana mīļā. Man gribētos tevi mierināt, taču es nezinu, kā. Varbūt tad, ja tas būtu izdzīvojis, tas būtu slims. Patiesībā es nepavisam neizprotu Dievu. Varbūt Enai ir taisnība, un Viņa nemaz nav. Un tomēr kāda daļa no manis kliedz: saglabā ticību, uzticies! Tikai nezinu, kam, un nezinu, kāpēc. Un tomēr, par spīti visiem saprāta argumentiem, es ticu. Mums ir jātic. Tu vēl esi jauna. Lūdzu, neatmet cerības.

Es esmu ceļā.

Mūžam Tava
Dī
Bučas

Sapnī viņa neskrēja. Viņai būtu vajadzējis skriet, taču viņa neskrēja. Viņa sajuta briesmas, nelabumu uzdzenoša adrenalīna uzbangojumu pakrūtē. Gaiss ap viņu mainījās, kļūdams vēsāks, straujāks.

Viņa palūkojās apkārt. Ainava bija ēnaina; viņa te bija ieradusies pavisam pēkšņi, gluži kā atmozdamās no spēcīgu narkotiku iespaida. Kas bija šī vieta? Māja? Vai tur šalca jūra? Uz grīdas guļošā kailā lelle ar sapinkātiem matiem, saraustītiem locekļiem, blenza uz viņu ar neredzošām zilām acīm. Viņa pieliecās, taču nespēja to aizsniegt. Kādā veidā tā bija tik ļoti cietusi?

Kaut kur gaiteņa galā tas tuvojās.

Viņa gribēja pakustēties, taču kājas nedarbojās. Viņa mēģināja kliegt – taču pār lūpām nenāca skaņas, kuras varētu būt sadzirdamas.

Tas nāca tuvāk, melns, slīdīgs, mainīgs. Tuvāk un tuvāk... klibodams, pūzdams, steigdamies pāri kailajai koka grīdai.

Keita pamodās, pārklājusies ar aukstiem sviedriem, ar strauji pukstošu sirdi un nesaprašanā par savu atrašanās vietu. Istaba bija piķa melna un noslēgta. Kur viņa atradās? Kurā valstī?

Piecēlusies viņa tumsā sataustīja elektrības slēdzi un tad aizgrīļojās līdz vannas istabai, kur apsēdās uz Reičelas avokado zaļā tualetes poda, nolūkodamās uz plankumiem starp flīzēm.

Kas viņai lika izstāstīt Džekam? Vai viņa bija iztēlojusies, ka viņš sapratīs? Vai mierinās viņu, aizslaukot nicinājumu, kuru viņa izjuta pati pret sevi?

Tagad viņš zināja, kāda Keita ir patiesībā. Un viņš bija šausmās.

Piecēlusies viņa apslacīja seju ar ūdeni.

Kāpēc lai viņš nebūtu šausmās?

Viņas attēls nolūkojās pretī bāls un pietūcis.

Vai tās nebija viņas pašas domas par sevi?

Keita devās atpakaļ uz savu istabu un ieslēdza naktslampiņu. Aizlikusi aiz muguras spilvenu, viņa atlaidās gultā un aizvēra acis.

Keitas domas atkal atgriezās restorānā, kur viņi bija sadevušies rokās. Viņa nekad agrāk nebija turējusi vīrieša roku. Vai drīzāk – viņa vēl nekad agrāk nebija tikai turējusi vīrieša roku. Viņas pagātnē šai pieredzei nebija konteksta: viņa nesaprata, ko tas nozīmēja vai nenozīmēja. Viņa zināja to, ka sajūta bija neparasta. Mierinoša, maiga un biedējoša.

Paraknājusies rokassomiņā, viņa izņēma cigarešu paciņu un aizdedza cigareti.

Tagad Keitai gribējās paslēpties. Kā viņa tagad atkal skatīsies Džekam acīs? Tajā pašā laikā viņai gribējās atgriezties pie tā galdiņa, kad vīrieša pirksti bija stingri satvēruši viņējos.

Keita piecēlās un atvēra logu platāk. Ārā valdīja mierīga bezgaisa nakts.

Viņš droši vien vēl aizvien mīlēja savu sievu. Bija skaidrs, ka Džeks ir viņai pieķēries. Droši vien viņa bijusi brīnišķīga sieviete.

Skaista, veiksmīga, laipna. Tāda meitene, kas ir gatava pārmeklēt visu Londonu, lai atrastu ideālo spoguli.

Keitai sāpēja galva.

Viņa ievilka vēl vienu dūmu. Nu vairs viņa neaizmigs šā vai tā.

No bibliotēkas paņemtā grāmata ar Bītona fotogrāfijām atradās uz viņas naktsgaldiņa. Pasniegusies Keita to atvēra, lēnām pāršķirdama lappuses, lai sevi apskurbinātu ar vienu spožu attēlu pēc otra.

Keitija. Viņš bija saucis to par Keitiju. Viņai patika, kā tas izklausījās.

Viņa turpināja šķirstīt lappuses.

Te bija nu jau pazīstamie fotoattēli, kurus viņa bija redzējusi Nacionālajā portretu galerijā. Un viens jauns ar Mazo Blaitu, uzņemts zālienā: tuvplāns, kurā viņa gulēja uz vēdera, zeltainajām cirtām klājoties ap galvu kā oreolam. Mazs spaniels bija pašapzinīgi iekārtojies pie viņas saliektā elkoņa: sunim ap kaklu bija aplikta mirdzoša, ar briljantiem rotāta kaklasiksna. Diāna smējās: tas bija nevaldāma prieka pilns portrets, retums starp Bītona darbiem savas spontānās, neiestudētās dabas dēļ. "Diāna "Mazā" Blaita, un viņas suns. 1931. gads."

Meklēdama kaut ko, kur iebērt pelnus, Keita atrada vecu glāzi. Oglītes nočūkstēja, saskaroties ar ūdens paliekām glāzes dibenā.

Tad kaut kas piesaistīja viņas skatienu.

"Lords un lēdija Rotermīri Vūtonlodžā, Leičesteršīrā, 1931. gads."

Keita pieliecās tuvāk.

Lords Rotermīrs lūkojās pretī visā savā varenībā ar ciešu, biedējošu skatienu; viņš likās stīvs un oficiāls. Viņam līdzās sēdēja bāla, tumšmataina sieviete vecumā ap četrdesmit pieciem gadiem: viņas vaibsti bija neizteiksmīgi un stāja drīzāk mātišķa, bet lūpas savilktas saspringtā, vārgā smaidā. Viņa atstāja tādas būtnes iespaidu, kuru biedē fotografēšanās, kura būtu metusies projām pie vismazākās iespējas, taču notverta mirklī, kad nav to gaidījusi. Viņi sēdēja pie tējas galda, kas bija uzklāts zālājā dīvaini gotiskas mājas aizmugurē. Sievietes seju daļēji apslēpa lielās platmalu cepures mestā ēna, bet vīrieša rokas bija stīvi saliktas klēpī. Keitu pārsteidza viņa milzīgais, valdonīgais izskats un tas, cik vecs viņš likās. Piepeši viņa saprata Samas izbrīnu par to, ka viņš varējis pieskarties Mazajai Blaitai. Šāda savienība šķita neaptverama, par pretīga.

Rotermīriem aiz muguras plata terase noslēdzās ar franču durvīm, kas veda uz tumšo, ēnaino māju. Aiz vienām durvīm varēja pamanīt nesaprotamu melnu plankumu; durvju stiklos atspīdēja gaisma.

Keita pieliecās, samiegdama acis, lai redzētu labāk. Tad viņa atcerējās Reičelas lasāmbrilles, kas atradās uz vannas istabas izlietnes malas.

Šķērsojusi gaiteni, viņa paņēma brilles un atgriezās istabā, uzliekot acenes ar palielināmajiem stikliem uz deguna.

Keitas acis pamazām aprada. Plankums kļuva atšifrējams.

Tas bija neliels, skrienošs suns.

Un viņam ap kaklu mirdzēja kaklasiksna ar briljantiem.

Sentdžeimsa laukums 5
Londona

1936. gada 2. aprīlī

Mana mīļā!

Jā, es satikos ar Malkolmu, lai paēstu pusdienas. Un kā jau paredzēju, tas bija episka apjoma norājošs monologs – viņš pat neievilka elpu no zupas līdz deserta vīnam. Beigās es atmetu centienus iespraust kādu vārdu un tā vietā izklaidējos, prātodama, cik daudzos veidos varētu viņu nogalināt, izmantojot uz galda atrodamos priekšmetus. Tiekot galā ar acīmredzamajiem – noduršanu ar nazi vai dakšiņu, pakāršanu no galdauta savītā cilpā, šis uzdevums kļūst nesalīdzināmi sarežģītāks. Es jo īpaši lepojos ar nosmacēšanu, izmantojot lielu piparmētru želejas daudzumu, apliešanu ar brendiju un aizdedzināšanu, kā arī ar salvetes iebāšanu rīklē. (Es pavadīju ilgāku laiku, iztēlodamās pēdējo.) Bez šaubām, visas metodes balstās uz to, ka upurim jābūt vai nu ļoti apskurbušam, vai patiešām fantastiski paklausīgam. Man neizdevās izdomāt neko sakarīgu saistībā ar karotītes izmantošanu.

Kāpēc Tu man to nodari, mīļā? Nespēju saprast, ko Tu ceri iegūt, visu laiku savedot mūs kopā! Viņš mani ienīst un uzskata par muļķi. Nekāds Dorčestera viesnīcas restorānā pavadīts laika daudzums, knibi-

noties ap omāru franču gaumē, nespēs neko mainīt ne vismazākajā mērā. Protams, no otras puses, es būtu laimīga, ja varētu paēst pusdienas ar Tevi – katrā laikā un vietā!

Lūdzu, lūdzu, neliec man vēlreiz iet vakariņās ar savu vīru. Varbūt man neizdosies izdomāt, ko briesmīgu iesākt ar karotīti, taču tas var izrādīties tikai laika jautājums...

Tava Mazā
Bučas

Džeks sēdēja uz savas jumta terases, malkodams sarkanvīnu. Karstums gluži kā milzīga, nosvīdusi plauksta apvijās viņam apkārt. Viņš atglauda matus no sejas.

Precēta vīrieša mīļākā. Vai tas bija tas pats, kas draudzene?

Precēta vīrieša mīļākā bija vēsāka, lielāka aprēķinātāja. Parasti tur bija iejaukta nauda. Un pats galvenais – krāpšana.

Viņu pārņēma nelabums, kam ātri vien sekoja vilšanās.

Viņai bija taisnība, Džeks to neatbalstīja.

Tomēr viņš nespēja nedomāt par Keitu. Viņa gars, viss viņa ķermenis jau bija iesaistījies spēlē, liekdamies viņai tuvāk pretrunā ar viņa saprāta spriedumiem. Saprāta balss bija bezpalīdzīga un nespēja mēroties ar Keitas esamību, lai cik pretrunīga tā arī būtu.

Ar pūlēm iedzēris vēl vienu malku, viņš no jauna piepildīja savu glāzi.

Viņš nespēja aizmigt un pat to nemēģināja.

Šis gada laiks šā vai tā bija sarežģīts. Tas bija plaukums. Un svelme arī nenāca par labu. Tas viņam atgādināja par tām dažām pirmajām briesmīgajām nedēļām... tieši pēc nelaimes gadījuma.

Viņš pārāk labi atcerējās, kā bija cīnījies ar dienām pēc sievas nāves, juzdamies truls un sagrauts. Tagad šī sajūta atgriezās: tas pats biedējošais kontroles trūkums.

Viņš sagrozījās krēslā, itin kā pozas maiņa varētu atvieglot iekšējo diskomfortu. Tas nenotika.

Tās bija vismuļķīgākās darbības, kas viņu toreiz bija pārņēmušas savā varā, liekot visai viņa eksistencei apstāties: kādu ziedu kārtojumu izvēlēties bērēm, ko rakstīt nekrologā, nebeidzamie līdzjūtības apliecinājumi. Ko iesākt ar visām viņas drēbēm un personiskajām mantām.

Viņš iedzēra vēl vienu malku.

Viņas personiskās mantas.

Kādu laiku viņš bija dzīvojis ar tām. Viņš nespēja aptvert, ka viņai tās vairs nebūs vajadzīgas. Gaisā virmoja sajūta, ka viņa justos apbēdināta, ja atgrieztos, bet viņš būtu aizmetis mantas projām. Tā nu Džeks neko nedarīja vairāk nekā gadu. Vienīgais, ko viņš spēja, bija piecelties, apģērbties un doties uz darbu.

Pols tolaik vēl bija dzīvs. Pols, kurš bija viņu nolīdzis darbā, apmācījis viņu, ierādījis drošu vietu, kur sabrukt. Pēc nelaimes gadījuma viņš ļāva Džekam nākt uz darbu arī tad, kad nebija nekā darāma: lai vienkārši pasēdētu kabinetā, atrastos starp cilvēkiem. Džeks bija pieļāvis kļūdas, muļķīgas, nesaprotamas paviršības, par kādām ikviens cits būtu ticis atlaists. Pols turpretī bija neuzkrītoši ar tām samierinājies, izlabodams viņa kļūdas, pat nepūloties norādīt uz tām, ļaujot viņam laist visu grīstē. Taču tāds jau bija Pols. Viņš sadzīvoja ar visu bez liekas dramatizēšanas. Viņš arī neizdarīja uz Džeku spiedienu, nedancoja viņam apkārt un neraizējās. Dažkārt pusdienlaikā viņš bija vedis Džeku uz krodziņu iedzert kādu alus kausu, ļaujot viņam pļāpāt par visu, kas vien ienāca prātā. Džeks atcerējās, ka runājis ar Polu par drēbēm. Tolaik tā viņam bija briesmīga dilemma. Pols nebija devis nekādu padomu. Viņš tikai klausījās, laiku pa laikam pamādams ar galvu un izskatīdamies ieinteresēts. Džeks droši vien bija tā pļāpājis mēnešiem ilgi. Taču Pols vienmēr veltīja šim jautājumam nedalītu uzmanību, vienmēr izturējās tā, it kā tā būtu pirmā reize, kad Džeks to vispār piemin. Tikai vēlāk, varbūt pēc kāda pusotra gada, Džeks aptvēra, ka bijis traks. Sajucis no bēdām. Tobrīd viņš domāja, ka gluži ticami imitē vīrieti, kurš piedzīvo smagu brīdi. Patiesībā tas bija tikai viņa paša pārsteigums par to, ka viņš spēj izdarīt kaut ko, kas saglabā normālas dzīves ilūziju. Taču īstenībā viņš bija licies plānprātīgs, turklāt gluži acīmredzamā veidā, tikai viena soļa attālumā no tiem, kas sarunājās paši ar sevi uz ielas, bagātinot savus monologus ar rāšanos uz garāmgājējiem vai baložiem. Viņš arī bija jutis bezdibeņa malas tuvumu un ļoti ilgu laiku zvārojies uz tās.

Vai varbūt viņš bija nokritis?

Džeks to apdomāja, malkodams vīnu. Tas bija silts, rūgtens.

Vai viņš vēl aizvien bija tur, lēnām un sāpīgi lauzdams ceļu augšup pa klinti vēl tagad?

Galu galā tā izrādījās Sūzena, kura bija parūpējusies par drēbēm. Sūzena bija otrā mašīnā braukušā vīrieša māsa. Notika kopīgs piemiņas dievkalpojums, kura organizēšanā viņa bija spēlējusi ļoti aktīvu lomu. Viņai patika organizēt: pasākumus, karjeras, dzīves. Būdama gara, gaišmataina, zirdziska, ar labu izglītību un sliktiem zobiem, Sūzena bija priecājusies par iespēju izcelties attiecīgajos apstākļos. Viņa vadīja darbinieku atlases aģentūru. Viņa bija gudra, izdarīga, gatava izpatikt. Un, kad piemiņas dievkalpojums bija beidzies, viņa bija pievērsusi savu uzmanību Džekam.

Viņa noorganizēja tādu kā neformālu atbalsta grupu nelaimes gadījuma upuru draugiem un radiniekiem un tās aizsegā nosūtīja Džekam neskaitāmas elektroniskā pasta vēstules, informējot par to, kā visiem klājas, un rīkodama daudzas kopāsanākšanas. Džeks negribēja ielaisties virspusējās sarunās vai saņemt atbalstu no citiem sērojošiem, līdz sirds dziļumiem satriektiem cilvēkiem. Viņš gribēja, lai viņu liek mierā, ļaujot klīst apkārt pa Londonu ar nedzīstošu rētu tajā vietā, kur vajadzēja atrasties sirdij un atmiņai, un ļaujot būt neprātīgam angļu neprāta garā, kas paredzēja runāt par savu zaudējumu neuzkrītoši stoiskā daiļrunībā tā vietā, lai droši nostātos centrā spožās prožektoru gaismās amerikāņu terapeitiskās izrunāšanās stilā.

Taču Sūzena nebija ļāvusi viņam tik viegli nosprukt no āķa. Un viņam ne vienmēr atradās pietiekoši iekšējie resursi, lai tam pretotos. Viņa bija zvanījusi, allaž aizbildinādamās ar nepieciešamību pārliecināties, vai viņam nekas nekaiš, apjautādamās, vai viņa nevar kaut kādā veidā palīdzēt, un vienreiz, tikai vienu reizi, viņš bija pieļāvis liktenīgo kļūdu un saminstinājies.

– Nu, es īsti nezinu, ko iesākt ar viņas drēbēm...

Sūzena bija strauji ievilkusi elpu.

– Tev vēl aizvien ir viņas drēbes? – Viņa to pateica tā, it kā viņš nodarbotos ar pārģērbšanos sieviešu drēbēs, lai tās mīļi glāstītu vakaros.

– Nujā...

– Labi. Diezgan. Es rīt atbraukšu, un mēs iztīrīsim visus skapjus.

– Nē, esmu pārliecināts, ka tas nav...

– Nē, Džek, es uzstāju. Kādam tas ir jāpaveic. Ilgāk tā vairs nevar turpināties. – Viņa atkal to pateica tā, it kā viņš veselu gadu nebūtu iznesis atkritumu spaini, it kā viņa uzvedība nozīmētu morālu netīrību.

Viņa bija atradusi iespēju, kā iekļūt iekšā. Un Džeks sajuta, cik šausmīgi ir atrasties savā privātajā teritorijā ar šo garo, gaišmataino, neciešami skaļo būtni, viņas parfīmu ar ziedu aromātu, viņas biedējošo pašapziņu. Viņa uzbruka Džeka jutekļiem, kuri bija notrulināti un pieprasīja pieklusinātas skaņas, krēslainu gaismu, lēnas, paredzamas kustības.

Beigu beigās viņa bija izrādījusies visai noderīga. Viņa bija paķērusi līdzi atkritumu maisus un aizsūtījusi Džeku pastaigāties. Kad viņš atgriezās, viņa bija to paveikusi, pat aizpildījusi ar viņa mantām tukšās vietas skapī, lai tas neizskatītos tik nožēlojams un kails. Viņi bija sakrāvuši maisus viņas *Ford Fiesta* bagāžniekā.

– Vai iesim kaut ko iedzert? – viņa ierosināja.

Džeks apdomājās. Viņa bija braukusi tik tālu ceļu, izdarījusi kaut ko neticami personisku... ko tādu, ko viņš nebija spējīgs izdarīt pats. Viņš bija Sūzenai parādā.

Viņi bija aizgājuši uz vietējo krodziņu un apsēdušies stūrī. Bija vēla pēcpusdiena. Viņi dzēra siltu viskiju, un Sūzena bija uzņēmusies runāšanu, novilkusi savu svīteri un atklājusi zemu sapogātu kreklblūzi virs savām pārsteidzoši lielajām, uzmanību piesaistošajām krūtīm. Viņa bija stāstījusi Džekam par savu rūpalu, nepiespiesti pļāpājusi par personāla atrašanas problēmām, atvaļinājuma plāniem, ģimenes dilemmām, pieliekdamās tuvāk un daudz skatīdamās viņam acīs, smiedamās mazliet par daudz pakalpīgi katru reizi, kad viņš izteica kādu piezīmi, lai cik banāla tā būtu. Un sev par kaunu viņš bija atbildējis, sajutis, kā ilgas pēc fiziska valdzinājuma neveikli un akli atdzīvojas zem bēdu svina smagās virskārtas.

Viņi bija palikuši krodziņā pārāk ilgi. Džeks nebija piedāvājis izmaksāt viņai vakariņas, pat nebija centies izlikties interesants vai apburošs.

Dodoties atpakaļ uz viņas mašīnu, viņš bija neveikli pasniedzies pēc viņas un tūlīt pat saņēmis atbildi. Sūzena bija paliekusies pretī, pietuvinādama savas lūpas viņējām, noorganizēdama kontaktu, kas šajā viņa reibuma stadijā neizbēgami bija nolemts neveiksmei. Viņi bija aizgrīļojušies atpakaļ uz viņa dzīvokli, Džekam grābstoties ap viņu, nepazīstot viņas ķermeni, viņas aprises un smaržas. Vienu vai divas reizes viņi bija sadūrušies ar galvām. Tā vien likās, ka viņa dodas pa labi, kad viņš devās pa kreisi, augšā, kad viņš liecās lejā. Tā bija nesaprotama, izmisīga noņemšanās, kas beidzās, vēl īsti nepaguvusi sākties, bez kādas baudas vai kaut vai atvieglojuma.

Sūzenai par godu jāteic, ka viņa bija devusies projām drīz vien pēc tam, paķerdama savas mantas un nozuzdama kā uz burvju mājienu. Taču vēlāk Džekam likās nožēlojama viņas klusēšana, tas, ar kādu mazumiņu viņa pacietības vai laika viņa bija gatava samierināties.

Pēc tam bija vēl dažas reizes, vienīgi tāpēc, ka Džeks bija juties neveikli par visu šo padarīšanu. Viņu bija pārņēmusi izmisīga vēlme nomaskēt savu nepatiku pret Sūzenu, guļot ar viņu, un tāda stratēģija izrādījās pazemojoša viņiem abiem.

Tā bija viņa, kura pēc diviem mēnešiem to visu izbeidza.

Viņa bija aizbraukusi projām, mazliet uzmetusi lūpu, par spīti savai izjustajai, daudz ko noklusējošajai runai par to, kā viņa cerējusi, ka Džeks parūpēsies par sevi, ka viņai esot vajadzīgs kāds emocionāli pieejamāks cilvēks.

Tā Džeks bija ticis pie brīvas vietas skapī. Un pie vēl viena melnā perioda, ar kuru viņš nebija rēķinājies. Kad likās, ka viņš ir ticis no tā ārā, tas atgriezās atpakaļ pa spirāli, kas vijās ap vienu asi, ieraujot viņu savā atvarā.

Džeks bija zaudējis ne tik daudz sievu, cik visu to, kas saistījās ar viņu – ticību, ka dzīve ir laba un ka beigu beigās šāda vai tāda taisnība vienmēr uzvarēs.

Tagad viņš sēdēja uz jumta terases savā dzīvoklī Kanonberijā, domādams par citu sievieti – par meiteni ar mazām, vēsām plaukstām un sīku baltu rētiņu uz pieres. Par meiteni, kuru viņš nespēja atšifrēt, kurai neuzticējās. Un tomēr atmiņas par viņas pieskārienu un viņas nekustīgumu neatlaidās.

Bija vajadzīgs pārāk ilgs laiks, lai tiktu tik tālu. Kā viņš varēja riskēt ar sevis pazaudēšanu atkal? Viņš zvārojās bezdibeņa malā, un viņam draudēja iekrišana kārtējā jūtu nebūtībā.

Gudrs cilvēks apstātos, kamēr vēl būtu tāda iespēja. Gudrs cilvēks mācītos no pagātnes kļūdām.

Viņš iedzēra vēl vienu malku.

Vai viņš bija gudrs?

Kad Sūzena bija izmetusi Džūlijas drēbes, Džeks atbrīvoja dzīvokli no visa, kas liecināja par viņu kopīgo dzīvi. Viņš to nebija darījis tādā pašā veidā, ar to pašu straujo apņēmību un izlēmību. Tomēr viņš bija to izdarījis. Mazpamazām. Vispirms viņš ņēma fotogrāfijas, sakraudams tās kastē, kas atradās priekšnama skapī. Un tad viņš sāka nomainīt viņas pirktās gleznas ar citām, kuras bija sameklējis vai nu darbā, vai arī senlietu veikaliņos Īslingtonas tuvumā. Pamazām viņš iemanījās katru reizi, atrodot atvilktnē ko tādu, kas piederēja Džūlijai vai atgādināja par viņu, paņemt to un aizmest projām vai arī iebāzt kastē priekšnama skapī. Laika gaitā priekšmeti no acīmredzamiem, tādiem kā pase vai neliela porcelāna figūriņa, kļuva daudz neuzkrītošāki – sērkociņu kārbiņa no iemīļota restorāna vai virtuves nazis, kuru Džūlija bija paņēmusi sev līdzi, kad viņi abi ievācās kopīgā dzīvoklī.

Visas šīs lietas nozuda, līdz viņš beidzot bija pārliecināts, ka var staigāt pa dzīvokli, nenonākot kontaktā ar ko tādu, kas būtu piederējis Džūlijai vai raksturotu viņu.

Tādā veidā viņš attīrīja savu māju un apkārtni no viņas pēdām.

Jo, atgūstoties no tumšajām, nebeidzamajām dienām, Džeks sāka saskatīt to, kas bija acīmredzams jau no paša sākuma. Tas parādījās kā piepeša ainava aiz bieza miglas pārsega, izklājoties viņam priekšā nepārprotamā gaismā.

Itin viss viņa agrākajā dzīvē bija meli.

Sentdžeimsa laukums 5
Londona

1936. gada 23. maijā

Dārgo putniņ!

Pasaki man skaidri un gaiši – ko īsti vīrieši no mums grib? Es nespēju to izprast. Vienā brīdī viņi izturas tik uzmanīgi, ka tev jau liekas – viņi nomirtu, ja tu pavirzītos kaut vai tikai divus soļus pa kreisi. Tad pēc dažām sekundēm viņi nozūd, pat neatvadījušies. Tā vien šķiet, ka man visu laiku tiek par daudz uzmanības no vīriešiem, kurus es negribu, un nepietiekoši no tā vienīgā, kuru gribu! Šodien esmu pavisam drūma. Jūtu tuvojamies pārāk lielu vilni no Melnās mājas puses, un vienīgais veids, kā no tā izbēgt, ir dejot enerģiskāk. Vai varbūt vispār izbeigt dejot...

Pasaki man kaut ko labu, mīļā. Pat ja Tev būtu jāmelo. Un pastāsti man vēl kādu jautru stāstu par Tavu mazo, smieklīgo istabeni! Vai viņa patiešām sašuva kopā tavas biksītes? Vai Tev neliekas, ka viņa darbojas Mā labā?

Ja Tu gribētu atbraukt uz Londonu, es visu laiku būtu Tava uzticamā pavadone. Lūdzu, neatstāj mani vienu ar visiem šiem politiskajiem shēmotājiem! Pilsēta ir pilna ar visādiem vēstniekiem un ārvalstu kara-

liskajām personām ar visneiedomājamākajiem vārdiem un vēl neiedomājamākām manierēm. Viņi visi klīst pa mitriem pagrabiem, pārāk daudz dzerdami un kaitēdamies cits ar citu. Esmu pārliecināta, ka viņi visi ir spiegi. Lords R. pavada visu laiku, cenšoties mani pierunāt padejot ar viņiem cerībā, ka viņi varētu kļūt nekautrīgi. Skaidrs, ka viņi visi ir nekautrīgi, taču ne tādā izpratnē, kā vajag viņam. Toties Pols Robsons – tas nu gan reiz ir vīrietis, ar kuru es gribētu padejot! Vai Tu spēj iztēloties, ko par to teiktu Vecais Sargkareivis?

Ak, es ceru, ka man ir izdevies likt Tev nosarkt!

Sūtot milzum daudz šķīstu, pāvesta svētītu skūpstu,

Bī

Sieviete pagrozīja to pirkstos ar sarauktu pieri.

– Nekad neesmu redzējusi neko tādu, – viņa atzina, pasniegdama to atpakaļ Keitai. – Tas nav īsti mans lauciņš. Tā izskatās pēc veca gaidu žetona vai tamlīdzīgi. Jūs varētu apjautāties Lorensam divdesmit astotajā stendā. Man tā vien liekas, ka tam varētu būt kāds sakars ar karu. Viņš ar to aizraujas jo īpaši.

Keita iebāza nelielo žetonu atpakaļ džinsu kabatā.

– Kur ir divdesmit astotais stends?

– Cauri pasāžai kreisajā pusē un tad līdz pašām beigām, – sieviete norādīja. – Lorenss Frīdmens.

– Pateicos.

Keita izgāja cauri Alfija krāmu tirdziņa pasāžai ar cieši novietotajiem, cilvēku pilnajiem stendiem, kas bija kā piebāzti ar mēbelēm, drēbēm, daži ar smalkām senlietām, citi ar nevērtīgu kiču. Alfija tirdziņā atradās kaut kas ikvienai gaumei. Izvietojies četros stāvos, tas bija viens no Eiropas lielākajiem senlietu tirdziņiem un liela dārgumu krātuve, kur pagātne atdzīvojās brīnišķīgajās kaislīgu entuziastu kolekcijās.

Pašā dziļumā Keita pamanīja divdesmit astoto stendu. Tur bija atrodamas rotaslietas – pulksteņi, briljanti, brošas, pērles, un tas viss darināts pirms tūkstoš deviņi simti piecdesmitā gada un šis un tas pat pavaldonības laikā. Bārdains vīrs vecumā mazliet pāri piecdesmit sēdēja, lasīdams avīzi *Sun*. Viņš pacēla galvu un salocīja avīzi, Keitai pienākot klāt.

– Labdien, – Keita pasmaidīja, – vai jūs būtu Lorenss?

– Pilnīgi noteikti. – Viņš piecēlās kājās. – Kā varu jums palīdzēt?

– Iedomājos, ka varbūt jūs varētu sniegt man konsultāciju.

– Varu mēģināt.

– Man te ir kas tāds, ko nespēju saprast. – Viņa izņēma žetonu ārā un uzlika uz stikla letes viņiem pa vidu. – Man teica, ka jūs varēšot man līdzēt.

Vīrietis pacēla to gaisā. Tā bija nobružāta, tumši zaļā krāsā. Centrā atradās zeltaina svece ar burtiem SDB. Ap malu bija izlasāms uzraksts "Balva ir cienīga un cerības lielas".

Vīrietis palūkojās uz viņu un sarauca pieri.

– Kur jūs to dabūjāt?

– Atradu. Kas tas ir?

– Nu, agrāk nekad neesmu nevienu tādu redzējis, – viņš lēni noteica, – taču domāju, ka tas ir Svētā Džordža biedrības žetons. – Viņš apgrieza to otrādi. – Pagaidiet mirklīti... kas tas? – Izņēmis palielināmo stiklu, viņš uzmanīgi nopētīja aizmuguri. – Te ir uzraksts. Ak kungs, ir nu gan mazi burti! – Viņš piemiedza acis. – "Dievs teica: lai top gaisma, un radies Tu". – Viņš pacēla galvu. – Ļoti dīvaini.

– To es agrāk nebiju ievērojusi. Kas ir šī Svētā Džordža biedrība? Nekad neesmu par tādu dzirdējusi.

– Nē, – viņš atteica, – skaidrs, ka neesat. Patiesībā man likās, ka tā varētu būt vienīgi leģenda. Proti, tā man likās līdz šim. Acīmredzot tā bijusi diletantiska organizācija, kas tika izveidota starpkaru laikā. Viņu mērķis bija tīrāka, kultūras ziņā pārāka Lielbritānija. Tāpēc arī Svētā Džordža tēls. Lielbritānija, kurā valda briti un kas domāta britiem. Tāda veida pasākums. Tā nepastāvēja ilgi. Tolaik tā bija gluži populāra koncepcija – diemžēl. Jo īpaši augstākās sabiedrības aprindās. – Viņš atkal apgrieza žetonu otrādi. – Tas ir īsts atradums. Klīst runas, ka viņi bijuši ietekmīgāki pat par Klīvdenas grupu. Un ārkārtīgi izmeklēti. Slepena pagrīdes kustība.

– Jūs esat par to pārliecināts?

Kā gan tas saderējās ar smejošo sabiedrības dāmu, kura pozēja Veneras tēlā, piespiedusi sev klāt šķirnes suni ar briljantiem rotātu kaklasiksnu? Tas nelikās loģiski.

– Nu, kā jau teicu, nekad agrāk neesmu nevienu tādu redzējis. Taču esmu par to lasījis. Bija kāda avīze ar nosaukumu *The Week*, kas bija veltīta šādām privātām politiskām organizācijām ar mērķi tās atmaskot. Vienīgā nelaime bija tāda, ka savu komunistisko noslieču dēļ pie varas esošie to neuztvēra nopietni. Mūžam viens un tas pats: mazākums valda pār vairākumu. Un tas viss notiek nemanot. Došu jums par to piecdesmit mārciņas.

– Nebiju domājusi to pārdot.

– Labāku cenu jūs neatradīsiet.

– Nē, nedomāju, ka atradīšu. Vai jūs esat kaut ko dzirdējis par Nikolasu Vobērtonu?

– Par ko?

– Neko. Neņemiet vērā. Jūs man ļoti palīdzējāt.

Vīrietis pašūpoja galvu.

– Dodiet man ziņu, ja mainīsiet domas. Varbūt es pat varētu paaugstināt cenu līdz septiņdesmit piecām mārciņām.

Keita pastiepa plaukstu.

Viņš negribīgi ielika tajā žetonu.

– Te būs mana vizītkarte. Katram gadījumam.

– Paldies.

– Apsoliet, ka neiesiet pie kāda cita, labi?

Viņa ielika žetonu kabatā.

– Labi, protams, – viņa apsolīja. – Un vēlreiz paldies.

Dodamās atpakaļ cauri pasāžai, viņa apgrieza žetonu otrādi, pārbraukdama ar pirkstiem pāri tā nobružātajai emaljas virsmai. Kāpēc cilvēkiem vajadzēja izgatavot žetonus organizācijām, kurām bija paredzēts palikt slepenām? Viņiem taču vajadzētu izvairīties no jebkādas reklāmas. Tas viss likās pilnīgi greizi.

Keita ielika žetonu atpakaļ somā un pārbaudīja savu mobilo telefonu.

Nekā.

Nekādu īsziņu, nekādas informācijas.

Viņa nospieda atbloķēšanas pogu, tikai lai pārbaudītu, vai telefons darbojas. Tas darbojās.

Pat neviena neatbildēta zvana.

Izgājusi ārā no pustumšās, putekļainās tirgus ēkas pēcpusdienas saules spēcīgajos staros, Keita saprata, ka jūtas viegla, gluži kā krava, kas noskalota no klāja un tagad bezmērķīgi peld pa straumi.

Vai viņš tiešām bija pārstājis censties ar viņu sazināties?

Viņai vajadzēja justies atvieglotai. Galu galā tieši to viņa bija vēlējusies.

Vai tad ne?

Apstājusies Čērčstrītas un Lisongrovas stūrī, viņa svārstījās.

Viņa īsti nezināja, kuru ceļu lai izvēlas, ko tagad darīt. Londona likās sveša, uzmācīga, nomācoša. Keita devās apsēsties tuvākās autobusu pieturas būdiņā, juzdamās pateicīga par tās sniegto ēnu. Un, atkal izņēmusi no somas savu dienasgrāmatu, viņa to pāršķirstīja, pārlasīdama bibliotēkā izdarītās piezīmes.

Taču, šķirstot agrāko mēnešu lapas, viņas skatiens aizķērās aiz konkrētiem nozīmīgiem datumiem, kas bija izcelti vai apvilkti ar sarkanu pildspalvu. Un viņa domās atgriezās atsevišķos stūrīšos restorānos, nomaļu viesnīcu numuros, pie slepenajām dzīrēm, kas bija noteikušas viņas dienu un pēc tam nedēļu ritējumu. Keita neapzināti pārlaida pirkstus pāri gludajai pērļu virtenei ap kaklu.

Kāpēc viņa bija tās šodien uzlikusi? Aiz paraduma? Lai piesauktu veiksmi? Vai varbūt lai atgādinātu sev, ka reiz kāds ir viņu mīlējis?

Toreiz, kad viņš tās dāvināja, ārā sniga. Viņš bija pasniedzis kaklarotu tumši zilā ādas kārbiņā, kur pērles izcēlās melnā atlasa krokās kā lielas, plūksnainas pārslas, kas piepilda naksnīgās debesis ārpusē.

– Domā par mani, – viņš bija sacījis, aplikdams tās Keitai ap kaklu un aiztaisīdams zelta āķīti, pirms noskūpstīt viņu uz skausta, uz maigā izliekuma aiz auss un tad ļoti lēnām liekdamies zemāk, lai skūpstītu visu pārējo...

Un te nu viņa bija, domājot par to vasaras karstumā tik daudzu tūkstošu jūdžu attālumā.

Viņš nebija skaists. Viņš bija žilbinošs. Gara auguma, melniem matiem, vēl melnākām acīm. Taču viņā pazibēja spīvums, untumainas dzīles. Viņa vaibsti nebija harmoniski, tiem nepiemita skaistumam nepieciešamās proporcijas. Tomēr, kad viņš pasmaidīja, viņa seja atdzīvojās un telpa iegaismojās. Viņam piemita harizma, spēks.

Un, bez šaubām, pirmajā reizē, kad Keita viņu ieraudzīja, viņš bija ģērbies smokingā. Vīrieši izskatās savādāk smokingos. Svinību zālē. Un sievietes izskatās savādāk vakarkleitās.

Viņa turp bija devusies kopā ar Dereku. Dereks pavadīja daudz laika, dibinot kontaktus viesībās un nozīmīgos pasākumos. Viņam bija jāvada veikals, jāmeklē klienti. Viņam patika, ja viņu redz. Un milzīga nozīme bija tam, ar ko viņš ir kopā. Visā abu pazīšanās laikā viņš ne reizes nemēģināja pieskarties Keitai. Viņa bija pilnīgi pārliecināta, ka nav nekas vairāk par pavadoni: drīzāk dārgs aksesuārs nekā īsta partnere. Turklāt viņai nebija ne naudas, ne sakaru. Ja viņa būtu bagāta, varbūt viņš spētu izdarīt gandrīz jebko. Viņš bija nepārspējams. Viņa patiesā būtība bija tik pretišķīga, ka Keita nekad nejutās droša ne par ko, pat par visvienkāršākajām patiesībām saistībā ar viņa raksturu.

Taču šis vakars bija izcils – izredzētajiem domāts labdarības pasākums. Dereks bija viņu uzaicinājis jau pirms vairākiem mēnešiem, taču Keita bija tik aizņemta, ka gandrīz aizmirsa. Beigu beigās viņš bija to aizsūtījis uz dārgu frizētavu un pie manikīres, un pat personiski izvēlējās viņas kleitu. Tā bija no smaragdzaļa zīda, Kelvina Kleina darinājums: visgreznākā kleita, kādu Keita jebkad redzējusi, nemaz nerunājot par valkāšanu. Tā bija vienkārša, izsmalcināta un izdevīgi ieskāva viņas stāvu. Dīvaini, ka viņš bija tik precīzi zinājis viņas kleitas izmēru, zinājis, kas viņai piestāvēs tik biedējoši labi. Un uz dažām minūtēm Keita bija iedomājusies, ka varbūt Dereka interese par viņu ir dziļāka. Vēl atbruņojošāks bija fakts, ka viņa skaidri nezināja, kā to uztvert. Tomēr tas piešķīra vakaram zināmu seksuālu spriedzi un, braucot mašīnā uz svinību vietu, Keita bija centusies runāt pēc iespējas mazāk, lai iejustos šajā dīvainajā jaunajā grāmatas nodaļā, kas pavērās viņu starpā.

Kad viņi ieradās, Keitai bija vajadzīga tikai minūte, lai aptvertu, kas nav kārtībā: visi pārējie bija ģērbušies melnbaltos toņos, un tā nebija tikai sagadīšanās, bet gan iepriekš noteikts stils.

– Es vienīgā te neiederos! – viņa bija iešņākusi Derekam ausī nosarkdama un noliekdama galvu, lai izvairītos no pārsteigtajiem pārējo viesu skatieniem. – Izskatās, it kā es to būtu izdarījusi tīšām!

– Godīga kļūdīšanās. – Viņš bija viltīgi pasmaidījis. – Bet, mana mīļā, šī ir zāle, kas pilna ar sejām, un tikai tavējā izceļas. Tam vajadzētu būt pozitīvam faktoram.

Un viņam izrādījās taisnība. Ne visi skatieni bija nosodoši, daudzi pauda apbrīnu.

– Stāvi taisni, izries plecus. Un runā ar vēl izteiktāku akcentu, labi? Man ir jāpastrādā, kas nozīmē, ka tev arī nāksies darīt to pašu.

Un viņa bija to darījusi. Jebkādas mašīnā radušās ilūzijas izgaisa. Smiedamās viņa aizgūtnēm skaidroja, ka neesot zinājusi, ka šīs ir melnbaltās viesības, ka jūtoties kā pilnīga muļķe, un cilvēki atvilga, apgalvodami, ka viņa izskatās žilbinoši. Un viņa nepaguva ne attapties, kad jau dejoja, pievērsdama sev nebijušu uzmanību. Lielākoties ar Dereka klienšu pavecajiem vīriem, kad šīs sievietes vēlējās iečukstēt kaut ko cita par citu viņa vērīgajā ausī, kamēr kāds aizvilka viņu vīrus nost no galda, izklaidējot tos uz deju grīdas. Palicis divatā ar viņām, Konstantains ķircināja un glaimoja, jokoja un pierunāja, nevērīgi pieminēdams kādu lietu, kuru šomēnes saņemšot no Francijas, kas esot neticami reta un ka viņš to patiesībā apsolījis kādai citai, bet, ja reiz viņas esot tik labas draudzenes, viņš varētu noorganizēt ekskluzīvu apskati...

Un viņš bija nolūkojis vienu konkrētu klienti. Heiliju Kešelu, pasākuma patronesi un organizētāju, sabiedrības skaistuli un izdevniecību magnāta Henrija Kešela sievu. Viņa nesen bija iegādājusies divstāvu dzīvokli debesskrāpja augšstāvā, kuru šobrīd ar vērienu pārveidoja. Ar savu ledaino izturēšanos un slaido, statujai līdzīgo augumu viņa atradās uzmanības centrā ikvienā telpā, kurā iegāja, pieprasot uzmanību pavēlnieciskā nevērībā. Viņas izskats bija noslīpēts līdz Ņujorkas prasīgajam ideāla standartam: gaiši mati piesātinātā tonī ar dārgām šķipsnām, platas, brūnas acis un augsta piere. Viņai piemita ambīcijas – gan politiskas, gan sociālas, un kaislīga daba, ko apslēpa gandrīz vai komiski klišejisks dienvidnieces šarms. Kad viņa pievērsa kādam savu spožo smaidu, viņas siltajai uzmanībai bija neiespējami pretoties. Viņas vīrs Henrijs salīdzinājumā likās raupjš. Viņš bija uzņēmējs, vienkārši un nesatricināmi. Un viņi reti rādījās sabiedrībā kopā, ņemot vērā Henrija cienījamo vecumu un pieblīvēto darba grafiku. Toties Heilijai bija vesels bars "staigātāju" jeb "skaistuļu", kā viņa tos jokojot dēvēja – vīrieši, kuri viņu pavadīja uz dažādiem pasākumiem: daži no tiem bija heteroseksuāli, citi nē, daži bija mīļākie, bet citi nekas vairāk par ļoti uzmanīgiem, ārkārtīgi fotogēniskiem draugiem.

Keita sajuta bijīgo uzmanību, kas pavadīja Heilijas ienākšanu brīdī, kad pasākums jau ritēja pilnā sparā, un tai sekojošo tenku histērijas sliedi. Viņas kleita piegulēja augumam līdz pēdējai krociņai – mirdzošs, sudrabains izstrādājums bez lencītēm. Un viņai pa pēdām sekoja vēl viena sieviete, mazāk uzkrītoša, taču ne mazāk žilbinoša, ar gariem, tumšiem matiem, karalisku izturēšanos un dzidri pelēkām acīm, ģērbusies melnā, cieši pieguļošā un nevainojami pašūtā džersijas kleitā.

Dereks atnāca Keitai pakaļ.

– Laiks ķerties pie darba, eņģelīt. Es gribu, lai tu nostātos tur. – Viņš novietoja Keitu pie bāra.

Tas atgādināja audiences gaidīšanu pie karalienes. Heilija lēnām virzījās cauri cilvēku rindām sarokodamās, smiedamās un mezdama gaisa skūpstus. Tad viņa pamanīja Keitu viņas zaļajā kleitā. Sievietes acis piemiedzās, lai arī viņas smaids bija tikpat plats kā pirms tam. Smiedamās viņa pienāca tiem klāt.

– Ak vai! Nu, katru gadu pa vienai tādai atrodas. – Viņa nostājās Keitai līdzās, kamēr ap abām riņķoja dučiem fotogrāfu, zibinādami zibspuldzes. – Ļaujiet man minēt: jūs esat aktrise. Vai topošā modele.

– N-nē, man ļoti žēl, – Keita stostījās, šīs piepešās uzmanības apmulsināta, – redziet, man nebija ne jausmas...

Otra sieviete pienāca klāt aiz Heilijas, vieglītēm uzlikdama plaukstu uz viņas elkoņa. Heilija pagriezās.

– Ko tu domā, Annemarij?

Annemarija vēsi nopētīja Keitu, itin kā viņa nebūtu nekas vairāk par krēslu vai kādu citu nedzīvu priekšmetu.

– Es personiski, – viņa nopūtās, runādama ar mīkstu franču akcentu, acīm strauji pārskatot telpu, – biju domājusi, ka šogad kleita būs sarkana. – Viņa viegli saspieda Heilijas roku un tad devās tālāk, juzdamās garlaikota par šo tēmu. Drīz vien viņu ieskāva viņas pašas apbrīnotāju pūlis, ko iezīmēja gaisa skūpsti un viegli sajūsmas saucieni.

– Tā bija mana vaina, – Dereks iejaucās, satverdams Heilijas roku. – Nabaga meitene piedevām pie visa ir gleznotāja. Es biju tik ļoti aizņemts, ka nepastāstīju viņai par ģērbšanās stilu. Dereks Konstantains. Es esmu Glorijas Roulendsas un Ronas Kleinas draugs. Un, bez šaubām, vēlos vērst visu par labu.

Heilija pievērsa skatienu viņam.

– Vai šobrīd jūs to darāt?

– Es esmu satriekts, – viņš apgalvoja.

Viņa to mazliet apdomāja un tad atkal pievērsās Keitai.

– Gleznotāja?

– Jā. Man patiešām nebija ne jausmas.

– Tātad jūs esat angliete.

– Jā.

– Nu, tas, iespējams, šo to izskaidro. Parasti tā rīkojas aktrises, kas vēlas iekļūt avīzēs. – Sieviete atkal uzrunāja Dereku. – Vai jūs neesat tas dīleris, kurš sameklēja Glorijai to sešpadsmitā gadsimta spāņu galdu, ko?

Viņš pamāja.

– Jums ir lieliska atmiņa.

– Atceros, ka mēģināju to no viņas pārpirkt, bet viņa nebija ar mieru no tā šķirties ne par kādu naudu! – Heilija pagriezās, nopētīdama telpu, un aizkaitināti sarauca pieri. – Nesaprotu, kur palicis mans pavadonis! Pēc brīža viņi gribēs uzņemt attēlus uz deju grīdas.

– Varbūt varu palūkoties, vai neatradīšu jūsu vīru?

– Manu vīru! – viņa dzidri iesmējās. – Ak kungs, nē taču! Es neesmu tik tālu dzīvē tikusi, lai tagad dejotu ar savu vīru! Nē, manā rīcībā šovakar ir brīnišķīgs jauneklis no Hārvardas airēšanas komandas. Vienīgā nelaime, ka šiem jaunajiem pāviem patīk nozust un stundām ilgi stāvēt pie spoguļa. Tiklīdz viņi jūtas apburti, ir grūti viņus no tā atraut!

Dereks nozibināja nedabiski baltu zobu rindu.

– Nu, zinu, ka esmu slikts aizstājējs, bet varbūt jūs man tomēr atļautu, – viņš sacīja, piedāvādams savu roku.

Keita noskatījās, kā viņš pavada sievieti līdz deju grīdas vidum, aplicis roku viņai ap vidukli. Tad sāka spēlēt mūzika. Dereks kaut ko čukstēja viņai ausī, un viņa smējās, atmezdama galvu atpakaļ, kamēr zāli pāršalca aplausu vilnis. Viņš atradās iekšpusē, tieši tur, kur bija iecerējis nonākt. Un viņam bija vajadzīga tikai viena neveikla angļu meitene un koši zaļa kleita.

No pūļa noklīdis fotogrāfs atkal smiedamies noklikšķināja slēdzi.

– Lieliska uzdrošināšanās, mazā!

Keita juta, kā viņas vaigi pietvīkst. Zaļajai kleitai vajadzēja likt viņai sajusties neievainojamai, taču viņa jutās pazemota. Viņas galva pulsēja, itin kā būtu divreiz lielāka nekā parasti. Viņa iemuka dāmistabā. Formastērpā ģērbusies darbiniece apslaucīja izlietnes un iztukšoja sīknaudas trauku, darīdama visus tos sīkos darbiņus, kas jādara apkopējām, ieskaitot bļodu piepildīšanu ar ūdeni un nelielu dvielīšu sarindošanu. Un telpa bija pilna ar citām viešņām, kuras tenkoja, pūderēja degunus un pārbaudīja grimu. Tiklīdz Keita ienāca iekšā, viņa sajuta citu sieviešu skatienus un sadzirdēja viņu čukstus. Iegājusi kabīnē, viņa ieslēdzās un, atslīgusi uz tualetes poda, saķēra galvu rokās.

Ja vien viņa varētu tikt prom no šejienes, doties mājās. Taču Dereks bija iztērējis par viņu visu to naudu. Viņa sajutās pateicību parādā, iedzīta slazdā.

Keita izgāja no dāmistabas un apstājās, īsti nezinādama, ko tagad iesākt, baidīdamās no atgriešanās zālē.

Deju zāle atradās labajā pusē.

Viesnīcas bārs atradās pa kreisi.

Viņa uzmeta desmitnieku uz bāra.

– *Jack Daniels*, lūdzu.

Pat nepapūlēdamās apsēsties, viņa to iztukšoja vienā rāvienā. Viņai bija vajadzīga drosme.

Keita atkal pamāja bārmenim.

– Vēl vienu, lūdzu.

– Neņem pie sirds, – ierunājās kāda balss.

Viņa pacēla galvu. Viņš bija vecāks, ap četrdesmit pieciem gadiem, un turēja rokā alus glāzi.

– Nejaucieties citu darīšanās.

Viņš iesmējās.

– Pareizi vien ir. Starp citu, skaista kleita.

– Ar visu pienākošos cieņu, atšujieties.

Viņš pasmaidīja.

Viņā jautās kas īpašs – tajā, kā viņš skatījās uz Keitu. No paša pirmā brīža viņai radās sajūta, it kā viņa būtu maza stikla bumbiņa, kas ripo lejup pa kalnu pretī neizbēgamajam galam.

Viņa atkal pievērsās savam dzērienam.

– Angliete, ko? – Vīrietis uzsita pa cigarešu paciņu. – Tajā, kā jūs to sakāt, slēpjas īpašs šarms.

Keita izmeta savu otro glāzi un nolika naudu uz bāra.

– Taču, ja tu gribi tā dzert, tev noteikti nevajadzētu dzert vienai, – viņš norādīja, piedāvādams Keitai cigareti.

Viņa nepievērsa tam uzmanību.

– Es pati sev esmu vislabākā sabiedrībā. Turklāt, – viņa izlēma, – es dodos mājās.

– Laba doma. – Viņš iebāza mutē divas cigaretes, aizdedzināja tās un pasniedza vienu viņai.

Keita atbalstījās pret bāru. Dzēriens jau bija iesitis viņai galvā, ar savu karstumu apdedzinādams rīkli un palēnām ielīdams kuņģī. Un viņas domas jau bija kļuvušas par mazu drusciņu lēnākas. Spiediena vārstulis bija atrasts un kuru katru mirkli varēja atbrīvoties. Viņa sajutās bīstama, brīva.

– Un ko tad, ja es nesmēķēju?

– Tad es būšu pataisījis sevi par ākstu, – viņš pasmaidīja.

Viņš pat nebija izskatīgs. Keita atcerējās, ka tobrīd bija to nospriedusi: viņš pat nav izskatīgs – tas ir, tradicionālajā izpratnē. Tomēr viņš bija ļoti pašpārliecināts.

Viņa apsēdās uz viena no bāra ķebļiem un paņēma cigareti.

– Vai jūs negrasāties izmaksāt man dzeramo?

Viņš papurināja galvu.

– Domāju, ka tev jau būs diezgan.

Keita dziļi ievilka dūmu, lēnām izpūzdama strūkliņu caur nāsīm.

– Un piedevām vēl arī domu nolasītājs.

– Kur ir tavs pavadonis?

– Dejo ar kādu citu. Un jūsējā?

Viņš nobirdināja pelnus pelnutraukā.

– Neapšaubāmi dara to pašu.

– Nu, šī galu galā ir balle.

– Starp citu, mani sauc Alekss.

– Keita.

– Ar ko tu nodarbojies?

– Esmu māksliniece.

– Vai es varētu būt redzējis tavus darbus? Tu esi slavena?

– Kā tad. – Viņa to sāniski uzlūkoja. – Ir pienācis laiks ieguldīt, kamēr vēl mana vērtība nav kļuvusi neaizsniedzama.

Viņš iesmējās.

– Vai tā ir?

– Un tu? – Viņa atbalstīja zodu plaukstā. – Vai tu esi slavens?

– Jā. – Viņš ievilka dūmu. – Bagāts un slavens.

– Tad kāpēc es tevi nepazīstu?

Viņš paraustīja plecus.

– Ar ko tu nodarbojies?

Vīrietis paraudzījās uz viņu.

– Tev tiešām nav ne jausmas, kas es esmu?

– Skaidrs, ka ne. Tu esi puisis, kurš negrib man izmaksāt dzeramo.

Viņš pamāja bārmenim, kurš ielēja vēl divus viskijus. Keita atkal izmeta savējo vienā malkā.

– Paldies. – Tad viņa nodzēsa cigareti pelnutraukā, noslīdēja no ķebļa un paņēma savu vakara somiņu. – Novēlu patīkamu vakaru.

– Un tas būs viss? – Viņš ieslidināja cigaretes krūšu kabatā un arī piecēlās.

– Jā, tas būs viss.

– Kāds ir tavs uzvārds?

– Kāda tev daļa?

– Vai tu vienmēr esi tik rupja?

– Uzskati to par tiešumu.

– Vai tu kādreiz ēd?

– Visu laiku.

Vīrietis sabāza rokas kabatās un pašūpojās uz papēžiem.

– Ko tu domā par svešiem vīriešiem?

– Tā ir mana iecienītākā suga.

– Vai tas ir fakts?

– Jā, – viņa pamāja. – Un man patīk, ja viņi tādi arī paliek.

Aizgriezdamās viņa sev uzsmaidīja un izgāja no bāra.

Deju zālē pasākums ritēja pilnā sparā. Viskijs bija piešķīris Keitai drosmi. Nu jau viņas kleita tik un tā bija pārstājusi izsaukt ievērību. Dereks flirtēja ar Heiliju Kešelu pie viņas galdiņa, piepildīdams viņas glāzi, paliekdamies uz priekšu, lai ieklausītos ikvienā viņas izteiktajā piezīmē, un skaļi smiedamies. Viņš staroja kā cilvēks, kurš ir to paveicis. Keita bija izpildījusi savu misiju. Tagad droši vien bija piemērots brīdis, lai viņa atvainotos un dotos projām.

Viņa spraucās cauri pūlim uz Dereka pusi, kad kāds satvēra viņas roku. Keita pagriezās.

Vīrietis bija pievērsis viņai savu tumšo acu skatienu.

– Vai drīkstu tevi aicināt uz šo deju?

– Es nupat grasījos...

Viņš pievilka Keitu sev klāt.

– Aizveries un dejo ar mani.

Viņš smaržoja labi, un viņa roka glāstīja Keitas kailo muguru, abiem līgojoties mūzikas ritmā. Vīrietis apgrieza viņu otrādi.

– Man tev būs pasūtījums.

– Tu pat nepazīsti mani un manus darbus!

– Nu un tad?

– Un es nepazīstu tevi.

– Ko tu gribi zināt? Mana mīļākā krāsa ir melnā. Man patīk suņi, nevis kaķi. Ja man ir zodiaka zīme, tā mani neinteresē. Un es neticu veiksmei, es ticu iekšām.

– Acīmredzami. Kur ir tava pavadone? – viņa jautāja vēlreiz.

– Viņa nav mana pavadone. Vai negribi dzirdēt manu piedāvājumu?

– Nē. – Keita atrāvās. Pārējie pāri griezās un šūpojās uz deju grīdas, viņu atspulgiem atkārtojoties lielajos spoguļos visapkārt zālei.

– Skaidrs. Daži cilvēki baidās no panākumiem. Baidās no tā, ka viņi patiešām varētu būt dzīvi. – Tagad viņš centās Keitai iedzelt.

– Es nebaidos ne no kā. – Viņa devās projām, izgāja no cilvēku pārpilnās deju zāles, pat neatvadījusies. Viņa zināja, ka tad, ja vēlētos izbēgt pavisam, viņai tikai vajadzētu kustēties mazliet apņēmīgāk, mazliet ātrāk.

Taču viņa to nedarīja. Viņa kustējās gurdi, apzinādamās, ka viņš samazina attālumu abu starpā, ka vēl pēc brīža viņš to panāks.

Kad tas notika, vīrietis satvēra viņas roku.

– Ko tu dari? – viņa iesmējās, ļaudama viņam vilkt sevi uz priekšu pa gaiteni. – Man jābrauc mājās.

Viņš bīdīja Keitu uz vestibila pusi, tuvāk izejai.

– Vai tiešām?

Viņa pagriezās pret vīrieti, pārāk smagnēji atbalstīdamās uz viņa rokas, piespiezdama savu augumu pie viņējā.

– Ko tu dari? – viņa jautāja vēlreiz, šoreiz klusāk.

– Es tevi nolaupu.

– Un ko tad, ja tu man nepatīc?

– Kas tev liek domāt, ka tu man patīc?

– Vai tu nolaupi ikvienu sievieti, ko satiec?

– Nē. – Viņa skatiens bija ciešs. – Nekad.

Tagad viņi jau atradās ārpusē, uz trotuāra. Bija satumsis, gaiss kļuvis vēss. Šveicars stāvēja, lūkodamies tālumā un nepievērsdams viņiem uzmanību.

Vīrietis novicināja roku, un viņam klāt piebrauca garš, melns mersedess.

Keita neticīgi iesmējās.

– Tikai nesaki man, ka tas ir tavējais!

– Jā.

– Tātad tu esi viens no tiem puišiem, kam ir savs personiskais šoferis?

– Jā, tas esmu es. Puisis ar personisko šoferi. – Viņš atrāva mašīnas durvis. – Kāp iekšā.

– Kāpēc?

– Lai es varētu pavadīt tevi mājās.

Keita palūkojās uz viņu. Uz mirkli vīrietis viņai atgādināja tēvu, viņa smaržu, viņa plātību, briesmas un seksualitāti, kas plūda no viņa nevaldāmos viļņos – nekritiska un samaitājoša. Tas bija maldinoši, taču pazīstami. Keita jutās sajūsmināta, iekāres un nervozitātes pārņemta.

– Es tā nerīkojos.

Vīrieša balss bija klusa, taču skaidra.

– Skaidrs, ka rīkojies. Taču tikai ar mani.

Cik ilgs laiks bija pagājis kopš viņas ieiešanas bārā līdz brīdim, kad viņa gulēja aizmugures sēdekļa tumsā, skūpstīdamās ar viņu, ar pirkstiem bužinādama viņa tumšos matus?

Varbūt stunda?

Un cik daudz laika vajadzēja vēl līdz brīdim, kad zaļā zīda kleita bija nomesta kaudzē uz grīdas un viņš piespiedās Keitai klāt, itin kā viņa tam piederētu un vienmēr piederēs?

Pie pieturas piebrauca autobuss; durvis čīkstot atvērās.

– Kāpsiet iekšā? – šoferis uzsauca.

Viņš bija mīlējis viņu, vai ne? Savā ziņā.

– Ei, kundzīt, – šoferis sauca jau skaļāk, – jūs kāpsiet iekšā vai kā?

Keita pacēla galvu, lai ieraudzītu šofera sarkano, sasvīdušo seju, aiz viņa stāvošo cilvēku nogurušās sejas, kas aizkaitināti viņu uzlūkoja.

– Iekšā vai ārā? Jā vai nē? – viņš neatlaidās.

Keita papurināja galvu, un durvis aizcirtās, autobuss aizbrauca.

Nu viņa sēdēja te, nezinādama, kurp doties, vajādama rēgus.

Nevajadzēja nemaz tik ilgu laiku, lai samežģītu savu dzīvi.

Sentdžeimsa laukums 5
Londona

1936. gada 3. jūnijā

Manu mazo putniņ!

Mums ar Enu būs kopīgs dzīvoklis! Man beidzot izdevās pārliecināt Viņu, Kurai Jāklausa, par to, ka Ena būs vislieliskākā stabilizējošā ietekme un ka strādāšana kopā ar viņu grāmatu veikalā lieliski iedarbosies uz manu raksturu. Kā jau Tu vari iedomāties, Vecais Sargkareivis tikai priecājas par iespēju tikt no manis vaļā. Tā ka mēs dzīvosim visbrīnišķīgākajā būdiņā Bērdkeidžvoklā, no kurienes paveras burvīgi skati un kur ir ļoti maz faktiskās apdzīvojamās platības. Nespēju Tev ne izteikt, kā es priecājos! Māja atrodas tikai dažu kvartālu attālumā no Belmontas un spļāviena attālumā no Fortnuma (vai kāds nospļaujas un dodas uz Fortnumu?), tāpēc mums nepietrūks nedz labas sabiedrības, nedz tējas un svaigu maizīšu.

Ak jā! Un liels Tev paldies par žetoniem no Sanderlendas meiteņu skolas – tie ir pilnīgi nevainojami ar to fantastiski noslēpumainajām devīzēm! Mēs ar Enu un Niku valkājam tos visur, un nu pat Džeimss ir iesaistījies šajā rotaļā... Tā ir visu laiku labākā ķircināšanās, un visi ir noticējuši, ka mēs piepeši esam kļuvuši briesmīgi nopietni un politiski domājoši, un visi vai beidzas nost no ziņkārības, lai uzzinātu, ko tas viss nozīmē! Mēs pat esam izgudrojuši sava veida "slepenu" sveicienu, kas padara presi vai traku aiz ziņkārības. Tā viņiem vajag – jo īpaši tai smirdīgajai avīžele The Week. Skaidrs, ka Pols ir satriekts par to, ka Ena ir redzēta visās malās ar Džeimsu Danningu, to ļoti asprātīgo, ļoti bagāto parlamenta locekli, kurš vienkārši apber viņu ar briljantiem, ko viņa aktīvi ķer ar abām rokām. Viņa apgalvo, ka šoreiz precēšoties naudas dēļ, jo precēšanās aiz mīlestibas neesot nekam derīga. Man šķiet, ka Pola tēvs ir piespiedis viņu pieņemt darbu bankā, lai samaksātu alimentus. Tā nu ir pagājuši mazo, sarkano kabatlakatiņu un brūnās filca platmales laiki. Ha-ha.

Lai dzīvo dekadentiskā buržuāzija!

MB
Bučas

Pat stāvēdams uz vilciena platformas, Džeks nejutās pārliecināts, vai viņš patiešām brauks. Viņš bija paņēmis līdzi portfeli gadījumam, ja mainīs domas un tā vietā dosies uz biroju. Taču, kad pienāca vilciens, viņš attapās, ka kāpj tajā iekšā, lai dotos pretējā virzienā cilvēkiem, kuri traucās uz Sitiju.

No vienas puses viņš apzinājās, ka nožēlos, ja nebūs aizbraucis. Un tomēr viņš cīnījās ar šo domu un ar sarežģītu izjūtu gūzmu. Galvenokārt jau ar dusmām. Tās bija monumentālas, gluži kā akmeņi, kas šobrīd atradās visapkārt – smags, tumšs marmors Fortūngrīnas kapsētas koku ieskautajā mierā.

Viens kapakmens atgādināja eņģeli, kas sakrustojis rokas virs krūtīm un tur tajās vienu liliju; tēla galva bija noliekta, seju sedza caurspīdīgs plīvurs. Vai tādas bija sēras? Caurspīdīgs filtrs, caur kuru pasaules skaistums un cerība kļuva nesajūtama? Džeks pagāja garām drūmai ģimenes kapličai ar melniem kaļamās dzelzs vārtiem. Augšā atradās liela akmens vāze, ko ieskāva plīvojošs audums. Tā bija iemīļota tēma: pēc nāves dzīvie tika nošķirti no saviem mīļajiem ar durvīm, kas aizvērās uz visiem laikiem, milzīgajam izmisumam apklājot viņus kā ar bieza auduma krokām, nospiežot pie zemes.

Džeks devās uz priekšu pa plato centrālo celiņu, akmentiņiem gurkstot zem vasaras kurpju zolēm. Gaiss bija tīrs, un saules gaisma spoža. Daži cilvēki bija izveduši pastaigā suņus: pāris baltu labradoru smagi elsa un rotaļājās, tikuši prom no saites, lai paspēlētu paslēpes starp kapakmeņiem, un viņu dzīvesprieks un vitalitāte dīvaini kontrastēja ar kapsētas tumšo nopietnību.

Viņš bija aizmirsis, ka tā ir tik skaista. Un tik klusa.

Pie kapličas centrālās ieejas atradās ziedu kiosks. Džeks apstājās. Viņš nebija neko atnesis. Viņam vajadzēja iezīmēt šo dienu, taču ne tradicionālajā izpratnē. Viņam bija sajūta, ka tad, ja viņš beidzot ieraudzīs, ka tas ir beidzies, ka viņa ir aizgājusi, viņš tiks atbrīvots. Un šobrīd Džeks vēlējās būt brīvs. Viņam ļoti vajadzēja atstāt to visu aiz muguras.

Prātā ienāca vārds "piedošana". Viņš iekšēji sadumpojās. Dusmas bija viņu pasargājušas, izvadījušas viņu cauri pirmajam iznīcinošajam gadam un piešķīrušas vienīgo enerģiju, kas viņam bija, lai turpinātu kustēties. Viņš baidījās atbrīvoties no tām aiz bailēm, kuras slēpās aiz dusmām. Taču nu tās atgādināja vijīgus efeju taustekļus, kas tiecas augšup pa slaida koka zariem, pārņemot to savā varā, līdz pamats, uz kura tie atradās, tika apslēpts skatienam.

Džeks devās uz priekšu.

Nogriezies pa slīpu sānu celiņu kapsētas tālajā galā, viņš sajuta, kā sirds sāk sisties straujāk, signalizējot par slimīgu satraukumu kombinācijā ar bailēm, kas plūda dzīslās kā ledains ūdens. Vai viņš to ieraudzīs? Vai atpazīs kapakmeni? Viņš to bija izraudzījies kopā ar viņas tēvu. Tas izrādījās neveikls, mokošs uzdevums. Neviens no abiem nebija spējis uzlūkot otru. Taču Džeks nemūžam nespēja aizmirst viņas tēva seju, kas bija sastingusi drūmā nepanesamas apņēmības maskā, lai darītu to, no kā viņš visvairāk baidījās, tikai lai aiztaupītu šīs sāpes savai sievai.

Tad tas uznira viņa priekšā.

Vai tas bija īstais?

Džeks sarauca pieri un samirkšķināja acis. Tad viņš sajuta dusmu uzplūdu.

Tas bija pareizais kapakmens. Tikai kāds te pabijis vēl pirms viņa.

Pilnziedu baltu rožu pušķis nenāca no kioska līdzās kapličai. Tās bija dārgas, rūpīgi kultivētas, un to ziloņkaula krāsas ziedlapiņas iekrāsoja neuzkrītošs, caurspīdīgs zaļums. Un tās bija smaržīgas, maigajam aromātam paceļoties augšup karstumā, piepildot gaisu ap tām. Ievietotas nelielā smaragdzaļā vāzē, tās piederēja pie tiem izsmalcinātajiem kārtojumiem, kādus iespējams iegādāties tikai pie Vestendas ziedu tirgotājiem. Un tās bija nevainojamas, romantiskas. Ne tādas, kādas varētu atnest viņas vecāki, Donalds un Feja no Rietumsaseksas.

Džeks nolūkojās uz tām, attēlam izplūstot acu priekšā, izsmērējot uz kapakmens uzrakstītos vārdus "Mīļotā sieva" un tiem atkal atgūstot savu agrāko izskatu, kad viņš bija samirkšķinājis acis.

Tam vajadzēja būt privātam brīdim. Privātai laulībai.

Viņš apsvēra, vai nevajadzētu samīt ziedus ar kāju, saberžot tos zem kurpju zolēm.

Tad viņš pamanīja kartīti, kas nokarājās no raupji savītās aukliņas pušķa pamatnē, plīvodama kā tauriņš.

Džeks nevēlējās to apskatīt.

Tomēr viņš to izdarīja, vispirms pieliekdamies un tad apgriezdams kartīti otrādi.

Viņam likās, it kā smaga pēda būtu ietriekusies viņa ribās, izsitot visu gaisu no plaušām, liekot viņam sagrīļoties. Kartīte izslīdēja cauri Džeka pirkstiem, novirpuļojot vieglajā rīta vējā.

Kad viņš atkal piecēlās, viņu pārņēma savāda sajūta, it kā viņš atstātu savu ķermeni, pēdām paliekot mīkstajā, zāļainajā zemē, kamēr gars izlido no tā un paliek karājamies gaisā. Un no sava novērošanas punkta viņš varēja skaidri saskatīt pats savu sejas izteiksmi: tukšo, sakāvi atzinušo acu skatienu, atkārušos žokli, reiz izskatīgos vaibstus, kas piepeši bija novecojuši sarūgtinājuma un apjukuma ietekmē.

Aizgriezies viņš meklēja atpakaļceļu pa grantēto taciņu, kas veda uz garo galveno aleju, garām veikalu rindai un visbeidzot līdz dzelzceļa stacijai.

Tomēr uz kartītes uzrakstītais vārds dūrās sirdī, gluži kā nazis pārgriezdams aizslēģotos kambarus.

Tur bija rakstīts "*Mūžam*".

Bērdkeidžvolka 12
Londona

1936. gada 2. septembrī

Mana dārgā!

Man tik ļoti patika kopā pavadītais laiks – ir tik brīnišķīgi redzēt Tevi, kas pēdējā laikā notiek pārāk reti. Es būšu nomodā visu nakti, domājot par aizraujošajiem deju skatiem no svinga laikiem un to, kā mēs aiz prieka spiedzām un sitām plaukstas, kad Freds Astērs dziedāja "Tas, kā tu šovakar izskaties" – man šķiet, ka kinoteātrī visi par mums smējās! Tas tik ļoti atgādināja agrākos laikus, mīļā. Man gribētos, lai Tu brauktu uz Londonu biežāk!

Redzu, ka tagad Tu atkal esi cerību pilna, pateicoties garajām sarunām ar Nensiju. Viņa dažreiz mēdz būt ļoti interesanta, un viņas uzskati ir tik aizraujoši. Es arī bieži vien esmu lūkojusies uz viņu milzīgā aizgrābtībā. Tomēr man jāteic, ka esmu noraizējusies par to, ka Tu esi tik ļoti aizrāvusies ar viņas idejām. Pirmkārt, Tu zini, ka Svētule būtu gar zemi, ja uzzinātu par Tevi un šo Kristīgās zinātnes kustību. Viņa vienā mirklī panāktu, lai visa Romas katoļu baznīcas valde sanāk pie Tavām namdurvīm. Un, otrkārt, man nepatīk tas, ka Tu it kā vaino pati sevi par savām neveiksmēm. Viss nav atkarīgs no mūsu pašu domām un lūgšanām – Dievs zina, ka neviens nelūdzas vairāk vai nopietnāk par Tevi. Un Tu esi bijusi krietna sieva, lai arī Dievs nav Tevi svētījis ar bērniem. Cik zinu, Malkolms nekad nav par to sūdzējies, turklāt viņam nav iemesla to darīt. (Viņam būtu darīšana ar mani, ja viņš tā rīkotos!) Nespēju samierināties ar to, ka Tu domā – ar Tevi kaut kas nav kārtībā, mana mīļā. Esmu pārliecināta, ka Tu esi tieši tāda, kādu Dievs Tevi iecerējis. Zinu, ka mans viedoklis šajā ziņā maz ko nozīmē, tāpat kā es neesmu tikumības vai uzticības pīlārs. Taču kā cilvēks, kurš Tevi uzticīgi mīl, gribu mudināt Tevi uztvert Nensijas uzskatus plašākā mērogā – drīzāk kā iedomas nevis patiesību. Galu galā viņa ir amerikāniete un daudz jūtīgāka pret modes strāvojumiem.

Kad es Tevi atkal redzēšu? Varbūt nākamreiz mēs varētu aiziet uz teātri? Ak, es tik ļoti ilgojos pēc Tevis!

Mūžam Tava

Mazā

Bučas

Kad Keita tuvojās Vimpolstrītai, viņa ieraudzīja Džeka *Triumph*. Un viņu pārņēma negaidīts, pusaudžiem raksturīgs satraukums, ieliekot atslēgu slēdzenē. Tā bija pirmā reize, kad viņi satiksies pēc kopīgi pavadītā vakara Praimrouzhilā. Un tomēr, neskatoties uz abu sarežģīto sarunu, viss piepeši likās daudz vieglāk atrisināms, labāks. Reičela kaut ko pagatavos, viņi ēdīs un atslābināsies pie ēdamistabas galda... Keita cerēja viņu ieraudzīt un atkal izbaudīt patīkamo sajūtu, ko sniedza atrašanās viņam līdzās.

Nometusi savu somu priekšnamā, viņa devās uz virtuvi. Skaidrs, ka Reičela stāvēja pie virtuves galda un grieza dārzeņus. Džeks stāvēja šaurās telpas tālākajā galā, sabāzis rokas kabatās, un skatījās ārā pa logu. Viņi pagriezās, Keitai ienākot.

– Sveiki, – viņa pasmaidīja. – Tas nu gan ir patīkams pārsteigums. Vai tu paliksi uz vakariņām? – Keita apzinājās, ka runā mazliet uzspēlēti, kā piecdesmito gadu namamāte kādā filmā.

– Es cenšos viņu pierunāt. Paskaties. – Reičela pamāja uz galda pusi. – Viņš ir pabeidzis katalogu rekordīsā laikā!

Keita paņēma biezo papīru žūksni no galda.

– Izskatās lieliski, vai ne? – Reičela lepni pasmaidīja.

– Jā. – Keita pāršķirstīja lapas ar fotoattēliem; bija dīvaini redzēt to visu tik bezkaislīgi sakārtotu. Viņa bija iedomājusies, ka tas prasīs ilgāku laiku. – Labi pastrādāts.

– Pateicos. – Džeks atkal bija aizgriezies, noraudzīdamies lejā uz ielu. Viņš likās tāls un neaizskarams.

Keita paraudzījās uz Reičelu, kura veltīja viņai uzmundrinošu smaidu.

– Ko tu gatavo? – Keita apjautājās, apskaudama tanti.

– Risoto. Paklau, man vajadzēs aizskriet uz veikalu. Jānopērk vēl dažas lietas. Jūs abi varat izklaidēt viens otru, vai ne? – Reičela noslaucīja rokas priekšautā un tad atsēja to, uzmezdama priekšautu uz krēsla atzveltnes. – Ledusskapī ir vīns. Es nopirkšu zemenes, saldo krējumu un merengu, lai varētu sakult Pavlovas kūku. Nekavēšos ilgi.

– Bez problēmām. – Keita paraudzījās uz Džeku.

Taču viņš vēl aizvien bija apņēmīgi uzgriezis Keitai muguru.

Reičela paņēma savu somiņu un atslēgas no priekšnama un devās lejā pa kāpnēm. Durvis aizcirtās.

Keita apsēdās pie virtuves galda.

– Vai viss kārtībā? – Džeks ierunājās, nepagriezdamies pret viņu.

Keita paņēma cukura karotīti. Sāka to virpināt pirkstos, turot aiz viena gala.

– Viss kārtībā. Un tev?

– Viss ir labi.

– Vai gribi kaut ko iedzert? – viņa apjautājās.

– Nē, paldies.

– Cik ilgi tu jau te esi?

– Ne pārāk ilgi.

Keita klusībā pamāja. Karotīte nokrita uz koka galda, skaļi nodzinkstot.

Džeks pagriezās.

– Vai es tevi traucēju?

– Nē. Piedod. Es tikai neesmu... Esmu noguris, tas arī viss. Tad kā tev klājas?

– Labi. Mēs to jau izrunājām.

– Jā. Nuja. – Viņš centās koncentrēties, bet tad, šķiet, atmeta centienus un izberzēja acis. – Viņvakar parkā, kāpēc tu man izstāstīji? – viņš piepeši iejautājās.

– Nezinu. – Džeka tiešums likās apsūdzošs. – Piedod.

– Vai tu esi ķezā?

– Kāpēc? Vai tu piedāvājies mani izglābt?

– Nē, skaidrs, ka nē. Es tikai gribēju teikt, ja tev ir vajadzīga palīdzība, tas ir, ja es varu ko darīt...

– Nē. Turklāt viss jau tāpat ir izdarīts.

– Kā tā?

– Kad tas sākās, es nezināju. Un, kad uzzināju, tas ir, uzzināju no visas tiesas... – Viņa aprāvās.

– Tu aizgāji, – viņš secināja.

– Jā.

– Tātad... – Džeka skatiens urbās viņai sejā, – tagad tas ir beidzies?

Viņa pavirpināja karotīti.

– Jā. Jā, domāju, ka ir gan.

– Nu, tas taču ir beidzies, vai ne? Tu nezināji, ka viņš ir precējies, un, kad uzzināji, tu aizgāji. Un tagad tas ir beidzies, pareizi?

– Tu gribi visu glīti iesaiņot un ielikt kastītē. Vispirms notika tas un tad tas...

– Fakti. Tos sauc par faktiem.

Keita pacēla galvu.

– Vai tava dzīve ir faktu sakopojums, Džek? Mezgla punkti, kas iezīmē augšupejošu sasniegumu līniju?

Viņš nopūtās, nervozi izbraukdams ar pirkstiem caur matiem. Tas viss bija iegājis nepareizās sliedēs.

– Tu gribētu, lai es tev patiktu, vai ne? – viņa turpināja. – Taču tas izrādās grūts uzdevums.

– Tu man patīc. Tur jau tā nelaime. Piedod, ja radīju tev citādu iespaidu. – Viņš paņēma no galda korektūru. – Šovakar neesmu nekāds labais sarunbiedrs. Es pats atradīšu ceļu uz durvīm.

Viņš devās uz durvju pusi, un Keita dzirdēja tās aizcērtamies aiz viņa.

Piepeši viņas acis pieplūda ar asarām. Viņa tās aizslaucīja ar dūri, ļaunodamās uz tām un ļaunodamās uz Džeku. Lai ko viņa darīja, viņš bija apņēmies atrast viņā kādu vainu.

Pēc dažām minūtēm Reičela ienāca iekšā un uzlika uz galda iepirkumus.

– Džeks aizgāja, – Keita strupi paziņoja, palīdzēdama viņai tos izkravāt. – Man ļoti žēl.

– Jā, es viņu satiku. – Reičela atkal apsēja ap vidu priekšautu. – Viņš grib paņemt tādu kā atvaļinājumu, kaut kur aizbraukt uz dažām nedēļām.

– Uz dažām nedēļām? – Keita sajutās personiski aizskarta. – Kāpēc?

Reičela turpretī likās pilnīgi mierīga.

– Viņam ir vajadzīga atpūta. Tā viņam ļoti nāks par labu.

– Nu, viņš varēja par to ieminēties ātrāk, vai tev tā neliekas? – Keita iemetās vienā no vecajiem koka krēsliem, iebāza pirkstu cukurtraukā un nolaizīja saldos graudiņus.

Reičela paraudzījās uz viņu.

– Vai jūs sastrīdējāties?

– Sastrīdējāmies? Kāpēc lai mēs strīdētos?

– Nezinu, – Reičela paraustīja plecus, pievienodama risoto vēl mazliet vistas gaļas un apmaisīdama to. – Jādomā, ka parasto iemeslu dēļ.

– Un kādi tie būtu?

Reičela nepievērsa jautājumam nekādu uzmanību.

– Tev ir jāsaprot, ka viņam šīs ir sarežģīts gadalaiks, mīļā. Ir viņa sievas nāves gadadiena – tas notika pirms diviem gadiem... šajā pašā dienā.

– Ak tā. – Keita samirkšķināja acis, itin kā kāds viņu nupat būtu iepļaukājis. – Es neko par to nezināju.

– Viņa gāja bojā autoavārijā, saduroties divām mašīnām. Abi vadītāji bija beigti uz vietas.

– Cik briesmīgi!

– Taču tas vēl nebija viss. – Reičela pabāza zem krāna pētersīļu pušķīti, lai pēc tam tos rupji sagrieztu un iemaisītu ēdienā. – Viņš mēdza izkratīt sirdi Polam. Izrādās, ka avārija notikusi uz nomaļa ceļa agrā rīta stundā. Viņas mašīna brauca nepareizajā virzienā. Nevis prom no viņas māsas mājas, kur viņa solījās pavadīt nakti, bet gan uz tās pusi. – Reičela apklusa. – Viņam bija vajadzīgs zināms laiks, lai saliktu visu pa plauktiņiem. Man šķiet, ka māsa piesedza viņa sievu. Teica, ka viņa esot aizgājusi staigāt pa veikaliem. Taču, bez šaubām, turienes veikali nav atvērti visu diennakti. Un soma ar viņas tualetes piederumiem vēl aizvien atradās uz aizmugurējā sēdekļa.

Keitas asinis sastinga dzīslās.

– Tu gribi teikt, ka viņai bija romāns?

Reičela pamāja.

– Domāju, ka Džeks negribēja tam ticēt. Un viņas ģimene nekādi nepalīdzēja: viņi turējās pie māsas vārdiem pat tad, kad kļuva skaidrs, ka viņa nerunā patiesību.

Keita iedomājās par Džeka jautājumiem, par to, kā viņš bija vēlējies uzzināt, vai viņa ir izbeigusi savu romānu, uzzinot, ka viņas mīļākais bijis precējies.

– Ak dievs! – Viņa pārlaida roku pāri acīm nogurušā žestā. – Cik briesmīgs veids, kā to uzzināt!

– Kam tādam ir sarežģīti tikt pāri. – Reičela nocēla smago dzelzs pannu no uguns. – Policija bija izsaukusi māsu identificēt līķi, pirms Džeks bija ieradies. Taču pat tad, kad viņi vēlāk atdeva viņas mantas, viņš teica, ka somā bijušas lietas, drēbes, kuras viņš nepazina, nekad agrāk nebija redzējis. It kā soma piederētu pilnīgi citai sievietei.

– Dubulta dzīve.

– Jā. – Reičelas seja apmācās. – Neuzticība lielā mērā ir doktora Džekila un mistera Haida stāsts.

– Vai tu viņu pazini?

– Protams.

Keita pavilcinājās, jūtot, kā pakrūtē savelkas kamols.

– Kāda viņa bija?

– Gudra, labi izglītota. Viņa strādāja televīzijas kompānijas izpētes dienestā. Ļoti godkārīga. – Reičela sarauca degunu, to atcerēdamās. – Man šķiet, ka daudzējādā ziņā viņa bija ļoti prasīga. Tomēr viņai piemita daudz personiska šarma.

– Un... – Vārdi bija ieķērušies Keitai kaklā. Viņa centās runāt nevērīgi. – Es gribu jautāt, vai viņa bija pievilcīga?

– Jā gan! Ļoti skaista meitene. Taču Džeks jau arī ir izskatīgs vīrietis, vai tu tā nedomā?

– Jā... jā, tas tiesa, – Keita piekrita. Agrāk viņa īsti nebija par to aizdomājusies.

– Viņi bija pievilcīgs pāris.

– Uz kurieni viņš grasās doties?

– Varbūt atpakaļ uz Devonu. Visu vajag pārbaudīt pirms izsoles. Un tas ļaus viņam kādu laiku padzīvot ārpus Londonas.

– Tas neizklausās pēc īsta atvaļinājuma.

– Zinu, – Reičela pasmaidīja. – Taču Džeks nav tāds. Un savā ziņā es to saprotu. No vienas puses, tev negribas atrasties starp cilvēkiem, bet, no otras puses, tu īsti nevēlies būt viens pats un neko nedarīt. Ir pienācis laiks tikt ar to galā. – Viņas seja atkal saspringa, un Keita iedomājas par Polu – par to, cik ļoti viņa vēl aizvien ilgojās pēc nelaiķa vīra. – Nomazgā salātu lapas, labi, mīļā?

Keitai vairs nebija ēstgribas, taču viņa tik un tā tās nomazgāja, paturot spoži zaļās ūdenskrešu un spinātu lapas zem aukstā krāna ūdens un tad notecinādama tās caurdurī.

– Kā viņu sauca?

Reičela bija aizņemta ar zemeņu sagriešanu.

– Kā, lūdzu?

– Džeka sievu... kā viņu sauca?

– Ak tā... jā, Džūlija.

Nez kāpēc tas ķēra viņu kā naža dūriens.

Džūlija. Tas bija elegants vārds ar neuzkrītošu muzikalitāti.

Piepeši viņa vairs nebija tālīna ēna. Viņa bija šeit... staigāja pa Londonu, šobrīd atradās vienā telpā kopā ar viņām, sēdēja pie virtuves galda un noklausījās. Vēl svarīgāk bija tas, ka viņa piepildīja Džeka domas pēc pamošanās, vajāja viņu sapņos. Džūlija bija reāla, reālāka, nekā Keita jebkad bija uzskatījusi. Tā bija Keita, kura izrādījās rēgs, tā, kurai nebija īsta pamatojuma vai mērķa viņa dzīvē.

Mehāniski kustēdamās, viņa nocēla no plaukta koka bļodu un sāka tajā plucināt lapas.

Džūlija.

Viņa bija ļoti skaista meitene. Viņi bija pievilcīgs pāris.

Viņa bija neuzticīga.

Nebija nekāds brīnums, ka Džeks aizgāja projām.

Rēna!

Tas bija nelaimes gadījums. Tev man jātic. Es vienkārši biju aizmirsusi, cik daudz izdzēru.

Redzi, ir atmiņas, kas traucē man naktīs iemigt. Atmiņas, kuras es gribētu aizmirst un kas neļauj man gulēt, un tāpēc ārsts man izrakstīja miegazāles.

Taču, no otras puses, es nedomāju, ka Tu kādreiz būtu izdarījusi ko tādu, ko nāktos nožēlot.

Tas bija nelaimes gadījums. Lūdzu, neļauj viņai atkal aizsūtīt mani projām.

Viņš mani nemūžam neprecēs. Nemūžam. Un es nespēju iztēloties, ko esmu izdarījusi nepareizi!

Dī

Džeks apmetās viesu namā Leimredžisā un devās uz Endsliju, lai pavadītu dienu, strādājot vienatnē. Kopš pēdējās apciemojuma reizes tā bija kļuvusi vēl mežonīgāka un nekoptāka. Bez Džo, kas tīrīja, spodrināja un vēdināja veco māju, visu bija pārklājusi caurspīdīgi pelēka putekļu kārta, kas notrulināja skaņas un piešķīra mājai pieklusinātu, kapličai līdzīgu atmosfēru. Bet galvenais, te nebija Keitas. Viņa bija tik cieši saistīta ar Džeka pieredzi šajā mājā, ka bez Keitas tai likās laupīts viss valdzinājums un juteklīskais skaistums. Istabas bija likušās harmoniskākas, patīkamāk iekārtotas toreiz, kad viņa atradās tajās vai gatavojās ienākt. Tagad Džeks klīda pa tām viens pats, domām pārlecot no vienām atmiņām pie otrām bez kādas piesaistes un jēgas.

Pēc kāda laika viņš atrada vecu atskaņotāju, kas bija nostumts kabineta stūrī, un kaudzi ar biezām vinila skaņuplatēm, kurās glabājās operu ieraksti. Viņš tās uzlika pilnā skaļumā un atvēra franču logus mājas sānos. Jusi Bērlinga majestātiskais tenors piepildīja plašās, tukšās istabas, atbalsojoties centrālajā vestibilā ar tā marmora grīdu un spraišļotajiem griestiem.

Un tā nu viņš strādāja, gatavodams sev nebeidzamas krūzes ar stipru melno tēju, metodiski virzīdamies cauri istabām, apzīmēdams un vēlreiz pārbaudīdams, darīdams darbu, kas prasīja tikai nelielu daļu no viņa patiesās uzmanības. Lielo pārdzīvojumu fonā, ko sagādāja *Madame Butterfly*, "Fausts", "Lučija no Lammermūras", viņš cīnījās pats ar savām jūtām un rēgiem, kas spītīgi bija pārņēmuši viņa domas: Džūlija un viņas mīļākais, kurš pat tagad, pēc diviem gadiem vēl aizvien saglabāja ar viņu tādu intimitātes pakāpi, kādu Džeks nekad nebija baudījis – un viņš to zināja.

Viens bija zaudēt sievu. Pavisam kas cits – saprast, ka viņu mīlestība bijusi bezjēdzīga, gluži kā čeks bez seguma.

Gluži kā plate ar dziļu švīku viņa domas visu laiku atkārtojās, aizķērušās aiz brīža, kad patiesība viņu satrieca, vēl un vēlreiz atdzīvinot domās telefona zvanu tajā agrajā svētdienas rītā: zvanam vajadzēja būt no Džūlijas, taču tas izrādījās no Berkšīras policijas pārvaldes darbinieka, kurš runāja nesaprotamus vārdus, kas taču nevarēja būt patiesība. Vienā brīdī Džeks bija omulīgi snaudis, baudīdams iespēju izplesties pa visu gultu, ieklausīdamies putnu dziesmās ārpusē un plānodams savu brīvdienu. Nākamajā brīdī viņš bija piecēlies sēdus, putni nevis dziedāja, bet drīzāk kliedza, un viņš iekšēji krita galvu reibinošā ātrumā, nespēdams nekam pieķerties.

– Viņa ir pie savas māsas, – viņš turpināja apgalvot. – Tā nevar būt viņa.

Policijas darbinieks runāja lēni un pacietīgi.

– Viņas dokumentos minēts Džūlijas Koutsas vārds. Viņai ir tumši brūni mati, un viņa brauca ar melnu *Mini Cooper*.

– Jā, bet...

– Jums jāatbrauc šurp, ser.

– Bet tā nevar būt viņa!

– Ser... – vīrietis uz mirkli apklusa... – kā jūs varat būt par to pārliecināts?

Te tas bija. Kā viņš varēja būt pārliecināts? Izveidojās plaisa, sīciņš plīsums uz viņa patmīlas olas čaumalai līdzīgās virsmas. Tā kļuva aizvien platāka, iznīcinošāka dienas gaitā, līdz jebkāda uzticēšanās savām izjūtām vai dzīves izpratnei pazuda uz visiem laikiem.

– Ser? – Policijas darbinieks gaidīja. – Vai jūs gribētu, lai es sazinos ar viņas māsu? Ja jūs man nosauktu viņas vārdu un telefona numuru, es labprāt parunātu ar viņu personiski. Ser? Vai jūs dzirdat?

Džeks bija dzirdējis par cilvēkiem, kuru pasaule apgriezās ar kājām gaisā vienā mirklī. Viņš bija ārēji simpatizējis, taču iekšēji jutās imūns, pat pāri stāvošs šādiem likteņa pavērsieniem. Bija vajadzīga tikai pareizā attieksme un pūles. Viņš pats spēja visu regulēt.

Taču tā arī izrādījās tikai ilūzija. Viņš nespēja visu regulēt. Vai, pareizāk sakot, vienīgais, kas viņam tagad bija jāregulē, izrādījās viņa reakcijas, viņa izturēšanās, tas, kā tikt galā ar dzīves iedalītajām kārtīm. Tās nebija pietiekoši labas. Viņš vēlējās ko vairāk.

Grieķi to dēvēja par augstprātību. Ko gan tie grieķi vispār zināja?

Par traģēdiju vairāk nekā viņš pats, Džeks sāji nodomāja.

Viņas māsa pati ar viņu nerunāja. Ģimene, kura reiz bija Džeku pieņēmusi un bijusi arī viņējā, jo īpaši pēc viņa tēva slimības saasināšanās, spēra soli atpakaļ. Un Džeks konstatēja, ka viņš vienā mirklī ticis izolēts, nošķirts, pateicoties viņu uzticībai Džūlijai. Neviens neko neteica tieši, netika atzīts tas, kā viņa bija atrasta. Viņi sēroja par savu māsu, par savu bērnu. Džeks palika viens, sērojot arī par savas laulības zudumu. Plaisa kļuva platāka. Viņu starpā sāka augt vārdā nenosaukts naidīgums, kas radās no nepateiktiem vārdiem, tāda kā aizsargāšanās no abām pusēm, kas pakāpeniski kļuva tik cieta kā siena. Vai viņi bija ticējuši, ka Džekam ir kāds sakars ar Džūlijas neuzticību? Ka viņš bija Džūliju tiktāl novedis nevērības vai paša neuzticības dēļ? Vai viņa bija tiem atklājusi, ka nejūtas apmierināta ar savu laulību? Un tā tas izplatījās uz ārpusi kā tāds zirnekļa tīkls, aizstiepdamies arī līdz Džūlijas draugiem – draugiem, kurus Džeks bija uzskatījis arī par savējiem līdz brīdim, kad viņi tikai ar grūtībām spēja ieskatīties Džekam acīs bērēs vai vairs nepūlējās piezvanīt.

Viņš nebija tas, kurš krāpās. Tomēr viņš kļuva par to, kurš sajutās saņēmis sodu par šo dēku.

Tas, kurš bija palicis.

– Tev pienācis laiks dzīvot tālāk, – cilvēki sāka runāt jau pēc nieka sešiem mēnešiem. – Tagad tev jāpārkāpj tam pāri.

Jā, viņam vajadzēja pārkāpt tam pāri, pieņemt to, un samierināties ar pieaugošo vienaldzību no to cilvēku puses, kurus viņš bija uzskatījis par saviem tuviniekiem. Viņam vajadzēja kļūt pieaugušam, dzīvot tālāk.

Dzīve nebija taisnīga. Kurš gan teicis, ka dzīve ir taisnīga? Tātad viņa bija neuzticīga. Laiks tikt pie draudzenes, nopirkt māju... sākt no sākuma.

Tomēr rēta izrādījās pārāk dziļa. Džeks bija zaudējis to, ko nevarēja atļauties zaudēt. Cerību. Parastu taustāmu ticību labajam cilvēkā, mīlestībai.

Vai viņš būtu varējis to novērst? Vai tā viņi uzskatīja?

Viņam prātā atausa vārds uz kartītes. *Mūžam.*

Viņš iedomājās par Keitu.

Vai "mūžam" vispār vairs eksistēja?

Un tā nu domas plūda, nebeidzamas, maniakālas, mokot viņu garo, kluso dienu gaitā kā viļņi, kas sitas pret klintīm, nokausējot viņa garu. Džeks necentās pretoties paisumam un atteicās no cerības izkārpīties no šī stāvokļa. Pārāk ilgi viņš bija sasprindzinājis ikvienu savas būtības collu, cenšoties izvairīties no visaptverošās jūtu gūzmas. Viņš to vairs nespēja ilgāk izturēt. Viņš padevās. Nu un tad, ka viņš nokūleņos lejā bezdibenī? Viņam vairs nepietika enerģijas izlikties normālam. Un šeit tam nebija nozīmes. Viņš bija viens. Viņš varēja staigāt vienās un tajās pašās drēbēs, aizmirst noskūties, ēst vai neēst, kā pašam iepatīkas. Šeit, šajā pamestajā vecajā mājā, jūdzēm tālu no visurienes, viņš varēja niknoties, un neviens nedzirdētu, ja viņš kliegdams skraidītu no vienas istabas otrā.

Endslija bija tikpat iespaidīga un milzīga kā viņa dusmas un bailes, tikpat mežonīga un pamesta novārtā kā viņa bēdas.

Tā nu viņš klausījās, kā Renāte Tebaldi atkal un atkal dzied *Un bel de*, dzerdams aukstu tēju, klīzdams no istabas istabā, pa reizei pastrādādams un pa reizei noguldamies vēsajā, pāraugušajā zālē mājas tuvumā, iesnauzdamies saules gaismā, ļaujot uz īsu brīdi prātam nomierināties vieglā vējiņa un putnu dziesmu iespaidā.

Piektajā dienā viņš ieradās mājā un ieraudzīja piebraucamajā ceļā pazīstamu mašīnu.

Reičela sēdēja uz pakāpieniem pie galvenās ieejas, ģērbusies džinsos un elegantā baltā kreklā ar pogām priekšpusē un sarkanām baletkurpēm kājās, smēķēdama cigareti.

– Tā ir skaistāka, nekā biju iztēlojusies, – viņa ierunājās, pieceldamās kājās. – Un tas, – viņa piebilda, – ir vairāk, nekā varu teikt par tevi. Vai tu esi pazaudējis savu skuvekli?

Džeks iesmējās, izlēkdams ārā no sava kabrioleta un aizcirzdams zemās durvis.

– Ko tu te dari? Atnāci pasniegt man palīdzīgu roku? – Piegājis klāt, viņš apvija roku Reičelai ap pleciem un sirsnīgi tos saspieda. Bija patīkami viņu redzēt; viņa uzmundrinoši smaržoja pēc cigarešu dūmiem un *Chanel No. 19*. Džeks nebija apjautis savu vientulību. – Vai Keita ir kopā ar tevi?

Reičela papurināja galvu.

– Piedod, mīļais, tikai es. Un nē, es neesmu ieradusies, lai palīdzētu, bet drīzāk gan, lai tevi apraudzītu. – Viņa pastiepa roku, vieglītēm pārlaizdama pirkstus pāri viņa tumšajai, neskūtajai bārdai ar sudrabainiem pavedieniem. – Izskatās, ka būšu ieradusies tieši laikā. Tu esi pārvērties par grizlilāci Adamsu, mazais.

Viņš pamāja.

– Jā.

Reičelas seja atmaiga.

– Šis ir draņķīgs gadalaiks.

– Jā, – Džeks atkal piekrita.

– Man ir lieliska ideja. Izrādi man māju, un tad dosimies projām, lai kaut kur paēstu lieliskas pusdienas, uz mana rēķina. Ko tu teiksi? Tas ir tikai mans minējums, taču varu derēt, ka tu neesi kārtīgi ēdis jau dienām ilgi. Vai man ir taisnība?

– Cik labi tu mani pazīsti! – Džeks pasmaidīja un tad aprāvās. Viņa seja mainījās, piepeši kļūdama nopietna. – Pols... viņš nomira vasarā. Šis ir smags gadalaiks arī tev, vai ne?

Reičela ievilka pēdējo garo dūmu no savas cigaretes un, nometusi to zemē, uzkāpa nodegulim virsū ar kurpi.

– Precīza atmiņa.

Viņi kādu brīdi stāvēja, nolūkodamies pāri apvārsnim uz jūru turpat lejā. Pūta vējš, taču debesīs nebija neviena mākonīša, tās likās bezgalīgas, kveldējoša saule karsēja kā acs, kas atsakās aizvērties vai pamirkšķināt.

– Es nespēju to izturēt, – viņa beidzot noteica, pavisam lietišķi.

Džeks saņēma viņas plaukstu.

Viņa pacēla galvu. Spožās bruņas nokrita, un viņa stāvēja Džeka priekšā savā patiesajā vecumā, un viņas acīs jautās tukšā bezcerība, kuru viņš pazina.

Pagriezis slēdzenē atslēgu, viņš atgrūda vaļā smagās ozolkoka durvis.

– Nāc iekšā.

Bērdkeidžvolka 12
Londona

1936. gada 30. oktobrī

Mana dārgā Rēna!

Šī padarīšana ar dzīvošanu atsevišķi ir mazliet sarežģītāka, nekā biju iedomājusies. Protams, Enai tas satriecoši labi padodas, bet es esmu bezcerīga. Piemēram, drēbju mazgāšana, šķiet, prasa veselu mūžību, un beigās es tieku pie slapjām vilnas lupatām, kuras, bez šaubām, ir sarāvušās, un tad es izskatos, it kā būtu uzvilkusi mugurā zeķi, nevis džemperi. Un trauku mazgāšana ir vēl ļaunāka. Es jau esmu saplēsusi divas glāzes un iedauzījusi tasīti, kuru, kā apgalvo Ena, man vajag aizstāt ar citu, citādi saimnieks dusmošoties. Mazas putekļu bumbiņas ripinās pa dzīvojamās istabas grīdu kā pieneņu pūkas. Es praktiski apraudājos, kad šodien ieradās apkopēja Lindas kundze. Reti savā mūžā esmu jutusies tik ļoti iepriecināta, kādu redzot!

Mūždien aizmirstu nopirkt ēdamo un, kad to izdaru, tad nezinu, kā to pagatavot. Olu kultenim taču nav jābūt kraukšķīgam, ko? Tiklīdz Ena iziet no mājas, es metos virsū visam, ko viņa atstājusi aiz sevis kā izba-

dējies dzīvnieks. (Viņa ir pasākusi slēpt savu maizi un medu, un tagad ir ļoti grūti to atrast!)

Darbs turpinās. Esmu pabeigusi saiņošanu un pasūtījumu nodošanu, un tagad man ir atļauts atrasties klientu apkalpošanas zālē. Vecais Sargkareivis viņdien atnāca pasūtīt grāmatu ar nosaukumu "Velingtons: cilvēks un mīts". Esmu pilnīgi pārliecināta, ka viņam tāda jau ir, taču tā ir dārga, un tādā veidā viņš ļāva man veikt izdevīgu darījumu Tērbērtona kunga priekšā. Tad viņš mazliet negribīgi piedāvāja aizvest mūs ar Enu pusdienās. Tas bija tikai tāpēc, ka mēs stāvējām viņa priekšā, lūkodamās augšup kā divi kucēni, un atteicāmies izkustēties no vietas. Mēs devāmies uz Lyons, kur, šķiet, šajā dzīvē vēl nekad neesam bijušas un kas likās attaisnojam visļaunākās bažas par mūsdienu civilizācijas trūdošo dabu. Skaidrs, ka mēs ar Enu bijām pārāk aizņemtas, stūķējot ēdienu mutē, lai par to raizētos, jo mums bija tikai īss pusdienas pārtraukums, un mēs pat paķērām līdzi radziņus vakariņām. Vecais Sargkareivis bija šausmās, taču pirms aiziešanas klusītēm ieslidināja man plaukstā piecu mārciņu banknoti. Viņš ir jauks savā īpatnējā veidā.

Niku es bieži nesatieku. Londonā ir kaut kādi kanādieši, viņa ģimenes draugi, kuri staigā apkārt pa pilsētu. Mani tas tik ļoti sarūgtināja, ka es uzvedos muļķīgi. Viņiem ir meita, Pamela, visai skaista, ja kādam patīk govis. Mēs sastrīdējāmies, kas bija briesmīgi un pilnībā mana vaina. Situācija ir bezcerīga. Esmu izmisumā par to visu. Patiešām nesaprotu, kāpēc mums neiespējams izrādās tas, kas citiem cilvēkiem ir tik vienkāršs un nepārprotams.

Starp citu, Glorija ir stāvoklī. Pinkijs jau veselas trīs dienas atrodas alkohola izraisītā komā. Dikija Felovsa ģimene atrada viņu zem galda "106" kopā ar kora zēnu no Drūrijleinas. Jādomā, tas nozīmē, ka viņš ir kā bez prāta aiz prieka.

Tava Mazā
Bučas

Keita apgriezās gultā otrādi, cenzdamās paslēpties no spožajiem saules stariem, kas piepildīja guļamistabu. Reičelas aizkari bija veci un izbalojuši, ar puķainu apdruku un darināti ap tūkstoš deviņi simti septiņdesmit sesto gadu, bez oderes un pavisam nederīgi vasaras laikā. Pasniegusies pēc modinātājpulksteņa uz naktsskapīša, Keita palūkojās, cik tas rāda. Bija jau pāri deviņiem. Reičela bija aizbraukusi agri no rīta uz laukiem, lai tur pavadītu vairākas dienas, pildot kārtējo vērtēšanas pasūtījumu. Keita bija viena pati mājā, viena pati Londonā. Apgriezusies uz muguras, viņa atkal aizvēra acis, vēlēdamās, kaut miegs atkal ļautu iegrimt aizmirstībā. Taču tas nenotika. Apziņa, kas bija tikpat nevēlama kā žilbinošie saules stari, neļāva viņai iemigt.

Keitas pirmā doma bija par Džeku, par atklājumiem viņa sievas sakarībā un par abu strīdu.

Viņa saprata Džeka dusmas.

Tomēr viņas situācija bija citāda.

Vai tad nē?

Viņa apvēlās uz sāniem.

Vai tad jā?

Koncentrēdamās viņa lika sev apdomāties. Jau kopš paša dēkas sākuma viņa zināja, ka nevajag uzdot jautājumus, ka tie visu sabojās. Tagad tas likās absurdi, bezatbildīgi. Taču tolaik viņa bija sev iestāstījusi, ka daudz godīgāk būs pieņemt viņu tādu, kāds viņš ir. Viņu kopīgi apdzīvotā pasaule bija vēlu vakaru un nakšu eksistence, kas izrādījās nošķirta no dienas skarbās realitātes. Viņš sūtīja Keitai pretī mašīnu, lai aizvestu viņu uz mājām. Bez šaubām, sirds dziļumos viņa visu laiku zināja, ko tas nozīmē. Tomēr viņa nekad neuzdeva tiešus jautājumus, tā vietā tīšām izvēlēdamās mitināšanos nenoteiktā pelēkas morāles zonā, kur nekas nebija reāls, ja to nenosauca vārdā.

Patiesība bija tāda, ka ļoti ātri līdzsvars kļuva nekontrolējams. Keita viņu ne tikai gribēja: viņš tai bija nepieciešams.

Virspusē iznira veselas neatklātas viņas būtības daļas. Visas dusmas, kuras viņa bija apspiedusi gadiem ilgi, ielauzās viņas seksualitātē, saasinot viņu, padarot pārdrošu un prasīgu. Izrādījās, ka viņai kārojas pēc intensitātes, pēc dzēlīgas, ķircinošas repliku apmaiņas, pēc spilgta, dažreiz pat vardarbīga seksa. Un viņa skaistajā dzīvoklī ar pieklusinātu apgaismojumu, kur brīvi plūda šampanietis un viskijs, jebkādas aiztures izzuda pēc vienas vai divām glāzēm, izkūstot kā ledus glāzes dziļumā. Godīgi sakot, tas izrādījās atvieglojums, atbrīvošanās. Šajā jaunajā tēlā viss bija skaidrs, neaizliegts, dzīvniecisks. Nekādu pieklājības diktētu domu apmaiņu vai saviesīgas tērzēšanas, nekādu neizdevušos sarunas uzsākšanas mēģinājumu, nekādas ķeršanās pie intīmākiem zemtekstiem, cenšoties atšifrēt pateikto un to, ko tas īsti varētu nozīmēt, ja tas netika pateikts.

Tā vairs nebija tā pati tīrā, ledainā blondīne, kāda viņa bija visai pārējai pasaulei. Tā nebija meitene, kura gleznoja apaļīgus, sārtvaidzīgus ķerubus ar zeltainām sprogām uz Āvas Rotlingas dzīvokļa sienas. Nē, viņam pavērās ekskluzīvs skats uz dziļākajām, nevaldāmākajām viņas rakstura iezīmēm.

Kad viņš sāka maksāt Keitas rēķinus, tas nelikās nekas cits kā vien dabisks turpinājums prasmei būt pārākam par otru, kas noteica viņu kopā pavadīto laiku: savādas, mainīgas spēka spēles ar uzkundzēšanos un pakļaušanos, kas nebija nekas vairāk par priekšspēli. Keita izrādīja nevērību, it kā tas viņai pienāktos pēc taisnības. Un, kad viņš tai piedāvāja kredītkarti ar viņas vārdu uz tās, Keita pat nepagodināja to ar ievērību.

– Te būs, – viņš sacīja, pasniegdams to pāri galdiņam pēc mīlēšanās iecienītajā ķīniešu restorānā.

Viņi sēdēja krietni nobružātā sarkana samta nodalījumā, kas bija ieslēpts pašā stūrī. Galdiņš bija nokaisīts ar ribiņu, saldskābo garneļu, čurkstošās melnās vēršgaļas un treknu Singapūras nūdeļu kalnu atliekām. Rēķins bija atnests jau pirms ilga laika un neskarts atradās uz mazā, melnā plastmasas šķīvīša. Nebija tālu no pusnakts. Viņi bija vienīgie atlikušie klienti. Ārdurvis bija slēgtas. Virtuves darbinieki spēlēja kārtis un dzēra alu pie cita galdiņa, smiedamies un lamādamies ķīniešu valodā.

Taču viņi vēl kavējās.

Steigdamies satikties. Negribēdami doties projām. Tikai viņu saruna bija vēsa un virspusēja.

Keita sarauca pieri.

– Vai tu mēģini mani nopirkt? – viņa apjautājās, pārlauzdama laimes cepumu.

– Vai man tas ir jādara? – viņš cirta pretī.

– Nē, – viņa pasmaidīja. – Tev viss ir par brīvu.

Viņa attina cepumā iecepto zīmīti. Tur bija rakstīts: "Uzmanies no viltus draugiem." Samīcīdama to pikā, viņa iemeta zīmīti pelnu traukā.

– Nezinu, kāpēc tu esi tā nopūlējies.

– Man gribētos zināt, ka tev nekā netrūkst.

– Es to nekad neizmantošu.

Viņš paraustīja plecus.

– Vienalga.

Tomēr viņa to izmantoja.

Dažas nedēļas pēc tam, kad viņš bija iedevis Keitai kredītkarti, viņa attapās ejam garām *Cristian Dior* veikalam, kura skatlogā viņas uzmanību piesaistīja caurspīdīga kārtainā šifona kleita gaišā grafīta krāsā. Tovakar arī tā gulēja nekārtīgā kaudzē uz viņa istabas grīdas.

Ar visiem pagriezieniem, lokiem, stumšanu un grūšanu viņu attiecības bija pastāvīga virves vilkšana.

Tā bija mīlestība... vai bija? Viņas nodoms nebija tāds pats kā Džūlijai, viņa bija nevainīga. Varbūt muļķe, ļoti apjukusi, taču galu galā viņa nebija pieļāvusi tādu pašu nežēlīgu grēku, kāds bija sagrāvis Džeka pasauli. Vai tad ne?

Iezvanījās telefons, pārtraukdams viņas domu ritējumu. Nometusi segas, Keita iegāja Reičelas istabā, kur uz naktsgaldiņa atradās papildu aparāts.

– Hallo?

– Elbionas jaunkundze? – Balss bija nepazīstama.

Viņa pavilcinājās.

– Kā varu palīdzēt?

– Mani sauc Sirils Longmors.

– Jā?

– Es zvanu no *Tiffany* veikala arhīva pārvaldes Bondstrītā.

– Ak jā! – Keitas pleci atslāba. Viņa bija aizrakstījusi, cerēdama saņemt informāciju par rokassprādzi. – Liels paldies, ka piezvanījāt.

– Nav par ko. Iedomājos, ka varbūt jūs gribēsiet atnākt, Elbionas jaunkundz, un aprunāties. Bija vajadzīgas zināmas pūles, taču man šķiet, ka esmu ticis pie jums noderīgas informācijas.

– Bez šaubām.

– Puscetros? – viņš ierosināja.

– Es būšu klāt.

Keita nolika klausuli un piecēlās, izstaipīdamās ar augstu paceltām rokām. Ko viņš būtu varējis atrast? Piepeši viņas kājas saļodzījās un galva sagriezās. Uznāca negaidīts nelabums.

Aizgrīļojusies pa gaiteni līdz vannas istabai, viņa tik tikko paguva laikā, lai izvemtos tualetes podā.

Saknupusi uz vannas istabas grīdas, svīzdama un trīcēdama, viņa atbalstīja galvu pret vannas vēso malu, gaidīdama, kad nelabums atkāpsies. Cik daudz reižu viņa bija sākusi dienu šādā veidā, atrazdamās Ņujorkā? Iepriekšējā vakara pārmērības izraisīja briesmīgas paģiras, neļaujot viņai normāli eksistēt līdz pat pēcpusdienai vai dažreiz līdz pat nākamajai dienai.

Taču tagad viņa iepriekšējā vakarā nebija izdzērusi ne piles. Jau vairākas nedēļas. Vai tā bija saindēšanās ar pārtiku? Vīruss?

Vai...

Tas nebija iespējams.

Tas nevarētu būt iespējams.

Keita izmisīgi centās skaitīt atpakaļ, juzdama aizvien pieaugošas bailes. Cik nedēļas bija pagājušas kopš iepriekšējām mēnešreizēm?

No restorāna terases pavērās skats uz ostu. Jūras veltes. Viņi ēda vēlīnas pusdienas. Varbūt ne tik lieliskas, kā Reičela bija ierosinājusi no rīta, bet svaigus jūras vēžus, zem kuru cietajām, sārtajām čaulām bija patvērusies maiga gaļa, ceptus kartupeļus un alu. Viņi sēdēja tieši pie verandas nožogojuma; lejā ģimenes ar maziem bērniem spēlējās pludmalē, medījot paši savus sīkos jūras vēzīšus krastmalas akmeņu krāvumos. Taču viņi likās tālu projām, itin kā atrastos uz kino ekrāna, kur varoņus no zālē sēdošajiem šķir kas vairāk par faktisko attālumu.

Džeks atzvila krēslā, izstiepdams kājas.

Reičela aizkūpināja kārtējo cigareti.

– Man šķiet, tā māja ir pilna ar gariem, – viņa noteica pēc kāda laika.

– Kāpēc tu tā domā?

– Tai piemīt savāda enerģija. Tādas kā skumjas.

Viņš iesmējās un iedzēra malku alus.

– Vai tev nešķiet, ka tas nāk no mums?

– Nē. – Reičela papurināja galvu. – Galu galā atraitne un atraitnis savstarpēji neitralizē viens otru, – viņa sāji pasmaidīja. – Nē, tai mājai piemīt kaut kas pavisam savs.

– Keita arī tā domāja. Viņa bija pārliecināta, ka tai piemīt kāds noslēpums.

Reičela uzmanīgi viņu uzlūkoja.

– Tev viņa patīk, vai ne?

Viņš paraustīja plecus un novērsa skatienu.

– Kā tu pie tā nonāci?

– Patīk, vai ne?

– Ak kungs, Reičela! – Viņš centās saraukt pieri, izskatīties nopietns un neieinteresēts, koncentrēdamies uz savu šķīvi. – No kurienes tas viss nāk?

– Nezinu. – Viņa pagriezās, atkal pievērsdamās pludmalei. – Man tikai ir žēl, tas arī viss.

– Kā?

– Nu patiešām! – Viņas balss bija asa no sašutuma. – Vai jūs abi domājat, ka es esmu akla?

Džeks pacēla galvu.

– Ko tu ar to gribi teikt – abi?

– Kad tu viņdien aizgāji, nepaliekot uz vakariņām, viņa pārdzīvoja par to kā tāda pusaudze.

Viņš neveiksmīgi centās apspiest smaidu.

– Tiešām?

Reičela pavērsa skatienu pret debesīm.

– Nu redzi!

– Nu labi, – Džeks lēnām atzinās. – Viņa man patīk.

– Tad kur ir problēma?

– Es viņai neuzticos. Un es neuzticos pats sev.

Reičela atbalstīja zodu plaukstas bedrītē.

– Tas vairs neatkārtosies, Pol.

– Ko?

– Es teicu, ka tas vairs neatkārtosies.

– Tu nosauci mani par Polu.

– Ak tā. Piedod. – Viņa iedzēra vēl vienu malku alus. – Pārteikšanās Freida garā.

– Kā tu zini, ka neatkārtosies?

– Tāpēc ka jūs esat dažādi. Tu esi mainījies. Un Keitija nav Džūlija. Viņa arī ir savādāka.

Džeks vilcinājās. Vai vajadzētu Reičelai pateikt? To, ka Keita ir bijusi mīļākā? Varbūt viņa jau zināja.

– Varbūt, – viņš nopūtās, izlemdams par to nerunāt. Tā vietā viņš atklāja ko citu. – Es aizbraucu pie viņas kapa. Pagājušajā nedēļā. Tur bija nolikts rožu pušķis. No viņa.

– Žēlīgā debess!

– Tāpēc es nepaliku. Biju sācis, es nezinu, tikt tam pāri reizi par visām reizēm. Samierināties. Taču tā vietā tur bija rozes.

– Kā tu zini, ka tās bija no viņa?

– Tur bija kartīte.

Reičela atkal pievērsa skatienu bērnam panamas cepurē, kurš klumburoja pāri nelīdzenajiem akmeņiem, satvēris mātes roku ar vienu apaļīgo dūrīti, otrā iespiedis sīku tīkliņu.

– Man ļoti žēl, Pol.

Šoreiz Džeks nepūlējās viņu izlabot. Viņš zināja, ka spriedze, kas saistīja abas pasaules, redzamo un neredzamo, dažreiz sapludināja tās kopā – jo īpaši šādos brīžos.

Tā vietā viņš pārlauza jūras vēža spīli, lai tiktu pie maigās, baltās gaļas.

– Pols man mēdza teikt, ka mēs piedodam ne tāpēc, ka mums tas jādara, bet tāpēc, ka mums nav izvēles. – Džeks iemeta gaļu mutē. – Tolaik es to nesapratu un nesaprotu vēl joprojām. – Viņš pacēla galvu un pasmaidīja.

Reičela nolūkojās uz viņu ar dīvainu sejas izteiksmi.

– Ko tu nupat pateici?

Džeks iedomājās, ka varbūt ir viņu aizskāris. Viņš mēģināja paskaidrot.

– Viņš tikai dažreiz mēdza par to runāt. Es dzēru un garlaikoju viņu līdz nāvei pēc darba krogā, visu laiku runādams par to. Kā es esmu pārliecināts, ka Džūlija mani nodevusi, kā nespēju pārkāpt tam pāri. Un viņam bija dažas interesantas domas šajā jautājumā.

– Kādas, piemēram? – Reičelas balsī un tajā, kā viņa saliecās uz priekšu savā krēslā, lai klausītos, jautās kluss pamudinājums.

– Nu... piemēram... – Džeku pārsteidza Reičelas piepešā interese. Viņš centās atcerēties precīzi. Viņš iztēlojās sevi un Polu sēžam bāra tālākajā malā krogā, kas atradās turpat aiz stūra no viņu biroja, "Parūka un talārs". Viņš saskatīja Polu pavisam skaidri – ar uzrotītām piedurknēm, atglaužam biezos, sirmos matus no sejas. Viņa gudrās, tumšās acis pauda pacietību, un līdzjūtību viņa balsī izlīdzsvaroja ironisks, vienkāršais tiešums. Cik daudzas stundas viņš bija nosēdējis ar Džeku, ieklausīdamies viņa baiļu un aizvainojumu litānijā, sastādīdams viņam kompāniju, kamēr Džeks cīnījās ar to neredzamo nozīmi, grozīdams tos kā tādu Rubika kubu, kuru īsti nespēja saprast? Koncentrēdamies viņš centās atdzīvināt šīs atmiņas un Pola vārdus. – Šķiet, viņš man teica: "Tev nav nekāda iemesla piedot. Neviens tevi nevainos, ja tu nekad mūžā viņai nepiedosi. Un, bez šaubām, es varētu tev pateikt, ka tu jutīsies labāk, ja piedosi, ka tu dzīvosi ilgāk, nebūsi tik nikns, labāk jutīsies tīri fiziski un tā tālāk. Taču es zinu, ka šobrīd tevi tādas lietas neinteresē." – Džeks pasmaidīja. – Tu jau zini, kā viņš runāja.

– Jā. – Reičelas vaibstus apēnoja kādas privātas atmiņas. – Turpini.

– Viņš gribēja teikt, lūk, ko. Mēs piedodam nevis tāpēc, ka tas ir viegli vai pareizi, bet tāpēc, ka izvēle piedot pati par sevi ir spēcīga. Tas ir apstiprinājums, gatavība pieņemt dzīvi atbilstoši tās noteikumiem. Un privilēģija, ko tev neviens nevar atņemt. Tā ir viena no īpašībām, kas tevi nošķir no pārējās dabas un savieno tevi ar dievišķo. Dzīvnieki nespēj piedot, viņi krīt par upuri tam, kas ar viņiem notiek dzīvē. Viņi nespēj apzināti pieņemt ko tādu, kas viņiem ir apvainojošs, kaut ko naidīgu un negodīgu. Viņi nespēj nolemt to sabalansēt ar savu būtību un pacelties pāri savai nepatikai pret to. Redzi, viņš arī bieži runāja par to. Viņš visu laiku atkārtoja: "Tev tas jānorij vesels, Džek. Jo vairāk tu centīsies turēt to rokas stiepiena attālumā, atbrīvoties no tā, jo indīgāks tas kļūst. Un tas, ko tu patiesībā turi rokas stiepiena attālumā, izrādās dzīve – apziņa, ka tas arī pieder pie dzīves. Ir daudz vieglāk to vienkārši norīt kā austeri. Tas kļūst par daļu no tevis, un, ja tu tam nepretojies, tas padara tevi stiprāku."

– Tas kļūst par daļu no tevis, – Reičela klusi atkārtoja pie sevis.

Viņa aizgrieza seju.

Viņa domāja par to, ka bijusi vientuļa savā vainas apziņā un nožēlā. Pols būtu varējis aiziet, būdams pārliecināts, ka viņam ir taisnība. Taču patiesībā nasta bija kopīga, un viņi to nesa abi divi. Viņš to bija norijis. Viņi jeb, pareizāk, viņu attiecības, to visu bija sagremojušas.

Viņas sirdī ielija gandrīz nepanesams maigums, kas bija vēl sāpīgāks pat par viņas bēdām.

Viņš nebija palicis aiz pieklājības vai līdzjūtības, vai kauna. Viņš apzināti bija izvēlējies mīlēt viņu.

Džeks nolaizīja pirkstus.

– Vēl viņš teica, ka, piedodot otram cilvēkam, tev atliek vissarežģītākais uzdevums: piedot pašam sev. Viņš teica: "Tu dusmojies pats uz sevi par to, ka esi bijis viegli ievainojams. Par to, ka neesi spējis sevi pasargāt." Tas man pamatīgi ķērās pie sirds. Es zināju, ka šajā ziņā viņam ir taisnība. Ne vienmēr piekritu visam, taču zināju, ka te nu viņam ir taisnība. – Viņš iedzēra vēl vienu malku, iztukšodams savu pudeli. – Viņam bija daudz sakāmā par šo tēmu. Ne visu no tā es tolaik sapratu. Nezinu, no kurienes viņš to visu ņēma.

Reičela atlaidās krēslā.

– Es gan zinu.

Džeks neko neteica. Viņš apjauta, ka viņu sarunai ir dziļāka ietekme un nozīme, kuru viņš pilnībā nesaprot. Taču tas viņu nesatrauca.

Viņš nebija domājis par šīm sarunām ilgāku laiku. Pola vārdi tagad ieguva jaunu skaidrojumu viņa acīs. Viņš bija centies nepieņemt sievas nodevību, distancēties no tās ar dusmu un kontroles palīdzību. Taču viņa pūles neko nedeva. Dzīve tik un tā iekļuva iekšā. Viņš iedomājās par Keitu, kad viņa kaila stāvēja pie loga, par ilgošanos un iekāri, kas bija viņu mudinājusi pasniegties un pieskarties viņai, vēlreiz ienirstot bīstamajos, neparedzamajos ūdeņos.

– Un tu domā, ka viņš to izdarīja?

– Ko? – Džeks pacēla skatienu, iznirdams no savām domām. – Piedod... ko izdarīja?

Reičela likās izklaidīga, dīvaini piesardzīga. Viņa neatraudamās lūkojās tālumā.

– Piedeva cilvēkam, par kuru viņš runāja?

– Jā, – Džeks lēni pamāja, sākdams nojaust iemeslu, kura dēļ viņa jautāja. – Patiesībā man nav nekādu šaubu, ka viņš bija piedevis. Pēdējais, ko viņš man par to teica, bija: "Un tad tu uzzināsi, kas patiesībā ir brīvība. Tu būsi pats izvēlējies savu dzīvi pat visgrūtākajos apstākļos." Un viņš to pateica ar smaidu, itin kā labi zinātu, par ko runā.

Reičelu pārņēmusī spriedze atslāba kā dūre, kas piepeši atlaižas. Atkal atzvilusi savā krēslā, viņa atslābināja plecus, un izklaidīgais, vienaldzīgais acu skatiens kļuva dziļāks, iegūdams jēgu. Tā vien likās, it kā viņā apstātos kaut kas, kas būtu nepārtraukti griezies dienu un nakti. Viņa atkal nolūkojās uz bērniem, kuri rotaļājās pludmalē, taču šoreiz rūpju rieva pierē bija pazudusi.

– Skaidrs, ka es viņam neticēju, – Džeks turpināja, runādams drīzāk ar sevi, nevis Reičelu. – Es negribēju zināt, kāda ir tāda veida mīlestība. Gribēju kaut ko nevainojamu. Tādu mīlestību, kas nekad nekļūdās, jo vienmēr ir ideāla.

– Vai tu domā, ka tāda pastāv?

– Nē, nedomāju. Patiesībā, – Džeks aizdomājās, – esmu pārliecināts, ka tā vispār nav mīlestība. Tas nav nekas vairāk par narcisismu.

– Oho. Tu saki?

Džeks pasmaidīja.

Nez kāda iemesla dēļ arī viņš jutās vieglāks un brīvāks. Bija tik viegli būt kopā ar Reičelu. Un viņš bija gribējis izrunāties. Viņš jau bija aizmirsis, ka var ar kādu izrunāties. Džeks pamāja viesmīlim. – Vai gribi vēl vienu alu?

– Kāpēc ne?

Gaiss ap viņiem kļuva maigāks, dienas smacējošais karstums bija nozudis. Ģimenes vāca kopā savus spainīšus un lāpstiņas, pludmales dvieļus un pikniku grozus, lai, būdami smilšaini un noguruši, dotos uz mājām dzert tēju.

Džeks atkal iedomājās par Keitu. Vai viņš spēja atbrīvoties no savas vilšanās, pieņemt, ka viņa arī var pieļaut kļūdas un tomēr palikt tā vērta, lai Džeks ieaicinātu viņu savā dzīvē?

Viņi sēdēja, dzēra alu un nolūkojās uz bezgalīgo apvārsni.

– Vai tu tiešām domā, ka es viņai patīku? – Džeks pēc kāda laika iejautājās.

Reičela bakstījās pa savu šķīvi, meklēdama vēl kādu notiesājamu kumosu.

– Kāpēc tu nevarētu pats to pajautāt un visu noskaidrot? – Viņas acīs nozibēja ķircināšanās. – Taču vispirms, mīļā sirds, es tavā vietā noskūtos.

Bērdkeidžvolka 12
Londona

1937. gada 3. marts

Dārgā Rēna!

Ak... pateicos Tev, mana dārgā! Tā būs pēdējā reize, es apsolu, un esmu tik briesmīgi, briesmīgi pateicīga! Redzi, es devos izklaidēties kopā ar Enu un nepaguvu ne attapties, kad viņa bija pazudusi un es biju palikusi viena "106" kopā ar Doniju, Džoku un Pinkiju. Man ir bail Tev atklāt, cik daudz naudas pazaudēju, taču Džoks teica, ka viņš mani paglābšot, un tā... Ak, mana mīļā! Skaidrs, ka Džoks man neiedeva ne penija. Un bez Tevis es būtu iegrimusi nabadzībā.

Mēs devāmies iedzert uz Donija istabu, kaut gan man patiesībā vajadzēja iet mājās, taču mēs jau bijām aizgājuši par tālu.

Redzi, es visā notikušajā vainoju vienīgi Pinkiju. Viņam piemīt visnedabiskākā gaume.

Skaidri liku viņiem visiem manīt, ka tas vairs nekad neatkārtosies. Un tagad esmu tā nomocījusies ar sevis nicināšanu un jūtos tik nožēlojama, ka tikpat kā nevaru pakustēties.

Kāpēc es daru tik daudz ko tādu, ko pēc tam nevēlos pat atcerēties? Kāpēc?

Dī

Tiffany's apsargs pieturēja durvis, Keitai ienākot veikala vēsajā, *art deco* stilā iekārtotajā zālē.

– Man ir norunāta tikšanās ar Sirilu Longmoru, – viņa sacīja.

Sargs lika viņai doties augšā uz ceturto stāvu, kur parādījās nākamais palīgs, un visbeidzot pats Sirils Longmors nokāpa lejā pa šaurajām kāpnēm no augšstāva. Viņš bija neliela auguma vīrs ar brillēm un sirmiem matiem, kuri sāka atkāpties no pieres.

– Elbionas jaunkundze. – Viņš paspieda Keitas plaukstu. – Vai nāksiet man līdzi?

Keita viņam sekoja uz augšstāvu, kurā atradās nelielu kabinetu labirints. Sirils Longmors norādīja uz vienu, apsēzdamies aiz rakstāmgalda, kamēr Keita iekārtojās krēslā viņam pretī.

– Liels paldies par jūsu apjautāšanos, – viņš iesāka. – Es ieskatījos arhīvos un atradu šādu tādu informāciju, kas, šķiet, varētu jūs interesēt.

– Vai jūs gribētu redzēt rokassprādzi? – Keita jautāja.

– Jā gan! Pat ļoti!

Keita izņēma viegli atpazīstamo samta *Tiffany* kārbiņu no savas rokassomiņas un pasniedza to viņam.

– Vai drīkstu? – viņš apjautājās.

Keita pamāja, un viņš atvēra kārbiņu.

– Ak jā! Tas patiesi ir kas īpašs, vai ne? – Sirils to pacēla augšup pret gaismu. – Ļoti smalks izstrādājums. Un teicamā stāvoklī. Tam ir vajadzīga vienīgi tīrīšana, kuru... – viņš nolūkojās uz Keitu pāri briļļu malai, – ...patiesībā iespējams pieteikt jebkurā laikā mūsu remonta nodaļā.

Viņš uzmanīgi ievietoja rokassprādzi atpakaļ kārbiņā.

Tad viņš ieskatījās dažos dokumentos, kas atradās mapē uz rakstāmgalda.

– Man jāatzīst, ka bija visai sarežģīti izsekot šī konkrētā izstrādājuma vēsturei! Kad mēs saņēmām jūsu vēstuli, es sākotnēji nedomāju, ka mēs varēsim kaut ko izdarīt jūsu labā. Taču veiksme bija jūsu pusē. – Viņš pasmaidīja, pasniegdams Keitai izbalojušu kvīti. – Kā redzat, tā tikusi izgatavota pēc pasūtījuma, tāpat kā daudzi citi izstrādājumi tolaik. Un tā maksā patiesi iespaidīgu summu. Trīssimt mārciņu.

Keita nolūkojās uz kvīti.

– Vai jūs esat pārliecināts, ka tā ir tā pati?

– Jā, jo īpaši tagad, kad esmu redzējis attiecīgo izstrādājumu. Redziet... – viņš norādīja uz aprakstu, – ...pērļu, briljantu un smaragda aproce. Tā ir īstā. Par to nav nekādu šaubu.

Keita sarauca pieri.

– Pasūtījusi lēdija Eivondeila tūkstoš deviņi simti četrdesmit pirmā gada trīspadsmitajā aprīlī, samaksāts skaidrā naudā tajā pašā datumā. Izņemta tūkstoš deviņi simti četrdesmit pirmā gada divdesmitajā maijā.

– Jā. Tā būs Irēna Blaita, vai ne? – vīrietis aizrautīgi noteica. – Šis ir ļoti īpašs darinājums ar īstu vēsturisku vērtību. Ar šīs kvīts kopiju tas maksās krietnu summu kā kolekcijas eksponāts.

– Un kas ir tas? – Keita norādīja uz bērnišķīgiem ķeburiem kvīts apakšējā labajā stūrī.

Longmora kungs nopētīja tos.

– Ak, te parakstījies aproces saņēmējs. Palūkosimies.

Keita pasniedza kvīti viņam.

– Jā. Izskatās... – Viņš piepūlēja acis, lai saredzētu labāk. – Veitsa. *A. Veitsa.* Ja aprocei pakaļ bija ieradies kāds cits, nevis pati lēdija Eivondeila, viņi pieprasīja parakstu un varbūt arī vēstuli no lēdijas, pirms atdot rotu.

A. Veitsa. Kas viņa bija?

– Un kas ir šis? – Keita izņēma mazo sudraba kārbiņu ar briljantiem rotāto burtu "B" uz vāka. – Vai šis gadījumā arī nevarētu būt nācis no *Tiffany*?

Longmora kungs izņēma no galda augšējās atvilktnes savu juveliera lupu un to cieši nopētīja.

– Mjā, ļoti interesanti. Taču nē. – Viņš pasniedza kārbu atpakaļ Keitai. – Tas ir atdarinājums.

– Kā, lūdzu?

– Tas ir atdarinājums. Labas kvalitātes atdarinājums, un tomēr atdarinājums. Tie nav īsti briljanti.

– Atdarinājums, – Keita atkārtoja, atkal uzlūkodama kārbiņu.

– Taču tas ir nevainojami izpildīts atdarinājums. Nezinātāja acij tas liktos pilnīgi pārliecinoši. Daudzas sievietes glabāja savas īstās dārglietas ieslēgtas seifā un to vietā valkāja atdarinājumus. Tā bija gluži ierasta prakse. Un es teiktu, – viņš uzsvērti piebilda, – ka ar tādu mantu nebūtu prātīgi ieguldīt īstos dārgakmeņos.

– Ko jūs ar to gribat teikt – nebūtu prātīgi?

Viņš neveikli iesmējās.

– Vai jūs zināt, kam tā domāta?

Keita papurināja galvu.

– Tabletēm? – viņa minēja.

– Baidos, ka drīzāk tas bijis kokaīns. Mūsdienās daudz tādu vairs nevar dabūt redzēt, taču tolaik tādas bija visai populāras.

– Tiešām? – Keita nolūkojās uz sudrabaino kārbiņu savā plaukstā.

Viņš pamāja.

– Redzat mazo āķīti augšā? Tas tāpēc, lai to varētu valkāt, aplikt ap kaklu. Un, – viņš paliecās uz priekšu, norādīdams uz sāniem, – tai ir gudri ierīkots mazs slēdzītis, lai kārbiņa visu laiku turētos ciet.

– Skaidrs.

Kokaīns. Bez šaubām, tas bija plaši izplatīts divdesmitajos un trīsdesmitajos gados. No vienas puses, Keita sprieda, ka ir muļķīgi izjust tādu pārsteigumu. Tā bija vēl viena Mazās Blaitas iezīme, ar kuru viņa nebija rēķinājusies. Realitātē viņa bija satraucošāka, pārāk pazīstama savā trauslumā un spējā būt paradoksālai.

Longmora kungs nolūkojās uz Keitu.

– Ceru, ka nebūšu jūs šokējis, Elbionas jaunkundz.

– Nē, jūs man ļoti palīdzējāt. Nezinu, kāpēc man vajadzēja pieņemt, ka pagātnē bijušas tikai dejas un rozes.

Viņš iecietīgi pasmaidīja.

– Pateicos jums. Vai varu dabūt šīs kvīts kopiju? – viņa apjautājās.

– Es atļāvos jau vienu nokopēt jūsu vajadzībām, – Sirils noteica, pasniegdams to Keitai pāri rakstāmgaldam. – Lūdzu, dodiet man ziņu, ja vēl kaut ko varu darīt jūsu labā, un, ja jums nav iebildumu, varbūt es varētu pierakstīt jūsu kontaktinformāciju. Reizēm mēs rīkojam dažādas savu darbu izstādes. Varbūt jūs neiebildīsiet pret šīs aproces izstādīšanu.

Keita piecēlās.

– Protams.

Longmora kungs paspieda viņas plaukstu.

– Pateicos, ka atradāt laiku satikties ar mani. Jūs man ļoti palīdzējāt.

– Nav par ko.

Keita devās lejā pa šaurajām kāpnēm, cauri veikala zālei un ārā uz ielas.

Rokassprādzi bija nopirkusi Irēna.

Tieši tajā brīdī, kad Keitai bija licies, ka viņa atrodas tuvu dažu mīklu atminējumam, saradās vēl vairāk jautājumu.

Viņa izņēma kvīti no somiņas un aplūkoja to vēlreiz. Pabeigtā rokassprādze bija izņemta tūkstoš deviņi simti četrdesmit pirmā gada divdesmitajā maijā. Vai Diānai maija beigās nebija dzimšanas diena – ap trīsdesmito datumu? Vai tā nevarēja būt dzimšanas dienas dāvana? Un kas bija šī noslēpumainā A. Veitsa?

Nekas no tā visa nerīmējās kopā.

Taču, no otras puses, reti kas rīmējās kopā, ja runa bija par Blaitu meitām.

Keita lēnām devās uz priekšu pa Bondstrītu, pa reizei iemezdama acis kādā skatlogā, domās kavēdamās pie Mazās Blaitas dzīves samezglojumiem, cenšoties uz to paraudzīties no jaunas perspektīvas. Zeltainajā saules gaismā viss un visi izskatījās spoži, nogludināti. Kad Londonā spīdēja saule, neviena cita pasaules pilsēta nespēja ar to sacensties skaistumā. Keita palūkojās pāri ielai uz Ričarda Grīna galerijas skatlogu.

Tad viņa apstājās.

Tas taču nevarēja būt...

Šķērsojusi ielu, Keita nostājās pie skatloga, juzdama, kā viņu lēnām pārņem savāda šausmu sajūta.

Tā bija glezna. Akts.

Darbs, kuru viņa pazina līdz pēdējam sīkumam.

Tā vien likās, ka kāds atņēmis viņai visus iekšējos atbalsta punktus, viņa sajutās nestabila, nelabuma pārņemta.

Skatloga apakšējā labajā stūrī atradās neliela kartīte. ""Mīļākā", autore K. Elbiona. Saņemta izstādīšanai no Aleksandra Munro kunga un kundzes privātkolekcijas."

Viņi gulēja gultā, viņš glāstīja viņas muguru, ļoti maigi.

– Es gribu kaut ko oriģinālu no tevis.

– Te es esmu, – viņa pasmaidīja, slinki izstaipīdamās kā kaķene.

– Nē, es biju domājis gleznu. Kad mēs pirmoreiz satikāmies, teicu, ka man tev ir pasūtījums.

– Kāpēc? – viņa iesmējās. – Es arī tāpat esmu tava.

– Gribu ko tādu, uz ko varu paskatīties. Ko tādu, ko varu piekārt pie sienas.

– Kā trofeju? Kaut ko līdzīgu lūša galvai?

– Jā, uzglezno man lūša galvu. – Viņš atglauda Keitas matus no sejas. – Ja vien tā izskatīsies pēc tevis.

– Tev esmu es pati.

– Es gribu ko vairāk no tevis.

– Nekā vairāk nav, tas ir viss. – Viņas balsī ieskanējās neapmierinātība. Tas, ko viņš dēvēja par pieķeršanos, drīzāk atgādināja prasīgumu.

Viņš steigšus pieķērās Keitas vārdiem.

– Vienmēr ir kas vairāk. Ja vien tev tas ir nozīmīgi.

Viņa aizvēra acis.

– Ir pagājis tik ilgs laiks. Varbūt es vairs nespēju to izdarīt.

– Varbūt nē, – viņš nopūtās, paveldamies tālāk. – Kas lai to zina? Varbūt tu esi izsīkusi. Es centos izdarīt tev pakalpojumu.

Keita atvēra acis un palūkojās uz viņu. Vai viņš runāja nopietni? Taču vīrieša seja bija paslēpta.

Maiguma pilnais mirklis bija izgaisis. Viņam labi padevās Keitu pacelt uz pjedestāla un tad noslaucīt to, laupot viņai pamatu zem kājām. Viņa vai nu lidinājās debesīs, vai krita – pa vidu nekā nebija. Taču, tiklīdz šaubu sēkla bija iesēta, tā strauji vairojās. Viņa arī atvirzījās, apgriezdamās uz sāniem. Varbūt viņa bija izsīkusi. Taču viņš negūs virsroku.

Tas aizsākās kā pašportrets, kas nepavisam nebija viņai līdzīgs. Keita bija uzgleznojusi dažus mākslas skolā, pildot uzdevumus. Taču tā nebija viņas iemīļotākā tēma. Portreti bija izrādījušies visai izbiedēti, konservatīvi sejas un plecu atveidojumi – tikai tas, ko viņa ērti varēja saskatīt vannas istabas spogulī. Viņai nācās grūti tik ilgi skatīties uz sevi, saglabājot pilnīgu objektivitāti, līdz pēdējai nežēlīgajai detaļai fiksēt ikvienu trūkumu, nesimetriskos vaibstus, rētu, kas vēl aizvien veidoja spīdīgu pusmēness formas zīmi uz pieres, to, kā smagnējie plakstiņi piešķīra sejai trulu, skumju pieskaņu. Viņas mute miera stāvoklī tiecās lejup, un tolaik viņas mati bija tumšāki un krita uz pleciem biezās, garās šķipsnās. Pabeigtajiem darbiem piemita stīvums, kas bija samulsinājis viņas pasniedzējus, kuri bija pieraduši pie drosmīgākiem rezultātiem. Tajā semestrī viņas atzīmes izrādījās neparasti zemas.

Taču šoreiz viņa izmantoja skapja durvīs ievietoto spoguli auguma garumā, piepildot savu mazo darbnīcu ar sveču gaismu. Un viņa nolēma gleznot sevi kailu, atlaidušos savā saliekamajā gultā.

Pēc visām tām reprodukcijām, rūpīgās kopēšanas pašportrets Keitai kļuva par pagrieziena punktu, pat par zināmu apsēstību. Darba dienas beigās viņa steidzās mājup, lai to pabeigtu, bieži vien gleznodama vēlu naktīs. Viņai nepatika pozēt kailai. Taču dīvainā kārtā tas tikai padarīja gleznu vēl dinamiskāku. Tas atklāja saspringumu un pretrunas, gulta kļuva par tumšu, peldošu, mazliet biedējošu plankumu. Un viņa drīzāk nevis atlaidās uz tās, bet gan iznira no tās.

Tas nebija skaisti. Tomēr tas bija spēcīgi, uztraucoši. Un daudz labāk par pašu labāko darbu, kuru viņa līdz tam bija radījusi.

Kad Keita to beidzot viņam pasniedza, viņš to cieši uzlūkoja, taču neko neteica. Viņš bija cilvēks, kurš radis visu laiku reaģēt ar cirtieniem, ašiem, dzēlīgiem jokiem. Taču viņš tikai nolūkojās uz gleznu, saraucis pieri.

– Izskatās, ka tev patiešām ir talants, – viņš beidzot noteica. Tas izskanēja drīzāk kā apsūdzība nekā kā kompliments.

– Bet vai tev tā patīk? – Keita nespēja viņu atšifrēt: no vienas puses, viņa jutās nobijusies, atstumta, pati nesaprazdama, kāpēc.

– Kā jau teicu, tu esi pasaules klases talants, Keita. Starp citu, kāds ir tās nosaukums?

Keita nebija par to domājusi.

– Es nezinu. Droši vien "Bez nosaukuma".

Viņa seja atvilga.

– Nu labi, es izdomāšu nosaukumu, ar mieru?

Tas nebija pēc noteikumiem. Un tomēr viņa piekrita. Tā vien likās, it kā viņam būtu vajadzība iegūt kādu daļu no visa, kas viņai piederēja. Viņš mīlēja Keitu, kaislīgi un alkatīgi. Taču viņa par to maksāja ar nelielām daļiņām no sevis.

Keita atgrūda vaļā smagās stikla durvis uz Ričarda Grīna galeriju. Tur valdīja vakuumam līdzīgs klusums, kad durvis atkal aizvērās, iesprostodamas viņu iekšā.

Viņa palūkojās apkārt uz klasiskajām vīnsarkanajām sienām un apgaismotajām gleznām. Kādreiz viņa bija vēlējusies, lai viņas darbi tiktu iekļauti mākslas galeriju kolekcijās, taču ne jau šādā veidā. Keita jutās atmaskota, tikpat kaila kā gleznā. Bija smieklīgi iedomāties, ka kāds varētu viņu atpazīt, tomēr viņas sirds tik un tā strauji sitās un galva pulsēja. Viņa paņēma brošūru, taču nespēja koncentrēties. Pēc brīža viņai pienāca klāt pievilcīga jauna sieviete ar tumšiem matiem.

– Vai varu palīdzēt? – viņa apjautājās.

Keita papurināja galvu.

– Ak, patiesībā, – viņa pārdomāja, – es... mani ļoti interesē tā glezna skatlogā. Ar nosaukumu... "Mīļākā"?

– Ak jā! – Jaunā sieviete pasmaidīja. – Tā ir izraisījusi lielu interesi. Cik noprotu, to gleznojusi nepazīstama māksliniece. Patiesībā tā šomēnes tiks pārdota, lai gan tas vēl nav oficiāli apstiprināts.

Keita sajuta neparastu vieglumu pakrūtē.

– Pārdota? – viņa atkārtoja.

– Jā. Klienti izpārdod daļu no savas kolekcijas.

– Skaidrs. – Keita pamāja, mēģinādama norīt siekalas.

– Vai jums nekas nekaiš? – meitene apjautājās. – Jūs izskatāties mazliet bāla.

– Es... es tikai viņus pazinu... pareizāk sakot, vienu no viņiem... mazliet...

– Ak tā, saprotu. Nu, tas ir gluži normāli cilvēkiem, kuri ir tāda līmeņa kolekcionāri.

– Man tikai nebija ne jausmas, ka... ka viņi ir kolekcionāri.

– Ir gan. Tā ir patiesi aizraujoša un ar gudru ziņu savākta mākslas darbu izlase. Ļoti apdomīgi izveidota un liecina par visai izteiktu sapratni. – Viņa aprāvās un sarauca pieri. – Vai jūs nevēlētos glāzi ūdens vai ko tamlīdzīgu?

– Nē, nē, viss ir kārtībā.

– Ja vēlaties, varat apsēsties.

– Pateicos. Es... man tikai tagad jāiet.

Keitas galva dunēja un mute bija izkaltusi, un vēderu caururba trulas sāpes. Viņa izkļuva ārā uz ietves un sāka rakņāties somiņā, lai atrastu mobilo telefonu.

Jā, viņš bija kolekcionārs.

Viņa bija iztērējusi tik daudz laika un pūļu, izvairīdamās no viņa zvaniem, turēdamās savrup no viņa. Taču nu Keitai vajadzēja sazināties ar viņu. Viņai bija jāzina.

Stāvēdama ielas stūrī, viņa noskatījās, kā garāmgājēji apstājas, nolūkodamies uz viņas pašportretu galerijas logā. Te nu viņa bija kaila, izģērbta līdz pēdējam, apskatāma visai pasaulei. Un drīzumā tiks pārdota.

Atskanēja tālīni starptautiskā savienojuma trokšņi, un tad...

– Numurs, uz kuru jūs zvanāt, ir atslēgts. Lūdzu, nolieciet klausuli. Numurs, uz kuru jūs zvanāt, ir atslēgts. Lūdzu, nolieciet klausuli. Numurs, uz kuru jūs zvanāt, ir atslēgts. Lūdzu, nolieciet klausuli...

Pēdējais, ko viņa atcerējās, bija kāda kliedziens, un viņu pārņēma dīvaina sajūta, ka trotuārs nāk viņai pretī.

Un tad visa pasaule satumsa.

Kad viņi atgriezās Endslijā vēlā pēcpusdienā, Džo vecā mašīna atradās piebraucamajā ceļā ar atvērtu bagāžnieku, un tai līdzās bija sakrautas kastes.

Viņi izkāpa no Džeka *Triumph*.

– Kas tas ir? – Reičela gribēja zināt.

Šajā brīdī parādījās Džo, mēģinādama aizdabūt pa šauro taciņu mājai līdzās īpaši nepaklausīgu kasti no kotedžas puses.

– Ļaujiet man. – Džeks steidzās uz priekšu, lai palīdzētu, atbrīvojot Džo no nešļavas.

– Pateicos. – Viņa uzsmaidīja abiem, atvilkdama elpu. – Jauki, ja pārmaiņas pēc līdzās gadās kāds vīrietis! – Viņa pastiepa Reičelai plaukstu. – Sveiki, es esmu Džo Viljamsa. Agrāk šeit biju saimniecības vadītāja.

Reičela satvēra viņas plaukstu.

– Reičela Devero. Jūs izvācaties? – viņa apjautājās, lūkodamās apkārt.

– Pavisam pretēji savai gribai, es varētu piebilst. Izrādās, ka biju aizmirsusi par bēniņu telpām kotedžā. Mana māte šorīt pamodās un krita panikā. Vai spējat iztēloties, cik daudz krāmu viena veca dāma var savākt? – Viņa nopūtās. – "Džozefīne," viņa man saka, "tev kaut kas būs jāizdara. No bēniņiem jāpaņem dažas mantas." Nu, vai jūs to redzat! – Viņa papurināja galvu. – Mums nav kur to likt! Nezinu, ko man, viņasprāt, vajadzētu ar to iesākt.

Džeks aizmanevrēja kasti līdz mašīnai.

– Nemaz nevaru saprast, kā jūs to nonesāt lejā. Tā sver veselu tonnu!

– Es varu panest gandrīz visu. Atcerieties, gadiem ilgi man kopā ar bijušo vīru piederēja viesnīca, kas nozīmē, ka es vadīju to sasodīto iestādījumu viena pati.

Džeks iedabūja kasti bagāžniekā.

– Kas tur ir iekšā? Vai grāmatas?

– Ak, viss kaut kas. Lielākoties krāmi.

Viņa atvēra vāku un parakņājās iekšā. Kaste bija pilna ar vecu avīžu un žurnālu kaudzēm – daži bija tik trausli, ka draudēja sabirzt. Vēl tur bija baķis ar izbalējušu tafta audumu, dzijas kamoli un nepabeigts adīklis, vecs termofors, pāris bezformīgas sieviešu ikdienas kleitas...

– Izskatās pēc personiskajām mantām, – Reičela sacīja, paceldama saplacinātu neregulāras formas cepuri ar saplēstu melnu plīvuru.

– Nujā, – Džo smagi nopūtās, saspraudusi rokas gurnos, – ko jūs īsti domājat? Vai tas ir kaut ko vērts? – Viņa pacēla izbalojušu dzeltenu dzijas kamolu un nepabeigtu bērnu sedziņu ar neveiklām un nelīdzenām adījuma rindām. – Jēzīt! – Viņa izbāza pirkstu pa caurumu un tad iemeta to atpakaļ kastē. – Mūsu māja patiesībā ir piebāzta līdz ūkai. Man vajadzēs aizvest to visu uz labdarības veikalu Laimredžisā.

– Pagaidiet mirklīti. – Reičela bija atradusi lielu koka kasti pašā kastes dibenā. – Tā ir skaista, – viņa noteica, apgriezdama to otrādi. Kaste bija aptuveni divdesmit divas collas gara un četrpadsmit collas plata, grebta no bagātīga, mirdzoša mahagonija ar ziloņkaula ķeltu mezglu inkrustācijām uz vāka.

– Kas tas ir?

– Tā ir rakstāmpults. Iespējams, no Viktorijas laikmeta. Visticamāk, izmantota ceļojumu laikā. Redziet, tinti, spalvas un papīru iespējams glabāt iekšā, un virsa ir pietiekoši liela, lai uz tās rakstītu. – Viņa mēģināja to atvērt, taču tā bija aizslēgta. – Tikai mums vajadzēs atslēgu. Kāds bijis pietiekoši rūpīgs, lai to aizslēgtu. – Apgriezusi rakstāmpulti otrādi, viņa nopētīja apakšu. Tur bija pielīmēta no vecuma izbalojusi un nobrūnējusi etiķete. – "Benedikts Blaits, *Tír na nÓg*, Īrija", – viņa skaļi nolasīja. – Kas tas ir?

Džo pieliecās uz priekšu, lai saskatītu labāk.

– Ak jā. Tas bija Irēnas tēvs. Viņš bija tāds kā rakstnieks – man šķiet, ka vēsturnieks.

– Irēna Blaita? – Reičela iejautājās.

– Jā.

– Ak tā... – Reičela atkal apgrieza rakstāmpulti otrādi. – Ja tā piederējusi viņam, tā būs gluži vērtīga. Kolekcionārs par tādu būtu gatavs atdot daudz ko. Nevediet to uz labdarības veikalu.

Džo sarauca degunu.

– Ticiet man, es to labprāt pārdotu, taču mamma mani nogalinātu. Jo īpaši tad, ja tā nonāktu pie kāda no tiem ziņkārīgajiem cilvēkiem, kuri pastāvīgi meklē kādas piemiņlietas no Mazās Blaitas. Viņa man nemūžam nepiedos.

– Es jums par to došu trīssimt mārciņas, – Džeks pēkšņi noteica.

Džo iepleta acis.

– Vai jūs runājat nopietni? Tik daudz naudas?

– Tas ir īpašs priekšmets. Un es apsolu to nepārdot tālāk. – Džeks paraudzījās uz Reičelu, kura pārsteigumā viņu uzlūkoja.

– Oho. – Džo paraustīja plecus. – Nu labi. Tikai man tā vien liekas, ka es jūs bezkaunīgi aplaupu.

– Nē, – Džeks sacīja. – Patiesībā, ja jūs gribētu to pārdot vairāksolīšanā, jūs droši vien dabūtu vēl daudz vairāk.

– Nu, es negrasos pārdot to vairāksolīšanā. – Džo sarauca pieri. – Šķiet briesmīgi daudz tādai koka kastei.

– Jums vajadzētu kaulēties, lai cenu paaugstinātu, nevis pazeminātu. – Reičela nočukstēja tēlotās šausmās.

Džo iesmējās.

– Labi, labi. Darīts!

Džeks un Džo paspieda viens otram roku.

– Tā. – Viņš izņēma pildspalvu un vecu aploksni no savas žaketes kabatas. – Uzrakstiet savu adresi, un es vēlāk nogādāšu jums čeku.

– Pateicos. – Džo uzkricelēja adresi. – Un tagad, – viņa pagriezās pret Reičelu ar mirdzošām acīm, – kā būs ar jums? Vai negribat kādu vecu kleitu par piecīti? Vai kādu robainu adīkli?

Pēc dažām minūtēm viņa devās atpakaļ uz veco kotedžu, lai to aizslēgtu, bet Džeks un Reičela stāvēja piebraucamajā ceļā divi vien.

– Ak tā gan, – Reičela sakrustoja rokas virs krūtīm. – Tu sāc pats savu kolekciju?

– Tā ir laba manta, vai tev tā nešķiet?

Viņa uzsita Džekam uz pleca.

– Nu, tavs tēvs lepotos ar tevi. Nepagāja ne sekundes simtdaļa, kad tu to pamanīji. Un jā, tā ir unikāla, ar vērtīgu vēsturi. Gudrs pirkums.

– Patiesībā man nav ne jausmas, ko es šobrīd daru, – Džeks nopūtās. – Ne mazākās.

Pāris žagatu nolaidās lejā mauriņā viņu priekšā, lēkādamas viena aiz otras garajā zālē.

– Skaties, – Reičela norādīja uz putniem. – Viena uz bēdām, divas uz veiksmi! Tā ir zīme.

– Vai tu tici tādām lietām?

– Nē, – viņa iesmējās, papurinādama galvu. – Taču mums ir vajadzīga visa iespējamā palīdzība, ko spējam saņemt šajā pasaulē. Un, ja pāris putni spēj ļaut mums izturēt nākamās piecas minūtes, tad lai tā būtu. Man nav nekādu iebildumu izmantot gadījumu.

TELEGRAMMA

1939. gada 3. septembris, Londona
Kam: lēdijai Eivondeilai, Endslijā, Devonā

Dārgā lēdija... punkts... Karš... punkts... Vai Tu spēj tam noticēt... punkts... Ko mēs vilksim mugurā... punkts... Ar mīlestību Diāna... punkts.

***

Kāds bija uzlicis viņai kaut ko uz pieres.

Keitas acis atvērās.

Tā bija jaunā sieviete no galerijas. Viņa izskatījās ļoti nopietna. Un viņām apkārt bija sanācis cilvēku pūlis. Keita atpazina apsargu no galerijas, kurš runāja pa mobilo telefonu. Viņš arī uzlūkoja Keitu ar bažām.

– Jā, tagad viņa ir atguvusi samaņu, – viņa dzirdēja puisi sakām cilvēkam vada otrā galā.

– Pamēģiniet sēdēt mierīgi, – meitene no galerijas nokomandēja, atkal piespiezdama viņai pie pieres dvieli.

– Auuu! – Keita sarāvās, virzīdamās nostāk.

– Sēdiet mierīgi, – meitene atkārtoja.

Šajā brīdī Keita ievēroja, ka dvielis viņas rokās kļuvis sarkans no asinīm.

– Jūs noģībāt un sasitāt galvu pret asfaltu, – meitene paskaidroja. Viņas seja bija saspringta.

Keita aizvēra acis.

– Es nejūtos īpaši labi, – viņa nomurmināja. – Šķiet, man gribas vemt.

Un pūlis atkāpās.

Kad atbrauca ātrā palīdzība, meitene no galerijas devās Keitai līdzi, turēdama viņas somiņu. Uz viņas tumšzilās kokvilnas kleitas bija saskatāmas asins pēdas.

Svētās Marijas slimnīcā Pedingtonā Keita tika ievesta apskates kabinetā. Meitene arī ienāca līdzi, turēdama reģistratūras māsiņas iedoto lapu, un, kamēr Keitas galva tika tīrīta, viņa aizpildīja veidlapā vārdu un adresi.

– Keita. Keita Elbiona.

– Vai to raksta ar "C"?

– Nē. Ar "K".

– Keita Elbiona, – viņa pierakstīja un sarauca pieri. Tad viņai pielēca. – Jūs esat tā māksliniece. Jūs esat K. Elbiona!

Keita pavisam viegli pamāja. Pat acu samirkšķināšana sagādāja sāpes.

– Kā tevi sauc? – viņa jautāja.

– Kārena, – meitene sacīja.

– Paldies tev, Kārena. Paldies, ka man palīdzēji. – Keita atkal aizvēra acis.

Māsiņa atgriezās ar nelielu plastmasas glāzīti, mēģenēm un garu adatu.

– Jums ir visai augsta temperatūra. Taču, ja varēsiet to izturēt, mums vajadzīgs urīna un asiņu paraugs. Ārsts atnāks pēc minūtes, lai palūkotos, vai būs vajadzīgas šuves. Tā, – viņa palīdzēja Keitai nokāpt no nestuvēm. – Es jūs pavadīšu līdz tualetei.

Pēc atgriešanās Keita te aizmiga, te pamodās. Ārsts nosprieda, ka šuves nebūs vajadzīgas, taču liela intravenozo antibiotiku deva gan. Viņai tika ierādīta gultasvieta palātā, un Keita snauda līdz pat vakaram. Pamostoties viņa bija viena pati. Viņas mute bija izkaltusi un galva sāpēja. Viņa vēl aizvien bija ģērbusies vasaras kleitā un jakā, caurulītei stiepjoties no rokas vēnas. Viņa jutās netīra un lipīga. Katrā stūrī dūca ventilatori, taču citādi palātā bija tikpat smacīgi kā ārā. Iepretī kāds bija saritinājies uz sāniem, aizslēpjot seju, un no citas gultas bija dzirdams kluss vaids – Keita to dzirdēja, taču neredzēja, no kurienes tas nāk. Ārā krēsloja, piešķirot pelēkajām sienām un flīzēm mazliet izplūdušu nokrāsu. Kāds bija atstājis uz skapīša pie gultas žurnālu *OK!*, ūdens pudeli un *KitKat* šokolādes tāfelīti – jādomā, ka Kārena.

Keita apsēdās sēdus, galvai dunot, un nospieda medmāsas izsaukuma pogu. Šķietami pēc veselas mūžības ieradās sieviete vecumā pāri piecdesmit ar īsi apgrieztiem rudiem matiem.

– Tātad jūs esat augšā. – Viņai bija izteikta Belfāstas izruna. Saņēmusi Keitas rokas locītavu, viņa sāka mērīt pulsu. – Kā jūtaties?

– Kā apdauzīta. Kad varēšu iet projām?

Māsiņa beidza skaitīt pulsa sitienus un atlaida Keitas rokas locītavu, paņemdama grafiku gultas kājgalī.

– Varbūt šovakar, varbūt rīt. Daktere atnāks vēlāk, un viņa pateiks precīzāk. Vai ir kāds, kam es varētu piezvanīt jūsu vārdā?

Keita papurināja galvu.

– Kas man kaiš?

– Jums ir nieru infekcija. Visai nejauka. Šīs ir antibiotikas.

– Ak tā. Tātad es neesmu... – Keita pavilcinājās, iekozdama apakšlūpā. – Vai es esmu stāvoklī? – viņa iejautājās pēc brīža.

Māsiņa papurināja galvu.

– Nē. Taču jūsu urīnā ir atrastas asiņu pēdas.

Keita atkal atslīga spilvenos. Viņa nebija apjautusi, cik ļoti tas viņu nomāca; cik atvieglojoši izrādījās uzzināt, ka tā nav.

– Labi, – viņa nomurmināja.

Māsiņa pakarināja grafiku atpakaļ gultas kājgalī un apgāja apkārt gultai, aplūkojot aparāta rādījumus.

– Kas īsti notika? Meitene, kura jūs atveda, teica, ka noģībāt.

– Ko? Ak jā. Laikam tā arī bija.

Māsiņa pabungoja pa aparāta sāniem.

– Dakteris, kurš jūs uzņēma, gribēja zināt, vai jums nav uzbrukts.

– Uzbrukts? Kāpēc?

Māsiņa viņu cieši uzlūkoja.

– Viņi jūs apskatīja. Vai jūs neatceraties?

Keita papurināja galvu.

– Jūsu kartē ir piezīme. Šaubas.

– Kāda veida šaubas?

– Viņi konstatēja dažus visai biedējošus pierādījumus. Ka nesenā pagātnē jūs esat pārcietusi seksuālu vardarbību.

Keita klusēja.

– Vai jūs saprotat, par ko es runāju? – Māsiņa viegli pieskārās viņas rokai.

Keita neko neteica, atvilkdama roku atpakaļ.

– Ja gribat ar kādu aprunāties, – medmāsas balss bija klusa un uzticību iedvesoša, – iesniegt pieteikumu...

– Nē, – Keita viņu pārtrauca. – Tas nav nepieciešams.

– Policijā ir īpaša struktūrvienība – ar darbiniecēm sievietēm... viss ir pilnīgi privāti un pilnīgi droši.

Keita neko neteica, koncentrēdamās uz aizkara krokām sev iepretī.

– Saprotu, ka tas var būt ļoti sarežģīti un nepatīkami, bet, ja kāds nodarījis jums pāri... – māsiņa neatlaidās.

– Tas nav tā, kā izskatās.

– Jā, bet... ja jūs mainīsiet domas... ja jums vajadzēs ar kādu aprunāties...

– Pateicos, es novērtēju jūsu rūpes. Taču tas nav tā, kā izskatās, – Keita noteica vēlreiz, pavisam apņēmīgi.

Medmāsa nopūtās un pašūpoja galvu.

– Vai jūs man nevarētu atnest tēju? – Keita apjautājās. – Es jūtos mazliet grīļīga.

Māsiņa viņu uzlūkoja.

– Ar cukuru? – viņa beidzot iejautājās padodamās.

– Pāris graudiņus. Pateicos.

Kad viņa bija aizgājusi, Keita pagriezās ar seju pret sienu, cenzdamās nedzirdēt klusos vaidus, ko izdvesa blakus gultā guļošais.

Viņa nesaprata – neviens no viņiem nesaprastu.

Tas nebija tā, kā izskatījās.

Jo īpaši tad, ja tu pati biji uzprasījusies.

Bija vakars. Džeks sēdēja gultā savā viesu nama istabā. Viņam iepretī uz kumodes atradās no Džo Viljamsas iegādātā rakstāmpults. Tā pati, kuru viņš bija apsolījis nepārdot.

Viņš zināja, kāpēc ir to nopircis, kam tā domāta.

Vai viņš izturējās muļķīgi? Vai viņam vispār pietiks drosmes to viņai uzdāvināt? Un vai viņa sapratīs, ko šis žests nozīmē un cik unikāls tas patiesībā ir?

Bez šaubām, tādas lietas vajadzēja mācīties, viņš sev atgādināja. Bija laiks, kad viņš būtu noraudzījies uz tādu priekšmetu kā uz kaut ko triviālu. Laiks, kad viņš nebūtu spējīgs saredzēt, cik tas ir vērtīgs.

Džeks nometa kurpes, izstiepdamies uz muguras. Un iedomājās par savu tēvu.

Henrijs Koutss bija aizrāvies ar pagātni. Viņa cieņa pret to robežojās ar bijību. Tikai nedaudzas lietas varēja viņu iepriecināt vairāk par kāda neatklāta dārguma atrašanu, iedziļināšanos tā vēsturē, uzrokot ikvienu sīkumu, kas ar to saistījās – kas to ir izgatavojis un kad, no kuras valsts daļas tas nācis, kā tas bija ceļojis no rokas rokā, līdz beidzot nonācis viņējās. "Tā ir īstās dzīves vēstures mācība," viņš mēdza teikt. Tolaik Džeks bija interesējies par veselu pilsētu veidošanu, atstājot savas pēdas pasaulē ar diženām stikla un tērauda konstrukcijām. Viņa tēva apsēstība likās vecmodīga un ekscentriska. Kāda gan nozīme tam, kas noticis pagātnē un kā viens vecs krēsls nonācis tavā īpašumā? Pārdod to un dzīvo tālāk. Tādas bija viņa izjūtas.

Taču tagad, nolūkojoties uz šo mahagonija rakstāmpulti, viņš sajuta urdošu radniecību ar savu tēvu. Pagātne patiešām bija pelnījusi cieņu. Tagad, kad viņš bija pietiekoši vecs, lai viņam būtu pagātne, kas varētu mulsināt un izbrīnīt, viņš to saprata mazliet labāk.

Džeks pārlocīja spilvenu un pabāza to sev zem galvas.

Viņš bija vēlējies mainīt pasauli – savu pasauli. Aizbēgt no vecu un appelējušu mēbeļu krāvumiem tēva veikalā. Patiesībā jaunībā viņš bija kaunējies par savu tēvu un pilnīgi noteikti bija kaunējies strādāt veikalā Īslingtonā. Teikumā "mans tēvs ir senlietu tirgotājs" jautās zināms pārākums, jo tas netieši norādīja uz trenētu aci un bagātīgām stilistiskām un estētiskām zināšanām. Tomēr gluži kas cits bija sēdēt aukstā, caurvēja piepūstā veikalā pelēkajos ziemas mēnešos, nobružātu vecu mēbeļu ielenkumā, lasot nebeidzamas grāmatas un avīzes, dzerot tējas tases, gaidot kādu, vienalga, ko, kurš varētu ienākt veikalā, lai patvertos no lietus, un kaut ko nopirkt. Džekam tas likās līdz nelabumam garlaicīgi. Henrijs bija centies viņu pierunāt izglītoties šajā jomā, taču tolaik Džeks bija pārāk augstprātīgs, lai viņu tas spētu ieinteresēt. Ja viņš pārdeva kaut ko salīdzinoši dārgu dienas sākumā, tad viņš varēja agri slēgt veikalu un dzīvot pats savu dzīvi. Viņam bija plāni, ambīcijas. Viņš nevēlējās iestrēgt kā viņa tēvs, klejodams no izsoles uz izsoli, meklējot kādu retu ķērienu, kāds gadās tikai reizi mūžā.

Un, kad Henrijs atrada lietu, kas bija visu šo meklējumu gadu vērta, tas bija Džeks, kurš ļāva tai izslīdēt viņam caur pirkstiem.

Retajam karaļa Džordža laikmeta izliektajam spogulim bija aizmiglots, tumšs stikls un ar ornamentiem rotāts rāmis ar savītām efejām un smalkiem, filigrāni izgrebtiem zvirbuļiem. Tas bija gatavots apmēram tūkstoš septiņi simti divdesmitajā gadā un sākotnēji pasūtīts kā kāzu dāvana Velsas grāfa meitai, kurai jo īpaši patika putni. Henrijs to bija sameklējis izsolē, kurā tika izpārdotas personiskās lietas no kāda nama Emeršemā. Ietīts vecās segās, tas atradās veikala dziļumos mēnešiem ilgi, kamēr Henrijs ar mīlestību veica savus pētījumus, kas tolaik nozīmēja došanos uz bibliotēkām un kolekciju arhīviem.

Bija miglains aprīļa rīts, kad labi ģērbies vīrietis ienāca veikalā, slinki lūkodamies apkārt. Džeks lasīja žurnālus *Interview* un *Rolling Stones*, pa vidu snauzdams, sēžot tuvu sildītājam, kas bija vienīgais siltuma avots telpā. Henrijs iebilda pret centrālās apkures ierīkošanu, lai tā neizsusinātu trauslo koku. Vīrietis varēja būt apmēram desmit gadus vecāks par viņu pašu un uzsāka sarunu. Pēc vīrieša koptās ārienes un ilgstošās skatīšanās acīs Džeks ātri vien nosprieda, ka viņš ir gejs. Tomēr viņš bija pietiekoši patīkams sarunbiedrs: izskatījās, ka viņš saprot, cik apnicīgs var būt šāds darbs, jo īpaši tad, ja cilvēks visu dienu pavada viens pats. Džeks nepaguva ne attapties, kad jau bija atklājis viņam savus sapņus un centienus. Vīrietis apbrīnoja viņa ieceres. Tad viņš paskaidroja Džekam, ka ieradies no Ņujorkas, lai iepirktu senlietas. Viņš apjautājās, vai te neesot nekā īpaša, kas varbūt nav izlikts veikalā.

Tiklīdz Džeks parādīja vīrietim spoguli, viņa acis iemirdzējās, un Džeks sajuta, ka te briest īsts darījums. Patiesībā, kad viņš lūdza Džekam nosaukt savu cenu, vīrietis pat necentās kaulēties. Un Džeks bija dubultojis spoguļa iedomāto vērtību. Vīrietis viņam izrakstīja čeku par to uz līdzenas vietas, pat aiziedams tiktāl, lai palūgtu Džekam piezvanīt vietējai taksometru pārvadājumu firmai, liekot nekavējoties aizvest sevi ar visu spoguli.

Tobrīd Džeks jutās eiforijā, piepūties no panākuma apziņas. Viņš slēdza veikalu jau agri un devās uz krodziņu nosvinēt. Tikai vēlāk tēvs viņam paskaidroja, ka patiesā spoguļa cena ir vairākus tūkstošus lielāka. Henrijs bija centies sazināties ar tirgotāju un atdabūt spoguli, apelējot pie viņa godaprāta. Taču tas neko nedeva. Vīrietis acīmredzami bija ievērojis, ka Džeks ir jaunņais, kuram nav nekādas cieņas pret darāmo darbu. "Mēs neesam nekādi krāmu tirgoņi!" tēvs viņam nikni sauca. "Šīm lietām piemīt patiesa vērtība, ja vien tu pacenties to saprast!"

Tas bija izveidojis plaisu viņu starpā. Savā jaunības augstprātībā un paštaisnībā Džeks gadiem ilgi klusībā nosodīja tēvu, uzskatot viņu par pastulbu, pat mazliet mīkstčaulīgu. Taču patiesībā Henrijs bija vienkāršs, pieticīgs, neievērojams vīrs. Zem Henrija tās dienas dusmām slēpās piepeša apjausma, ka paša dēls uzskata viņu par smieklīgu.

Tagad, pēc daudziem gadiem, Džeks vēl aizvien nožēloja grēkus, cenšoties pierādīt ar sekošanu tēva pēdās, ka tā nav patiesība. Tikai tēvs tam nepievērsa uzmanību: viņš bija iegrimis pats savā pasaulē, ieslīgdams Pārkinsona slimības lēni uzglūnošajā plānprātībā un brīžam iznirdams no tās.

Džeks raudzījās uz rakstāmpulti, kuras gludais mahagonijs mirdzēja siltajā vakara gaismā.

Bija pazemojoši pēc tik daudziem gadiem redzēt, ka visa viņa karjera līdz šim nav bijis nekas vairāk par paplašinātu pantomīmisku "laba cilvēka" tēlošanu. Un vēl jo pazemojošāk tāpēc, ka tas viss bija tikai viņa paša dēļ. Neviens cits neskatījās un pat neievēroja.

Cik liela viņa personības daļa bija sapinusies šajā priekšstatā par sevi? Ka viņš ir "labs"? Un ka nez kādā veidā cilvēki patiešām varētu to saskatīt, patiešām vērotu un klusībā komentētu viņa rīcības un spriedumu pārākumu? Tā bija melīga fasāde – izvairīga, netieša fasāde, kuru sabiedrība ar gatavību pieņēma, bet tik un tā melīga. Viņam patika izlikties, ka atteikšanās no paša vēlmēm ir kaut kādā ziņā vērtīga. Taču patiesībā tā bija tikai versija par sevi pašu, kas sniedza Džekam mierinājumu naktīs, kad viņš nomodā gulēja tumsā, prātodams, kas viņš ir un ko dara. Garīgs drošības pārsegs, kam pieķerties, kad uzmācās iekšējās šausmas, kas nedeva un nedeva mieru... es vismaz esmu labs.

Vai arī viņa laulība nebija balstīta uz šiem priekšstatiem? Galu galā viņš bija atteicies no savām iedomām par arhitekta profesiju, noraidot to kā pārāk ilgstošu un dārgu, ja vajadzēja pelnīt naudu, veidot kopdzīvi, pirkt īpašumu. Viņš bija aizņēmis aizvien mazāk vietas šajās attiecībās, iztēlodamies, ka viņa to uzskatīs par vīra mīlestības pierādījumu. Taču patiesībā viņš vienkārši bija atkāpies, saplūzdams ar priekšstatu par sevi kā par mīlētāju tieši tāpat, kā aktieris saplūst ar lomu, cerēdams, ka tad, ja viņš neizvirzīs prasības pret sievu, tad viņa to mīlēs vairāk. Beigās viņš bija kļuvis tik nenoteikts, tik ļoti noslēpies, ka viņa vairs nespēja to ieraudzīt.

Varbūt tieši tāpēc viņa bija metusies dēkā. Lai sameklētu kādu, kurš būtu gatavs riskēt ar to, ka viņu saskatīs tādu, kāds viņš patiesībā ir.

Ārpusē Džeks dzirdēja kaiju klaigāšanu, kas sasaucās savā starpā lidojumā. Piecēlies viņš piegāja pie loga un to atvēra. Vējš bija spirgts, smaržoja pēc jūras un vēja. Dažu pēdējo nedēļu nomācošais mitrums bija mitējies.

Lūkojoties ārā uz plašo un nepazīstamo ainavu, Džekam ienāca prātā, ka viņš atrodas pagrieziena punktā. Un, tāpat kā vairumā krustceļu, te bija kaut kas, par ko jāmaksā, kas jāuzupurē, lai varētu doties tālāk. Varbūt bija laiks atteikties no domas par būšanu labam un no bērnišķīgā solījuma par nevainojamo morālisko pilnību. Tas vairs nedarbojās, Džeks bija to pāraudzis. Varbūt tagad viņam vajadzēja salīgt mieru ar domu par to, ka viņš atrodas tuvāk tiem, kurus pašam patika nosodīt, ka viņš nespēj sevi nodalīt no nepatīkamākajām, mazāk pieglaudīgajām sava rakstura daļām.

Un tādā veidā, varbūt pirmo reizi savā mūžā Džeks beidzot kļuva brīvs.

Bērdkeidžvolka 12
Londona

1940. gada 23. martā

Mana dārgā!

Tu kā vienmēr esi ļoti laipna. Un es atbraukšu, ja Tu tā vēlies. Londonā šobrīd ir briesmīgi, taču tajā pašā laikā arī satraucoši. Visur var just patiesu mērķa apziņu. Ena mācās Sarkanā Krusta kursos. Viņai ir burvīgs formastērps, un viņa man ir parādījusi, kā mēs varam uzstutēt savas gultas uz zupas bundžām un gulēt zem tām, noliekot uz grīdas matračus. Tādējādi, ja logi tiks izsisti, mēs būsim pilnīgā drošībā. Viņa ir tik gudra.

Dī
Bučas

Apģērbies un paēdis brokastis, Džeks pavadīja nākamo rītu vietējā bibliotēkā, meklēdams materiālus par rakstāmpults īpašnieku Benediktu Blaitu. Bibliotekāre norādīja uz nesen publicētu biogrāfiju, kārtējo grāmatu par māsām Blaitām, kas bija pilna ar fotogrāfijām un iznākusi vien pirms dažām nedēļām. Pārlapojot pirmās nodaļas, Džeks atklāja, ka abu māsu tēvs Benedikts Blaits bijis maz zināms akadēmiķis un vēsturnieks, kura darbi par ķeltu mitoloģiju (galvenokārt "Ieejot miglā – īru iztēles vēsture") bija kļuvuši par modes kliedzienu uz īsu brīdi pašās karalienes Viktorijas ēras beigās. Vecā fotogrāfijā bija redzams izskatīgs, visai spilgts vīrietis ar mežonīgām, gaiši zilām acīm un smalkiem, gandrīz sievišķīgiem vaibstiem. Autors rakstīja, ka viņš esot aplidojis un apprecējis jauno sabiedrības skaistuli Gvenivjeru Hīliju biedējošā ātrumā un ar milzu apņēmību, kad viņai vēl bija tikai septiņpadsmit gadu. Viņi bija apmetušies mājā vienā no mazāk iecienītajām Dublinas ielām.

Savu kolēģu vidū Blaits bija pazīstams kā romantisks un impulsīvs; viņu mīlēja par asprātīgo dabu un neizmērojamo augstsirdību. Tomēr izskatījās, ka viņš bija iecienījis neapdomīgus, pašiznīcinošus sakarus, kurus viņa jaunā un uzticīgā līgava nedz saprata, nedz atbalstīja. Tā nu viņš vadīja slepenu dzīvi, bieži vien braukdams uz kontinentu, jo īpaši uz Parīzi, kur viņa pārmērīgo seksuālo apetīti varēja apmierināt vienīgi lētas, prastas prostitūtas, no kurām slavenākā bija La Galoue, pazīstama ar savu paradumu izvēlēties par saviem klientiem pat viszemākos no zemākajiem. Šie gadījumi neapšaubāmi bija pie vainas viņa saslimšanā ar sifilisu, kurš Blaitu vēlāk nogalināja četrdesmit gadu vecumā un bija par cēloni pastiprinātai opija lietošanai, kas iedragāja viņa ģimenes finansiālo stāvokli un izstūma viņus no pieklājīgas sabiedrības. Kaunēdamās un juzdamās šausmināta par to, ka kāds varētu atklāt patiesību par viņas vīra īsto slimību, viņa sieva dzīvoja noslēgtu dzīvi, pati izglītodama meitas mājās un paļaudamās uz savu ticību, kurā guva mierinājumu un spēku. Bērnībā mazās Blaitu meitenes vecajā mājā bija atstātas savā vaļā, spēlēja mežonīgas vientuļas spēles tikai viena otras sabiedrībā. Raujoties uz pusēm starp mātes striktajiem katolietes uzskatiem un tēva izpušķotajiem, izdomātajiem stāstiem, viņas kļuva par pārdrošām, neparastām personībām ar saviem uzskatiem, svārstoties no gandrīz patoloģiskas vispārpieņemto morāles normu neievērošanas periodiem līdz dziļai reliģiozitātei.

Pēc vīra pāragrās nāves jaunā atraitne pārdeva māju un, atstājusi abas meitas pie saviem vecākiem Dublinā, izmantoja naudu, pieņemot savas precētās māsīcas uzaicinājumu padzīvot pie viņas Belgreivas laukumā, un ķērās pie Londonas sabiedrības iekarošanas. Viņas pūliņi vainagojās ar panākumiem, apburot daudzus no Londonas iekārojamākajiem vecpuišiem, līdz beidzot viņa pieņēma bildinājumu no lorda Vobērtona, kura sieva bija mirusi trīs gadus iepriekš no tuberkulozes. Gvenivjera Blaita, kurai tolaik bija vien trīsdesmit pieci gadi, kļuva par lēdiju Vobērtonu. Apņēmīgi atstājusi aiz muguras Īriju un savu neveiksmīgo pirmo laulību, viņa paņēma abas savas pusaugu meitas un nekad vairs neatgriezās Dublinā. Skaistās māsas Blaitas kļuva par slavenām debitantēm un sabiedrības dāmām, un ar laiku viņu māte tika izdaudzināta par vienu no katoliskās sabiedrības pīlāriem Londonā, jo īpaši Otrā pasaules kara laikā, kad viņas apņemšanās palīdzēt katoļu bēgļiem no citām valstīm radīja aizvien pieaugošu plaisu viņas un vīra attiecībās.

Džeks pārlapoja fotogrāfijas. Tur bija formāli attēli, kas uzņemti fotoateljē ar Gvenivjeru un viņas meitām. Džeku pārsteidza viņas neparastais skaistums: pilnīgas lūpas, tālu izvietotas acis un drošs, izaicinošs skatiens. Meitenes bija mantojušas gan mātes stingros vaibstus, gan tēva izteiksmīgās zilās acis. Tad Džeks uzdūrās fotogrāfijai ar vienkāršu, pavisam neievērojamu karalienes Viktorijas laika ēku klusā ieliņā. Paraksts vēstīja: *"Tír na nÓg"*, kas tā nodēvēta par godu mītiskai pasaku pēcnāves karaļvalstij, ko aptuveni var tulkot kā "mūžam jauno zeme". Tai vajadzēja kļūt par patvērumu, par kuru parasti mirstīgie var tikai sapņot, kur taisnprātīgie pavadītu mūžību spēlējoties, dzīrojot, mīlējoties un klausoties brīnišķīgā mūzikā."

Te nu tā bija, Benedikta Mūžīgi jauno zeme – ikdienišķa priekšpilsētas māja no sarkaniem ķieģeļiem.

Džeks atzvila savā krēslā.

Benedikts Blaits bija sarakstījis tikai trīs grāmatas un miris apmēram tajā vecumā, kādu Džeks bija sasniedzis šobrīd. Kaut ļoti talantīgs un sākotnēji guvis panākumus, patiesais Blaita dzīves mantojums bija neprātīgu emocionālu misiju sērijas, akli metoties cīniņā ar saviem bērnišķīgi romantiskajiem priekšstatiem, lai izkļūtu no tā, asinīm noplūdis un sakauts, un galu galā miris.

Džeks aizvēra grāmatu un palūkojās uz sienas pulksteni. Divas stundas bija aizritējušas nemanot. Viņš nokopēja vajadzīgās lappuses un tad izgāja no bibliotēkas un devās uz jūras pusi, sajuzdams vēja vēso un atsvaidzinošo pieskārienu sejai.

Skumjākais bija tas, ka viņš spēja identificēties ar Blaitu. Cik kārdinoši vienkārši bija apiet realitāti un ielavīties citā pasaulē. Tomēr sekas bija traģiskas un nožēlojamas. Mazā un noplukusī mājele, parādi un jaunā sieva, nodota un palikusi bez graša kabatā, spiesta meklēt citu vīru, lai uzturētu abas savas nepieaugušās meitas.

Ko viņš bija rakstījis uz šīs rakstāmpults? Nodaļas par noslēpumainajām, tumšajām un izplūstošajām robežām starp mitoloģijas redzamo un neredzamo pasauli? Vai neveiklas, negodīgas vēstules savai sievai un bērniem, kas tika sacerētas trešās šķiras bordeļos Pigala laukuma aukstajās, smirdīgajās sānu ieliņās? Vai rakstāmpults bijusi dāvana no līgavas, kura ticēja viņa akadēmiskās karjeras augšupejai un veiksmīgi aizsāktajai kopdzīvei? Vai arī viņš to bija iegādājies pats, kārtējo reizi bruņojies ar apņemšanos un nodomu sākt jaunu dzīvi, ko vainagos nopietnas pūles un sasniegumi?

Nezinātāja acij rakstāmpults nebija nekas vairāk par koka kasti. Taču patiesībā tas bija pēdējais pierādījums, kas liecināja par sapni un cerībām. Un par dzīvi, kas bija sagriezusies šķērsām.

Bija pavisam agrs rīts, kad Keita ar taksometru devās atpakaļ uz Vimpolstrītu, atslēdza durvis un iegāja iekšā. Dzīvoklis bija tukšs. Neieslēgusi gaismu, viņa nometa savu somu priekšnamā un apsēdās uz pakāpieniem. Logs sitās pret rāmi augšstāva istabā, kurā tas pa nakti bija atnācis vaļā. Telpas bija tumšas. Viss likās noplucis un biedējošs – nepavisam ne patvērums, bet gan skumja otrās šķiras eksistence. Keita aizsedza seju ar rokām, juzdama, kā acīs sariešas asaras. Viņai nekā nebija. Nekā, ar ko attaisnot Ņujorkā pavadītos gadus. Nekā, ja neskaita infekciju un nesamaksātu parādu.

Viņš bija nodevis Keitu.

Viņai tecēja deguns, un viņa to noslaucīja ar plaukstas virspusi.

Keita vienmēr bija zinājusi. Tas, ko viņa teica Džekam, izrādījās meli. Bez šaubām, viņa nekad nebija prasījusi bez aplinkiem, taču sirdī zināja, ka nevajag prasīt, un tas bija tas pats.

Viņa sēdēja pie friziera, pārlapodama *New York Times* numuru, kad tajā ieraudzīja fotogrāfiju. Te viņš bija, nevērīgi aplicis roku ap slaidu vidukli. "Aleksandrs Munro kungs ar kundzi". Viņš pavadīja sievu uz kādu pasākumu Metropolitēna muzejā. Gara auguma un eleganta, ar mirdzoši tumšiem matiem līdz pat viduklim, viņa bija gracioza un stalta kā dejotāja. Viņa bija ģērbusies atturīgā plīvojošā zīda tērpā smalkās, pieklusinātās krāsās, kas izcēla viņas tumšo ādu. Annemarija, tāds bija viņas vārds. Viņa bija francūziete. Viņa eksistēja. Un viņi kopā izskatījās labi. Tas bija ne tik daudz šoks kā Keitas bērnišķīgo fantāziju aizskārums

Viņa bija nolikusi avīzi nost. Un tad, protams, atkal to paņēmusi. Viņa nespēja atturēties no tās pašas lappuses atšķiršanas, cieši nolūkojoties uz to ilgāku laiku. Patiesības uzzināšanā slēpās kaut kas reizē sāpīgs un perversi atbrīvojošs.

Izgājusi no frizētavas, Keita nedevās mājās. Viņa pārgāja pāri ielai un iegāja bārā. Viņai vajadzēja kaut ko iedzert. Un pēc tam vēl kaut ko.

Vēlā pēcpusdiena pārvērtās vakarā. Viņas telefons zvanīja. Tas bija viņš. Viņš sūtīja savu mašīnu pakaļ.

Keita atcerējās, ka sēdēja limuzīna aizmugures sēdeklī. Viņa atcerējās šveicaru un braucienu liftā.

Taču tas, kas notika dzīvoklī, bija neskaidrs un izplūdis.

Viņa kliegusi un raudājusi. Šķiet, viņš centās nomierināt Keitu, centās pārliecināt, ka viņu mīl. Taču Keita viņam neticēja. Viņa paziņoja, ka viņš ir gļēvulis un krāpnieks. Ka viņš pat nav īsts vīrietis. Viņa iemeta viņam sejā kredītkarti. Viņš bija pretīgs. Viņa vairs nekad netaisījās ar viņu tikties.

Šajā brīdī viņš Keitu saķēra un spēcīgi iesita pa muti. Viņas lūpa bija pušu un mute piepildījās ar asinīm. Un viņš norāva viņu uz grīdas.

Vai viņa gribēja, lai vīrietis tā izrīkotos? Vai jebkāda reakcija no viņa puses nebija labāka par nekādu? Viņš saplēsa Keitas drēbes, uzrāva augšā kleitu, piespiežot pašu pie grīdas. Pat tad, kad viņa cīnījās pretī ar speršanu un sišanu, kāda cita viņas būtības daļa šķita nolūkojamies uz to visu no attāluma gluži kā svešiniece, kas skatās televīziju. Tomēr, jo vairāk sāpju viņš nodarīja, jo nereālāka bija sajūta, it kā viņa tēlotu kādu lomu, priekšā uzrakstītu tēlu. Un vai viņa nebija mitra, kad viņš iegāja iekšā? Teksts izplūda starp sāpēm un kaislību, un viņa vairs nespēja noteikt atšķirību. Kāda daļa no viņas bija atsaukusies pretēji pašas gribai, paceļot gurnus pretī viņējiem, ieķeroties viņam matos, pievelkot viņa seju sev tuvāk un iekožot viņam lūpā. Viņa atcerējās, kā viņš čukstēja ausī: "Tu piederi man." Un tā arī bija patiesība. Viņa bija apjukusi. Mīlestības prombūtnē derēja pat vardarbība.

Kad viss bija beidzies, viņš piecēlās, atstājot Keitu uz grīdas. Pēc dažām minūtēm viņa izdzirdēja dušā līstam ūdeni.

Tad viņa uzrausās četrrāpus un trīcēdama piecēlās no grīdas. Viņa sameklēja savu mēteli un somiņu.

Nebija mašīnas, kas aizvestu viņu mājās. Viņa klīda apkārt, neko neredzēdama, līdz beigu beigās saņēmās tiktāl, lai apturētu taksometru.

Nākamajā dienā viņa izlidoja uz Londonu.

Un nu viņa sēdēja Reičelas dzīvoklī uz kāpnēm, satriekta un nereāla.

"Mīļākā".

Viss ar to saistītais bija kā pļauka sejā – nosaukums, fakts, ka viņš to pārdod, ka glezna ir daļa no oficiālas kolekcijas, kas viņam piederēja kopīgi ar sievu. Keita bija degradēta ikvienā iespējamā veidā, un tomēr tā vietā, lai justos nikna, viņa jutās samīdīta – it kā šī būtu dominējošās emocionālās patiesības kulminācija viņas mūžā. Viņa nekad nevienam nebūs patiesi nozīmīga. Viņu viegli varēja nomainīt, un tā tas bijis vienmēr.

Vai mīļāko vispār ir iespējams piekrāpt, viņa prātoja, iebāzdama roku kabatā, lai sameklētu mutautiņu. Ne gluži. Ne vairāk par to krāpšanu, ko viņi bija pieļāvuši pret sevi.

Viņš nemeklēja Keitu Londonas ielās. Viņa bija viena ar savu dzīvi, kas nefunkcionēja, kā nākas. Tā vien likās, it kā viņa būtu gulējusi, pārlecot no viena notikuma uz citu ilgstošā murgā. Nu tas bija beidzies. Un vienīgais, ko viņa vēlējās, bija atkal atgriezties atpakaļ savā sapņu puspasaulē un palikt tajā, šoreiz uz visiem laikiem.

Viņas kabatā bija ietūcīts neliels sainītis no aptiekas. Tabletes, kuras ārsti bija viņai iedevuši. Tur bija antibiotikas un pretsāpju līdzekļi.

Keita nolūkojās uz tām. Reičela atgriezīsies vēl pēc vairākām dienām.

Pasniegusies viņa izņēma pudelīti un pielieca to uz sāniem, skaitīdama mazās, baltās tabletītes.

Viņas sirdspuksti kļuva lēnāki, viņa jutās mierīgāka, gandrīz svinīga.

Cik daudzas būs vajadzīgas? Varbūt augšstāvā bija vēl.

Viņai bija vajadzīgs laiks, lai izdzirdētu, ka zvana telefons. Viņa gaidīja, kad ieslēgsies automātiskais atbildētājs.

Taču telefons turpināja zvanīt. Atkal un atkal, un atkal... Keita uzkāpa pusstāvu augstāk līdz dzīvojamajai istabai un pasniedzās pēc klausules.

– Hallo?

Savienojums bija sprakstošs, tālīns.

– Hallo? Hallo, Keitij? Vai tā esi tu?

– Mammu?

– Kas notiek? Kāpēc tu esi Londonā?

Keita noslīga krēslā līdzās Reičelas rakstāmgaldam.

– Mammu...

– Keitij?

Viņa sāka raudāt.

– Mammu... kāpēc tu zvani?

– Nomierinies, Keitij.

– Kāpēc? Kāpēc tu zvani?

– Keitij...

– Kāpēc, mammu? – Saraustīti šņuksti draudēja pārplēst viņas krūškurvi. – Kāpēc?

Mātes balss bija apņēmīga un stingra; ciets pamats pasaulē, kas mežonīgi griezās, nepakļaujoties kontrolei.

– Es vienkārši zvanu. Runā ar mani. Tagad es esmu šeit. Nekur nepazudīšu. Esmu tepat.

TREŠĀ DAĻA

Endslija
Devona

1940. gada 7. oktobrī

Manu dārgum!

Kādi jaunumi? Tu nevari izlikties, ka Londona ir garlaicīga – bīstama jā, bet nekad ne garlaicīga! Un, lūdzu, nesaki, ka esi izraudzīts pilnīgi slepenai misijai un Tev ir aizliegts ar kādu sarakstīties. Tu zini, ka es te garlaikojos, tāpēc Tavs pilsoņa pienākums visu kaujas sasniegumu vārdā ir atsūtīt man tik daudz tenku, cik vien iespējams. Ar tām drupačām, ko esmu saklausījusi, ilgam laikam nepietiks. Piemēram, šķiet, ka Vūtonlodža ir pataisīta par tādu kā slimnīcu jukušām militārpersonām, kas mums lika pasmieties, jo lieliski raksturo šo vietu, īpaši tajās nedēļas nogalēs, kad esmu tur bijusi – ar cilvēkiem, kuri nespēja atcerēties savu vārdu un skrēja virsū sienām, krita lejā pa trepēm un vervelēja kā idioti. Irēna teica, ka Beiba Metkafa viņai atrakstījusi, lai to pavēstītu. Dīvaini gan! Un Irēna apgūst medmāsas amatu, ir ārkārtīgi augstsirdīga un pazemīga vienlaicīgi, kas ir grūti izpildāms triks. Izskatās, ka krīzes situācijas viņai piestāv. Tagad mēs dzīvojam tikai dažās istabās. Pārējās ir aptumšotas. Pie mums ir atsūtīti pāris evakuētie tieši no Šordičas – zēns un meitene, lai gan meitene patiesībā vēl ir tīrais bērns, nepilnus trīs gadus veca, vai vismaz zēns mums tā stāsta. Viņu sauc Džons, bet viņa, mazulīte, ir Džesa. Viņi ir ārkārtīgi jauki, lai arī Irēnai nepatīk, ka viņi atrodas mājā, jo viņa apgalvo, ka bērniem esot gnīdas, tāpēc viņi ir izvietoti kotedžā pie Alises, līdz viņa tos pienācīgi atutos. Un mazajam Džonam ir rejošs klepus, kuru viņa uzskata par lipīgu, tāpēc tur mani pēc iespējas tālāk no viņa, kas ir ļoti slikti, jo viņam ir vissatriecošākā izruna un viņš izsakās apmēram tā: "Skaidrs! Tas nav augsts jumts, ne uz to pusi!", ieejot vestibilā ar lielo kupolu. Man gribētos paturēt viņu savā tuvumā, tikai lai dzirdētu viņu runājam! Taču Irēna izturas pret viņiem visai savādi, patiešām. Šķiet, ka man būtu gribējies, lai man visapkārt būtu bērni, tomēr izskatās, ka viņa nevar paciest, ja tie atrodas viņas tuvumā. Viņa nolūkojas uz mazo meiteni, kuru Alise pieņēmusi kā savējo. Taču viņas skatiens pauž drīzāk šausmas nekā aizrautību. Viņa apgalvo, ka Malkolms šā vai tā negribētu, lai viņi uzturētos lielajā mājā, un laikam jau viņai ir taisnība. Viņa mūždien pakļaujas Malkolmam, pat tad, ja viņa nemaz nav tuvumā. Un tomēr viņa ir ļoti laipna pret mani... savā ziņā. Raksti man, mīlulīt. Raksti labi drīz.

Mazā
Bučas

Otrais brauciens uz Endsliju bija pavisam savādāks. Keita devās uz vairāksolīšanu kopā ar Reičelu viņas krietni paplukušajā zilajā *Volkswagen* – debesis bija satumsušas, pelēkas un apmākušās, bet no ceļa cēlās karstums.

Saruna ar māti visu laiku atbalsojās viņas smadzenēs. Keita bija izstāstījusi viņai praktiski visu, kas bija dīvaini, jo parasti viņa pret māti izturējās visai atturīgi. Kāda viņas būtības daļa – cietsirdīga, bērnišķīga daļa allaž bija vainojusi māti par to, ka viņa pameta tēvu, tā arī nenoticot, ka viss varēja būt tik slikti, kā tas patiesībā bija. Varbūt tad, ja viņa būtu vairāk centusies vai būtu mīlošāka, viņš mainītos un viss būtu savādāk. Un, kad tēvs bija nomiris, plaisa mātes un meitas starpā bija pārvērtusies dziļā aizā. Keita zināja, ka viņas aizvainojums lielākoties ceļas no tā, ka māte vienmēr bija klāt, darīdama visu to, kas vecākiem jādara, liekot Keitai izpildīt mājas darbus vai laikus aiziet gulēt. Savā bērna prātā viņa nespēja dusmoties uz tēvu, nespēja riskēt ar to, ka viņš varētu vēl vairāk attālināties no viņas. Tā vietā Keita sodīja māti – cilvēku, kurš atradās tuvumā. Turēdama māti zināmā attālumā, viņa bija apņēmusies uzticēt tai tikai savas dzīves fragmentus, jo īpaši tos, kas attiecās uz dzīvi Ņujorkā.

Taču, kad viņa uzticēja mātei savu stāstu, no Annas puses nesekoja nosodījums, ar kuru Keita bija rēķinājusies. Māte gribēja uzzināt, vai Keita nevēlētos viņu apciemot Spānijā; viņa labprāt nopirktu meitai biļeti. Taču Keita paskaidroja, ka viņa darot kādu darbu pie Reičelas, apsolīdama atbraukt, kad tas būs padarīts.

Viņa neizstāstīja par apavu kārbu vai savu apsēstībai līdzīgo interesi par Mazās Blaitas noslēpumu. Keita zināja, ka tajā ir kaut kas uzmācīgs; tā bija uzplaukusi no vēlmes novērst uzmanību un kļuvusi par patiesu nepieciešamību atšķetināt samudžināto personību kamolu – tajā bija kas vairāk par parastu ziņkārību vai interesi.

Viņas reģistrējās nelielā viesnīciņā Laimredžisā netālu no advokātu kantora. Keita un Reičela apmetās vienā divvietīgā numuriņā. Džeks bija apmeties kur citur. Keita centās neuztvert to kā nozīmīgu faktu, un tomēr tā likās. Viņa nespēja nesalīdzināt šo otro braucienu ar pirmo. Un daļēji ilgojās pēc stundām, kuras bija pavadījusi divatā ar Džeku vecajā mājā.

Kad viņas ar Reičelu ieradās Endslijā dienu pirms izsoles, piebraucamais ceļš bija pilns ar mašīnām un māja piebāzta ar cilvēkiem, kuri staigāja apkārt, aplūkodami izsoles objektus ar katalogiem rokās. Visu uzraudzīja Simsa kungs, izskatīdamies tikpat drūms kā vienmēr tajā pašā tumšajā uzvalkā un ar nopietnu sejas izteiksmi. Sargi staigāja pa gaiteņiem, kamēr nesēji pārvietoja dažādus priekšmetus no augšējiem stāviem; visas mēbeles no bibliotēkas bija izvāktas, lai izveidotu improvizētu izsoles telpu. Taču Džeks nekur nebija redzams.

Kamēr Reičela apsprieda norises procedūru ar Simsa kungu un deva norādījumus, Keita atkal klīda pa māju vienatnē. Taču tagad tā bija pavisam atšķirīga, kaila un noplicināta. Uz sienām palikušas pēdas, uz grīdas saules izdedzināti plankumi, kas norādīja, kur atradušās lietas. Pašas istabas izskatījās nemīlīgas un savādi neaizsargātas.

Keita uzkāpa augšup pa platajām kāpnēm, dodamās uz Irēnas istabu. Tagad tā bija nedzīva un bezpersoniska kā viesnīcas apartaments. Gulta bija palikusi bez gultasveļas, paklājs saritināts un novietots gaiteņa vidū. Keita pagriezās, lai paraudzītos uz naktssgaldiņu. Grāmatu kaudzīte bija pazudusi.

Keita cerēja, ka viņa spēs visu uzlūkot ar svaigu skatienu, varbūt atklāt ko tādu, kas ļaus salikt kopā visus mozaīkas gabaliņus. Taču nekas nebija palicis.

Šķērsojusi centrālo kāpņu laukumiņu, viņa devās uz priekšu pa garo gaiteni uz mājas rietumu spārnu. Te bija vēl viena istaba, ko viņa vēlējās redzēt. Durvis bija slēgtas – viņa pagrieza rokturi, un, tāpat kā pirmajā reizē, viņu apstaroja zeltaina gaisma, gandrīz apžilbinādama pēc gaitenī valdošās tumsas.

Tikai viņa nebija viena. Te bija Džeks un krāva kastēs grāmatas. Viņš pagriezās.

– Aizver durvis, – viņš nokomandēja.

Keita tās pagrūda.

– Un sveika, – Džeks piebilda, ievietodams kastē kārtējo grāmatu kaudzi. – Nemaz nejautā man, ko es daru, ja vien nevēlies kļūt par nozieguma līdzdalībnieci.

– Labi. – Viņa atbalstījās pret stenderi. – Tad ko tu īsti dari?

– Vai tu atceries Viljamsas kundzi? To, cik ļoti viņa jutās apbēdināta par šo istabu un grāmatām? Nu, – viņš piecēlās, notraukdams putekļus no rokām, – iedomājos, ka būtu jauki, ja mēs tās atdotu viņām. Un, tā kā šī istaba agrāk vispār nebija oficiāli uzskaitīta, baidos, ka es atļāvos neiekļaut tās saturu katalogā. Tāpēc tagad man nekas cits neatliek kā slepeni aizdabūt šīs kastes lejā pa rezerves kāpnēm.

Viņš pasmaidīja iešķību, sardonisku smaidu. Viņš likās savādāks, atbrīvotāks un nepiespiestāks, nekā Keitai palicis prātā.

– Ļauj, es tev palīdzēšu, – viņa noteica pieliekdamās, lai piepildītu tukšu kasti ar atlikušajām grāmatām.

Keita pievērsās grāmatu kraušanai, bet Džeks – abu pārējo kastu aizvēršanai.

– Vai labi atbraucāt līdz šejienei? – viņš apjautājās, noplēsdams iesaiņojuma lenti.

– Jā, un tu?

– Labi. – Viņš nolocīja malas. – Un vai ar tevi viss kārtībā?

– Jā. Kārtībā. – Viņa iedabūja vajadzīgajā vietā pēdējo grāmatu. – Un ar tevi?

– Jā. Jā... – Džeka balss apklusa.

Viņš paspēra soli atpakaļ, vērodams Keitu. Viņas mati bija garāki, mīkstāki, ne tik simetriski apgriezti, seja atvērtāka. Viņā jautās kas nedrošs vai drīzāk pretrunīgs, lai arī Džeks īsti nevarēja saprast, kas ir mainījies.

Keita paraudzījās augšup uz viņu. Viņas acis bija tikpat atbruņojoši dzidri zaļas, caurspīdīgas rīta gaismā.

– Viss izdarīts, šef.

Viņi kopā nonesa kastes pa rezerves kāpnēm, kas veda uz virtuvi, un sakrāva uz galda, no piepūles aizelsušies.

– Vai tu vadi mašīnu? – Džeks jautāja.

– Jā.

Viņš izņēma no kabatas atslēgu saišķi.

– Paklausies, man jāsatiekas ar Reičelu un jāpārrunā daži jautājumi. Vai tev nebūtu iebildumu aizvest to visu Džo? Viņa izvācās no kotedžas pirms dažām nedēļām un ir apmetusies pie savas mātes. Te ir adrese. Ja tu negribi, mēs varam tās vienkārši ielikt mašīnas bagāžniekā, un es tās aizvedīšu vēlāk.

– Nē, tas nekas. Tas ir, protams, ja vien tu man uzticēsi savu mašīnu, – Keita pasmaidīja.

– Patiesībā es tev neuzticos. – Džeks izņēma papīra gabalu no krūšu kabatas. – Taču vienmēr esmu gribējis redzēt pie savas mašīnas stūres skaistu blondīni, tāpēc esmu gatavs iemainīt dvēseles mieru pret fantāzijas piepildījumu.

– Izvirtulis.

– Jā.

Viņi salika kastes uz aizmugures sēdekļa, un Keita iekāpa mašīnā.

– Vai tev ir karte?

– Te būs. – Džeks pasniedzās viņai garām, atvēra cimdu nodalījumu un izņēma ārā atlasu. – Šī ir īstā lappuse, – viņš noteica, atšķirdams grāmatu un atbalstīdams to pret stūri. Viņš pieliecās tuvāk, ar pirkstu braukdams pāri lappusei. – Tev ir jāpagriežas pa labi, jāpabrauc garām pienotavai un tad pa kreisi šajā krustojumā. Pagaidi, ļauj man vēlreiz uzmest aci adresei.

Keita to viņam pasniedza. Džeks vicinājās, izbaudīdams izdevību atrasties viņai tuvāk. Un viņa to ļāva.

– Jā, brauc vien uz priekšu, un tam vajadzētu būt kaut kur šī ceļa malā. – Džeks pagriezās, un viņa seja izrādījās tuvu Keitas sejai. – Vai tas izklausās kaut cik jēdzīgi?

– Skaidrs. – Viņa novietoja grāmatu uz sēdekļa sev līdzās un ieslēdza aizdedzi. – Uzmet pēdējo skatienu savam priekam un acuraugam, vecīt.

– Neliec man sevi vajāt.

Keita lika motoram ierūkties.

– Es atstāšu aiz sevis pēdas no maizes drusciņām, labi? – Un viņa aizbrauca, aiztraukdamās uz priekšu pa garo, līkumaino piebraucamo ceļu un nozuzdama tālumā.

Džeks sabāza rokas kabatās.

Viņš bija prātojis, kāda būs viņu nākamā tikšanās. Taču iztēle nebija Džeku sagatavojusi realitātei.

Keita izskatījās labi pie stūres. Džeks vēl nekad nebija ļāvis nevienam citam braukt ar savu mašīnu, pat ne savai sievai.

Kāpēc viņš tā steidzās pasniegt atslēgas Keitai?

Keita pārslēdza ātrumu, braukdama augšup stāvā kalnā. Bija pagājis ilgs laiks, kopš viņa bija pēdējo reizi vadīja mašīnu, varbūt divi gadi. Un šī automašīna bija atklāta, mežonīga, pirmatnēja. Motors rūca kaut kur apakšā, izdvesdams gluži juteklisku ņurdienus, vējš plivināja matus. Auto atgādināja seksīgu dzīvnieku, pat neskatoties uz savu vecumu. Un braukšanā slēpās kaut kas intīms; sajūta, ka tā viņu vieno ar to Džeka būtības daļu, kas arī bija mežonīga, neparedzama un reizē izsmalcināta.

Keita pielika gāzi, lai tiktu pāri pakalnam, un aizbrāzās garām pārsteigtu aitu ganāmpulkam. Te bija īstais ceļš. Samazinājusi ātrumu, viņa pētīja māju numurus. Divdesmit septītais numurs. Tas bija īstais. Keita piebrauca pie mājas. Tā bija vienai ģimenei celta Viljama un Mērijas valdīšanas laika stila kotedža, kurai piemita skaidri izteikts valdzinājums un no kuras pavērās skats uz jūru. Tai bija liels, romantisks piemājas dārziņš ar kāršu rozēm, kupliem rožu krūmiem, pulkstenītēm un margrietiņām. Keita izkāpa no mašīnas un, pacēlusi vienu kasti no aizmugures sēdekļa, atvēra dārza vārtiņus. Puķu smarža bija tikpat izsmalcināta kā ikviens *Creed* vai *Guerlain* aromāts. Nolikusi kasti lejā, Keita piespieda durvju zvanu, ar priecīgu satraukumu domādama par to, cik lielā sajūsmā Džo būs par šo negaidīto dāvanu.

Durvis atvērās. Taču Džo vietā Keitu uzlūkoja ļoti veca sieviete ar možām melnām acīm.

– Jā?

– Es meklēju Džo, tas ir, Viljamsas kundzi. Iedomājos, ka viņa varētu būt šeit.

– Tā būs mana meita. Viņa ir aizgājusi uz veikalu. Vai varu palīdzēt?

– Jā, mani sauc Keita. Es viņu satiku Endslijā. Es strādāju pie "Devero un Diploka", vērtēšanas firmā. Esmu viņai kaut ko atvedusi, kādu dāvanu, gribēju to atstāt šeit.

– Ak, viņa priecāsies! – Sieviete pasmaidīja. – Jūs jau zināt, ka viņa jutās ļoti sarūgtināta par to, ka nācās pārvākties. Tas viss viņai ir nozīmējis jaunu pielāgošanos. Vai jūs negribētu ienākt un iedzert tasi tējas?

– Tas ir ļoti laipni, taču nevēlos jums sagādāt liekas pūles.

– Tās nav nekādas pūles. Tagad jūs esat laukos – tēja ir mūsu nacionālais sporta veids.

Keita ienesa iekšā kasti un novietoja to līdzās durvīm.

– Pienu?

– Jā, lūdzu, – Keita atsaucās.

Šī bija jauka māja, kuras galā pletās gaismas pieliets ziemas dārzs. Te atradās daudzi ērti krēsli, milzums sedziņu un plaša nelielu porcelāna figūriņu kolekcija. Kamēr Džo māte lika vārīties tējkannu, Keita pētīja uz kamīna malas sarindotās fotogrāfijas no dažādiem ģimenes pasākumiem ar bērniem un mazbērniem, pāris ļoti vecas mazu bērnu fotogrāfijas ar iztrūcinātiem mazuļiem garās, baltās kristāmkleitās, attēlu ar Džo un vīrieti ratiņkrēslā, jādomā, viņas vīru, pie kādas pludmales mājas, kuras izkārtne vēstīja "Baltais nams".

– Ceru, ka nebūs par stipru. Man garšo stipra tēja.

Keita pagriezās.

– Esmu pārliecināta, ka tā būs pašā laikā, – viņa noteica, pieņemdama kūpošo krūzi. – Es tikai apbrīnoju jūsu ģimenes fotogrāfijas.

– Pateicos. Man ir ļoti paveicies. – Viņa iekārtojās vienā no klubkrēsliem. – Un tagad mēs ar Džo dosimies apskatīt pasauli!

– Patiešām?

– Vai viņa jums nav teikusi? Viņa mums rezervējusi vienu no tiem šikajiem kruīziem. Pēc nedēļas brauksim uz Londonu, pavadīsim dažas dienas greznā viesnīcā un tad dosimies ceļā – uz trim mēnešiem! Mēs aizceļosim uz Dienvidāfriku, uz Vidējiem Austrumiem, Ēģipti, Krieviju, Spāniju, Marakešu...

– Tas izklausās fantastiski!

– Nekad neesmu bijusi ārpus Anglijas. Taču vienmēr esmu gribējusi ceļot, tikai tagad esmu pārāk veca, lai varētu kāpt iekšā un ārā lidmašīnās. Džo apgalvo, ka mēs varēšot visu apskatīt un vakarā atgriezties savā mazajā kajītē, lai padzertu tēju. Viņa apgalvo, ka mums nemaz nevajadzēšot kāpt ārā no kuģa, ja mēs to negribēsim. Parastos apstākļos es nemaz nedomātu par kaut ko tik ekstravagantu, taču mums abām ir ienācies mazliet naudas, tāpēc domāju, ka tas būs tikai godīgi.

– Jums vajadzētu dot mums ziņu, kad būsiet Londonā, un mēs atnāksim jūs apraudzīt.

– Jā gan. Mēs apmetīsimies kaut kur pašā pilsētas centrā... Belvjū vai kā nu to sauca. Man ir jāsameklē, kā tur īsti bija. – Viņa pasmaidīja. – Tā gan, noslēpumu glabāšana man īsti nepadodas, – viņa atzinās. – Ko jūs esat viņai atnesusi?

– Nu tā. – Keita nolika savu tējas krūzi un noplēsa iepakojuma lenti, ar kuru bija apsieta viena kaste. – Kad vērtējām lietas, mēs uzdūrāmies istabai mājas rietumu spārnā. Esmu pārliecināta, ka jūs zināt, par ko ir runa. Patiesi skaista, nokrāsota lieliskos zelta toņos. Vai saprotat, par kuru es runāju?

– Tā istaba ilgu laiku stāvēja aizslēgta.

– Nu, mēs tajā atradām šīs vecās grāmatas. Paskatieties. – Keita pasniedza vienu vecajai sievietei. – Daudzas no tām ir pirmizdevumi. Jūsu meitu tās jo īpaši aizrāva. – Keita turpināja. – Iedomājāmies, ka viņai gribētos tās paturēt.

– Skaidrs.

Tas nebija sajūsmas izvirdums, kādu Keita bija gaidījusi. Varbūt vecā sieviete nesaprata.

– Vairums no grāmatām nemaz nav lasītas. Tās patiešām ir visai vērtīgas, – viņa paskaidroja. – Un lieliskā stāvoklī. Piemēram, šis "Vējš vītolos" ir ārkārtīgi rets eksemplārs.

– Jūs esat ārkārtīgi laipna. – Vecā sieviete ielika grāmatu sev klēpī, to neatverot.

– Protams, es gribēju teikt... – Keita sastomījās, – ja jūs tās nevēlaties... tam nav nozīmes. Mēs tikai iedomājāmies...

– Piedodiet. Man šobrīd jādomā par tik daudzām lietām, – vecā sieviete klusi noteica. – Un pēc meitas ievākšanās mums ir vēl mazāk vietas kā jebkad. Neviena no mums šajā ziņā nav īpaši prātīga. – Viņa pasniedza grāmatu atpakaļ Keitai. – Es negribu izklausīties nepateicīga, taču domāju, ka varbūt būs labāk, ja jūs tās atdosiet kādam citam, varbūt paturēsiet pati.

Kaut kas bija mainījies. Sieviete, kura bija izskatījusies tik možа un aizrautīga vēl pirms nieka minūtes, piepeši bija kļuvusi nomākta un izklaidīga.

– Piedodiet. – Keita ielika grāmatu atpakaļ kastē un atkal aizlocīja to ciet. – Es... es gribu teikt, mums likās, ka tā būs laba doma.

– Nekas slikts nav noticis. Man žēl, ka jūs izšķiedāt laiku, lai tās vestu visu šo gaisa gabalu. – Viņa iedzēra kārtējo malku tējas.

Keita neveikli piecēlās un arī paņēma savu tējas krūzi.

– Endslija ir burvīga, – viņa noteica, cenzdamās sākt visu no sākuma neitrālākā teritorijā.

– Jā. To pilnīgi noteikti ir patīkami uzlūkot.

– Jūsu meita man stāstīja, kā jūs tur ieradāties pēc Irēnas Blaitas kāzām.

– Jā, kā lēdijas istabmeita. Tas bija ļoti sen.

Keita atkal aplaida skatienu istabai, izmisīgi cenzdamās atrast jaunu sarunas tematu.

– Droši vien ir aizraujoši strādāt pie tik slavena cilvēka.

– Nu, – Džo māte sarauca pieri, noņemdama no svārkiem pūciņu. – Tolaik tas nebija gluži tā kā tagad.

Nupat viņu starpā bija nostājies kas nepārvarams – kā neredzamas durvis, kuras Keita nespēja izkustināt. Tam bija kāds sakars ar māju, ar grāmatām...

– Tā augšstāva istaba, – Keita neatlaidās, – man tā likās visskaistākā visā mājā. Vai jūs zināt, kāpēc tā bija aizslēgta?

– Viņiem tā nebija vajadzīga, – sieviete strupi atbildēja. – Lielākā mājas daļa tika slēgta kara laikā, lai taupītu enerģiju. Tas spārns vēlāk nekad vairs netika pienācīgi izmantots. Turklāt, – viņa apņēmīgi nolika tējas tasi, – cik istabas gan ir vajadzīgas vienam cilvēkam?

Piepeši tas kļuva acīmredzams – tās visas bija bērnu grāmatas. Keita nesaprata, kā nav to atskārtusi uzreiz.

– Tā bija bērnistaba, vai ne?

– Nezinu, kam tā bija domāta. Tā vienmēr stāvēja aizslēgta. – Vecā sieviete piecēlās. – Man žēl, ka jūsu brauciens bija veltīgs. Pateikšu meitai, ka bijāt iegriezusies. Viņa prātoja, vai nevajadzētu iegriezties izsolē, tā ka varbūt jūs viņu tur satiksiet.

Keita nolika neizdzerto tējas tasi. Viņas apciemojums acīmredzot bija beidzies. Paņēmusi kasti, viņa sekoja Džo mātei uz durvīm.

– Vai jūs pazināt Diānu Blaitu?

– Esmu tikusies ar viņu.

– Kā jūs domājat, kas ar viņu īsti notika?

– Man nav ne jausmas.

Keita iesmējās, cenzdamās viņu noskaņot sev par labu.

– Jādomā, ka jums šādus jautājumus uzdod visu laiku?

Sieviete neko neteica.

– Tas ir dīvaini, ka nav kapavietas, vai ne?

– Kapavietas?

– Zinu, ka viņas līķis netika atrasts, taču man šķiet, ka ir visai neparasti kaut kādā veidā neatzīmēt tuvinieka zaudējumu, teiksim, ar kapavietu vai pieminekli.

Džo māte apdomājās.

– Ne visi vēlas atcerēties pagātni, – viņa beidzot noteica.

– Jā. Jā, jums taisnība. Piedodiet, ka iztraucēju.

Vecā sieviete atvēra durvis.

– Jauki, ka iegriezāties.

(Keitai radās sajūta, ka tas īsti neatbilst patiesībai.)

Piegājusi atpakaļ pie mašīnas, viņa novietoja kasti līdzās pārējām. Viņas misija bija acīmredzami izgāzusies, tas nu bija skaidrs.

Pagriezusies atpakaļ pret kotedžu, viņa pacēla roku atvadu sveicienam.

Taču vecā sieviete jau bija cieši aizvērusi aiz sevis ārdurvis.

Endslija
Devonā

1940. gada 17. novembrī

Manu dārgum!

Kas jauns, mīlulīt? Dažas rindiņas ir vienīgais, kas man vajadzīgs. Ceru, ka Tu saņēmi manu pēdējo vēstuli. Dzīve šeit, Arkādijā, turpina drīzāk būt zaudētā nekā atgūtā paradīze. Arī tāpēc, ka Alise visu laiku uzlūko mani ar neslēptām šausmām. Bez šaubām, var skaidri redzēt, ka esmu grūta. Vakar vakarā es beidzot drosmīgi stājos viņai pretī. "Alise, man būs bērns." Atkal tā pati šausmu pilnā sejas izteiksme un tad pilnīgs klusums. Tad nu es sacīju: "Varbūt man būs vajadzīga palīdzība." Uz ko viņa atbildēja: "Jā, kundze, vairums sieviešu tāda ir vajadzīga." Un izgāja no istabas. Es vienkārši kaucu. Taču nu viņa vismaz ir kļuvusi mazliet atklātāka, kas ir tīrā svētlaime. Mazajam Džonam ir izveidojusies nopietna plaušu infekcija, un ārsts atnāca viņu apskatīt. Irēna ir pavadījusi divas dienas, lūdzot Dievu kopā ar viņu pie viņa gultas, un izskatās, ka ļaunākais jau būs garām. Viņa staro aiz prieka. Un tomēr viņa ir lūgusi Alisei sameklēt bērniem kādu citu apmešanās vietu. Zinu, ka tas viss ir manis dēļ, un tas liek man justies briesmīgi.

Irēna man liek visu laiku uzturēties tikai mājā un dārzā. Man ir tik ļoti garlaicīgi, ka es varētu kliegt, taču laikam jau viņai taisnība: pat ja man ir pilnīgi vienalga, ko kurš domā, viņai tas nepavisam nav vienaldzīgi. Un vienmēr atrodas kaudzēm darāmā – makulatūra, metāllūžņu vākšana, Irēna mūždien dodas teikt aizkustinošas runas par fizisko un morālo higiēnu: "Tīra sirds un tīrs ķermenis nevar nevest tuvāk uzvarai!" (Cik trāpīgi!) Viņa man no slimnīcas ir sanesusi apsēju kalnus, ko satīt – izskatās, ka tas ir vienīgais praktiskais talants, kas man piemīt. Es satinu tūkstošiem dienas laikā, un vienmēr atrodas vēl. Irēnas vecais dārznieks (man briesmīgi gribas nosaukt viņu par Krupi tikai tā iemesla dēļ, ka tā vien kārojas saukt kādu par Krupi) ir uzaris visu dārziņu un sastādījis tur visneiedomājamākos dārzeņus. Agrāk viņš bija pavisam lēns, bet nu šaudās apkārt kā tāda viesuļvētra. Taču Irēna ir izdarījusi kaut ko ārkārtīgi mīļu, proti, devusi man nelielu nodarbošanos. Bija skaidrs, ka visiem viņas atjaunošanas darbiem nāksies pagaidīt, un zeltījums, kuru viņa gribēja izmantot bibliotēkai, tagad ir atdots man bērnistabas izkrāsošanai. Viņa ir ārkārtīgi sapriecājusies, apgalvo, ka tā būšot brīnumskaista un ka mēs to iekārtosim tik burvīgā veidā. Tas ir ļoti ekstravaganti, taču es viņdien ķēros klāt, un iespaids ir gluži satriecošs. Nespēju apspiest sajūtu, ka viņa uzskata – es te palikšu uz visiem laikiem. Viņa jau ir iegādājusies visplašāko bērnu grāmatu kolekciju, kas tika saņemta no Hatchards, un katru dienu nāk klajā ar kādu jaunu plānu. Mēs kopā krāsojam: es apakšā, bet viņai pavisam labi padodas krāsošana augšā un stāvēšana uz saliekamajām kāpnēm. Tas man atgādina mūsu bērnības laikus: mēs saprotamies daudz labāk, kad krāsojam klusumā.

Tava un tikai Tava Mazā

Bučas

Nākamās pusotras dienas pagāja aktīvā organizatoriskā burzmā. Tikai vakarpusē, kad izsole beidzās un pūļa lielākā daļa bija izklīdusi, atkal iestājās miers. Reičela pārbaudīja dokumentus kopā ar Simsa kungu, pārvadātāju furgoni krāva iekšā pēdējās atlikušās mēbeles, kas tagad devās uz dažādiem galamērķiem Lielbritānijā un pat pasaulē. Keita klīda pa māju, meklēdama Džeku. Beigu beigās viņa to atrada guļam uz muguras ar aizvērtām acīm, izstiepušos zem zirgkastaņas dārzā.

– Sveiks, – viņa uzsauca, un Džeks palūkojās augšup, aizsegdams acis no saules.

– Sveika! Man tā arī neizdevās tev pajautāt, kas notika ar grāmatām. Vai tev izdevās neapmaldīties?

– Es nonācu, kur vajag, bez kādām problēmām. Taču Džo māte tās negribēja paturēt. Viņa mani atraidīja.

– Patiešām? – Viņš iesmējās, pašūpodams galvu. – Tā nu beidzas mana noziedznieka karjera. Un arī sabiedrības labdara karjera. – Un Džeks atkal aizvēra acis, dziļi ieelpodams. Keita uzlūkoja viņa seju, kas atpūtā izskatījās mierīga. Reičelai bija taisnība: viņš bija izskatīgs, un tajā, ka viņš to šķietami neapzinājās un nepievērsa tam uzmanību, slēpās kas neticami valdzinošs.

Keita apsēdās viņam līdzās zālē.

– Tu rīkojies visai neganti ar to ūtrupnieka āmurīti.

– Ak, vara un slava! Man vislabāk patīk to piesist.

– Ļoti iespaidīgi. – Keita pagriezās uz sāniem un sāka plūkāt zāles stiebrus. – Vai tu šovakar brauksi mājās?

– Nē. Grasos braukt uz Meltonmobreju. Manai mammai tur ir kotedža, un es gribētu apciemot savu tēvu. Viņš pavisam nesen ir apmeties netālajā aprūpes namā, un ir pagājis krietns laiks, kopš neesmu viņu redzējis.

– Un ko pēc tam? Vai pie apvāršņa rēgojas vēl kādas lielas mājas?

– Patiesībā, – Džeks atvēra acis, lai paraudzītos uz zaļo lapotni sev virs galvas, – šī varētu būt mana pēdējā.

– Patiešām? Ko tu ar to gribi teikt?

Viņš kādu brīdi paklusēja.

– Man šķiet, ka ir laiks spert soli tālāk.

– Ko? Aiziet no "Devero un Diploka"?

– Jā.

– Vai Reičela zina?

– Vēl ne. Es to neizdomāju īpaši sen.

– Skaidrs. Un... kā, tavuprāt, viņa varēs bez tevis iztikt? – Keitas tonis bija kļuvis dīvaini apsūdzošs.

Džeks paraudzījās uz viņu.

– Viņai nekas nekaitēs. Tagad viņai esi tu.

– Neesmu te ieradusies tāpēc, lai aizstātu tevi, – Keita norādīja, piepeši juzdamās aizkaitināta. – Tev nav nekādas vajadzības doties prom. Es pat nemaz nezinu, ko īsti daru!

Džeks piecēlās pussēdus, atbalstīdamies uz elkoņiem.

– Es to nebiju domājis tā. Vienkārši ir pienācis laiks. Esmu te bijis pārāk ilgi.

Keita sarauca pieri, savīdama kopā garos zāles stiebrus.

– Bet ko tu darīsi?

– Īsti nezinu. Esmu iekrājis nedaudz naudas. Katrā ziņā pietiekoši, lai noturētos uz ūdens. Un tu?

– Ko es? – Nez kāda nesaprotama iemesla dēļ Keita sajutās tā, it kā viņai kāds uzbruktu. Jautājums izskanēja pārāk asi.

Džeks iesmējās, kas bija vēl mulsinošāk.

– Nu, vai tu dosies atpakaļ uz Ņujorku?

– Nezinu. – Keita nolūkojās uz plaukstā sažņaugto zāles kušķi. – Es vairs patiešām neesmu droša.

– Tātad tu apsver iespēju palikt šeit?

– Nezinu, – viņa atkal atkārtoja.

Kādu brīdi abi klusēja.

Keita bija izturējusies nepārdomāti un baidījās uzlūkot Džeku. Viņas reakcija to mulsināja.

– Vai zini... – Džeks pavilcinājās. Iespējams, šis nebija īstais brīdis, taču, ja viņš to nepateiks tagad, viņš varbūt to nepateiks nekad. – Es gribēju aprunāties ar tevi par to mūsu sarunu, – viņš pasmaidīja, – ja vien to var nosaukt par sarunu. Reičelas mājās. Vai tu atceries? Tu sadusmojies uz mani.

Keita pamāja.

– Tu mani apsūdzēji, ka es gribu domāt par tevi labu un ka man tas nākas grūti.

– Jā.

Džeks sagrozījās, pieliekdamies mazliet tuvāk.

– Tev bija tiesības niknoties. Tā nebija mana darīšana.

Keita nolūkojās viņā. Džeka tiešums viņu izbiedēja. Tā vien likās, it kā viņš ļautu Keitai iet. Tomēr viņa atklātība bija arī aizkustinoša.

– Es biju nikna uz sevi, – viņa beidzot noteica, nospriedusi, ka Džeka godīgums ir pelnījis tādu pašu atbildi. – Biju nikna, ka esmu bijusi tik... ka esmu tā izrīkojusies. Es to nožēloju. Ņujorkā pavadīto laiku. – Viņu skatieni sastapās. – Visu manu Ņujorkā pavadīto laiku.

Keita neizvairījās no viņa skatiena, bet noteikti uzlūkoja Džeku.

– Kāpēc tu man to pateici?

– Kāpēc gan ne? Kāpēc lai tu nezinātu, kas es esmu?

– Tu nemaz neesi tāda.

– Kā tu vari būt par to tik pārliecināts?

– Tu tāda neesi, – viņš neatlaidās.

– Tā ir viena daļa. Uzskati to par pakalpojumu. Vismaz tagad tev vienmēr būs attaisnojums.

– Attaisnojums kam?

Viņa likās tik sīka un trausla, ar viegliem pelēkiem riņķiem zem acīm un bālu, caurspīdīgu ādu.

– Aiziešanai.

Vējš plivināja viņas matus. Tie pārkrita pāri mutei. Pasniedzies Džeks tos atglauda, pirkstiem aizkavējoties pie Keitas vaiga siltā izliekuma.

– Vai tu gribi, lai es aizietu?

Viņa aizvēra acis, pakļaudamās Džeka plaukstas spiedienam pret seju.

– Nezinu. Kas notiks, Koutsa kungs, ja jūs... aizkavēsieties?

– Nezinu, Keitij. – Viņš atvēra plaukstu, un viņa balss bija maiga. – Es nezinu.

– Ei, Džek! Džek! – Reičela sauca no terases. – Es tevi meklēju! Vai tev ir rezerves atslēgu komplekts?

Keita atvēra acis.

– Lai tev veicas ar tēvu.

Reičela sāka šķērsot mauriņu.

– Simsa kungs grasās braukt projām, un mums tas ir jānokārto. Un vai tu zini, kur esmu nolikusi tās transportēšanas kvītis? Nevaru nekur atrast.

Keita piecēlās.

Džeks saņēma viņas plaukstu.

– Keitij...

Viņa pasmaidīja un piespieda viņa pirkstus pie savām lūpām, pavisam vieglītēm, pirms palaist roku vaļā.

– Lai tev veicas it visā, Džek.

Un pagriezusies viņa devās projām.

Nākamajā dienā, atgriezusies Londonā, Reičela šķiroja pastu.

– Tās ir tev, – viņa sacīja, pasniegdama Keitai pāris aploksnes.

Pirmā vēstule izskatījās oficiāla. Tā bija no *HMS Drake Barracks* arhīva pārvaldes.

Cienījamā Elbionas jaunkundz!

Paldies par Jūsu vēstuli, kurā Jūs lūdzāt informāciju par virsnieku, vārdā Nikolass Vobērtons, kurš dienējis *HMS Vivid*, tagad *HMS Drake*, posmā pirms Pirmā pasaules kara vai tā laikā. Mūsu arhīvā saglabājušās ziņas par jaunu virsnieku, kurš neilgu laiku flotes sastāvā piedalījās kājnieku mīnu iznīcināšanā tūkstoš deviņi simti septiņpadsmitajā un astoņpadsmitajā gadā Skotijas jūrā. Ar nožēlu jāatzīst, ka saskaņā ar reģistra datiem viņš ticis ar negodu atvaļināts par "iesaistīšanos virsnieka necienīgā rīcībā". Lai arī informācija par šo jautājumu ir neskaidra, šķiet, ka tikai ģimenes, galvenokārt viņa tēva lorda Vobērtona iejaukšanās neļāva lietai nonākt līdz tiesai. Otrs iesaistītais kursants arī tika atvaļināts un vēlāk notiesāts par savu uzvedību, lai izciestu sodu Portsmutas cietumā. Ar skumjām jāatzīst, ka tolaik flote darbojās pēc šādiem principiem, tāpat kā visa valsts, taču man ir prieks atzīmēt, ka tagad tā vairs nav, un, tāpat kā pārējie militārie spēki, mēs esam apņēmušies iznīdēt seksuālu diskrimināciju un mūsu dienestā esošo vīriešu un sieviešu privāto tiesību ievērošanu.

Ceru, ka šī informācija Jums izrādīsies noderīga.

Ar cieņu,

Kapteinis A. S. Heimlers

Keita pārlasīja vēstuli, saraukusi pieri.

Vai Nikolass Vobērtons bija gejs? Tas bija uzrakstīts gandrīz burtiski. Izskatīgā pusbrāļa fotogrāfija, kokaīna kārbiņa, noslēpumainas fašistu organizācijas žetons, dārga rokassprādze... ko tas viss nozīmēja? Viņa nopūtās. Apavu kārbā saliktie priekšmeti tagad likās vēl vairāk nesaistīti nekā pirms tam.

Otrā vēstule bija no Ričarda Grīna galerijas. Viņa to atplēsa.

Tā bija pastkarte ar paziņojumu par privātu Munro kolekcijas izsoli.

Uz tās ar roku bija uzrakstīts:

"Tiksimies galerijā piektdien pulksten 19. A. Munro"

Piepeši Keita sajuta, ka līdzsvars zem kājām zūd, itin kā tās vairs nespētu noturēt viņas svaru. Sirdij strauji pukstot, viņa vēstuli saplēsa, aši iemezdama virtuves atkritumu spainī.

Reičela notvēra viņas skatienu.

– Vai viss kārtībā?

– Tas nav nekas, – Keita meloja. – Tikai reklāmas prospekts.

– Tev?

– Piedāvā kosmētiku, – viņa noteica, nozibinādama visai nepārliecinošu smaidu. – Tu jau zini, kādas ir šīs lielveikalu kosmētikas nodaļu pārdevējas. Pietiek uz sekundi apstāties...

– Tiesa gan, – Reičela piekrita, izņemdama no somiņas lasāmbrilles un iekārtodamās pie virtuves galda, lai izskatītu savu pastu. – Viņas ir ļoti uzstājīgas.

– Jā. Tieši tā arī ir. Ļoti uzstājīgas.

Endslija
Deivona

1941. gada 18. februārī

Mīļum!

Es tik ļoti ilgojos saņemt kādas ziņas no Tevis, mans mīļais! Viens vārds ir viss, kas man vajadzīgs. Neaizmirsti mani. Vari būt drošs, ka es Tevi neaizmirsīšu. Cīnījos ar briesmīgu melno periodu un vakar visu dienu pavadīju gultā. Šajā mājā ir tik briesmīgi auksti. Ak, es tik ļoti nožēloju savu rīcību! Lūdzu, tici man. Un ar katru dienu, kad neesmu saņēmusi no Tevis ziņu, es to nožēloju aizvien vairāk. Nezinu, ko lai daru un kā to izlabot. Es gribētu atgriezties atpakaļ, pirms vēl tas bija sācies. Manas sirdsapziņas nasta ir smagāka, nekā es spēju panest.

Mazā

Keita ielūkojās pulkstenī un tad atkal savā spoguļa atspulgā. Bija 18.23 piektdienas vakarā. Viņa bija uzvilkusi kleitu, matu sprogas maigi atglaustas no sejas, lūpu krāsa, smaržas. Tā nebija sieviete, kura gatavojas izbeigt attiecības. Tā bija sieviete, kura šaubījās, atrazdamās ar vienu kāju iekšā, ar otru ārā, gaidīdama, vai šoreiz viss nebūs savādāk. Viņa iedomājās par savu māti, par atrašanos slimnīcā, un tomēr te nu viņa bija, uzliekdama skropstas, uzklādama vaigu sārtumu. Izskalodama muti ar skalojamo līdzekli.

Viņai nevajadzēja iet. Vajadzēja visu to ignorēt. Atstāt aiz muguras. Tad Keita iedomājās par Džeku, par viņa plaukstu uz sava vaiga, un sajutās muļķīga un apjukusi.

Viņai nekā nebija. Nekā, ko zaudēt, un nekā, ko iegūt. Nekā.

Viņa novilka kleitu. Uzvilka džinsus un zempapēžu sandales.

Viņa nolēma neiet. Palikt kopā ar Reičelu. Paskatīties televīziju.

Nebija nekādas jēgas iet. Nekā, ko teikt.

Reičela lasīja avīzi dzīvojamajā istabā, kad Keita nokāpa lejā.

– Kurp tu esi sataisījusies?

– Nekur. Man tikai vajag... – Keita satraukti pagrozīja pulksteni ap rokas locītavu. Starp citu, cik tas rādīja? – Patiesībā man savajadzējās aiziet pēc cigaretēm.

Reičela noņēma brilles.

– Es varētu aiziet tev līdzi. – Viņa salocīja avīzi. – Pastaiga man nenāktu par ļaunu.

– Nē. – Keita apņēmīgi papurināja galvu, rokai jau sniedzoties pēc durvju roktura. – Būšu prom tikai minūti. Man tikai jāizvēdina galva.

Tas bija neizbēgami, došanās lejā pa kāpnēm, ārā uz ielas. Nu vairs nebija pat iekšēja strīda. Keita zināja, kurp viņa iet. Vienmēr bija zinājusi.

Kad viņa ieradās, galerija izrādījās slēgta. Viņa nospieda zvana pogu. Video selektorā atskanēja vīrieša balss.

– Keita Elbiona? – viņš jautāja.

– Jā.

Durvis atveroties iedūcās.

– Lūdzu, nāciet iekšā.

Vienu brīdi Keitai likās, ka viņa skaļi iesmiesies aiz satraukuma, aiz nepārprotamā atvieglojuma, ko sagādāja iespēja atkal viņu satikt. Vai viņš izskatīsies tāpat? Viņš bija mērojis visu šo ceļa gabalu. Ko viņi teiks viens otram?

Viņa iegāja galerijas lielajā zālē ar koka grīdu un pieklusināto apgaismojumu. Patiesībā te bija tik tumšs, ka sākumā Keita viņu nemaz neredzēja.

Attālākajā stūrī, pie neliela galdiņa sēdēja ļoti stalta sieviete. Viņas seja bija pagriezta uz loga pusi, bet garie, tumšie mati plūda pāri slaidajiem pleciem.

Viņai aiz muguras stāvēja gara auguma vīrietis tumšā uzvalkā ar smilškrāsas matiem un brillēm, viegli un sargājoši uzlicis plaukstu uz sievietes krēsla atzveltnes.

Tā bija Annemarija.

– Lūdzu, atvainojiet, ja es nepiecelšos, – viņa ierunājās, nepūlēdamās pagriezties.

Keita mēģināja kaut ko teikt, taču vārdi nenāca pār lūpām. Te vajadzēja būt viņam, nevis viņai. Pēc visa šī laika te vajadzēja būt viņam. Un tomēr viņa ievēroja Annemarijai piemītošās fascinējošās īpašības, tievos, iedegušos delmus, garos pirkstus ar īsi apgrieztajiem nagiem un lielo opāla gredzenu, kuru viņa valkāja, to, kā uz viņas sejas krita gaisma, un dziļās rievas ap viņas acīm, kurām tik un tā neizdevās nomākt viņas vaibstu atstāto iespaidu. Viņa bija miniatūrāka, skaistāka, vecāka un daudz īstāka.

– Jums droši vien likās dīvaini, ka es ar jums sazinājos, – Annemarija turpināja vienmērīgā, noteiktā balsī, kurā nevarēja just ne mazākās emocijas. – Taču es pamanīju, ka mans vīrs ir kaut ko palaidis garām. Man gribējās izlabot viņa kļūdīšanos pēc iespējas ātrāk. Mans advokāts Traska kungs... – viņa viegli pielieca galvu, norādīdama uz garo vīrieti ar brillēm, – diemžēl nespēja saņemt no jums nekādu atbildi. Tāpēc es iedomājos, ka neformālāks uzaicinājums varētu jūs pārliecināt pievienoties mums. Jūs patiešām esat liela vientuļniece, – viņa noteica pagriezdamās un pirmoreiz ieskatīdamās Keitai acīs. Viņas skatienā lasāmā pašpārliecinātība bija šerminoša un tajā pašā laikā hipnotizējoša. Keita konstatēja, ka nespēj ar to sacensties, un tomēr īsti nespēja piedabūt sevi novērsties. Vēl nekad mūžā neviens nebija viņu uzlūkojis ar tik neslēptu naidu.

Keita atkal atvēra muti, un arī šoreiz pār lūpām nekas nenāca.

Klusumā, kas iestājās pēc tam, Traska kungs paspēra soli uz priekšu.

– Izskatās, ka Munro kungs nav jums samaksājis par pasūtīto gleznu. – Iebāzis roku krūšu kabatā, viņš izņēma ārā čeku. – Munro kundze cer, ka šī summa jums liksies pietiekoša.

Viņš nolika čeku uz galdiņa viņu starpā.

– Mans vīrs patiešām ir apbrīnojams kolekcionārs. Viņš mani daudzkārt pārsteidzis ar saviem jaunajiem pirkumiem. Tomēr diemžēl kādu daļu mums nāksies izsolīt mēneša beigās. Ne vienmēr cilvēks var paturēt visas lietas, ko ir izvēlējies. Un, bez šaubām, citas... – viņa apklusa, viegli paraustīdama plecus, – citas gluži vienkārši sāk šķist garlaicīgas.

Tā vien šķita, ka Keita ir veidota no svina, jo viņa nespēja ne izkustēties, ne skaidri padomāt. Tas bija ārpus viņas saprašanas. Te vajadzēja būt viņam. Viņa domāja, ka te būs viņš.

– Man ir teikts, ka tā ir vispārpieņemta takse, – sacīja Annemarija.

Keita palūkojās uz čeku. Tas bija izrakstīts par piecdesmit tūkstošiem mārciņu.

– Par sniegtajiem pakalpojumiem, – Annemarija piebilda.

Galerija bija tik tumša un tik noslēgta, ka pat gaiss likās spiežamies klāt pie ādas.

– Tas ir... tas ir... – Keita murmināja, rīklei sažņaudzoties ap vārdiem.

– Piedošanu?

Keita ar grūtībām norija siekalas.

– Tā nav domāta pārdošanai, – viņa beidzot izstomija.

– Kā, lūdzu? – Annemarija izdvesa neticīgu smiekliņu. – Ko jūs teicāt?

Keita ar grūtībām piespieda sevi ieskatīties viņai acīs.

– Glezna nav domāta pārdošanai.

– Vai jūs mēģināt ar mani kaulēties?

– Nē. Es jums saku, ka to nevar nopirkt. Tā nav domāta pārdošanai.

Annemarijas acis samiedzās.

– Tādā gadījumā īsti nezinu, Elbionas jaunkundz, kādā veidā tā varēja nonākt mana vīra īpašumā.

Keita rūpīgi apsvēra katru vārdu.

– Tā bija kļūda, – viņa klusi noteica. – Nopietna kļūda.

Annemarijas vaibsti kļuva cieti.

– Vai jūs varētu pielūkot, lai galerija atdotu darbu man? – Keita apjautājās, vērsdamās pie Traska kunga. – Šķiet, jums ir mana adrese.

Viņš sarauca pieri un saknieba lūpas.

– Vai varbūt man vajadzētu pašai ar viņiem aprunāties? – Keita ierosināja.

– Nē, nē, – viņš nosprieda, sāniski paraudzīdamies uz Annemariju, kura nepievērsa viņam uzmanību. – Esmu pārliecināts, ka varēšu visu nokārtot.

– Pateicos. – Keita atkal paraudzījās uz Annemariju. – Man ļoti žēl, Munro kundze.

Annemarijas tumšās acis dusmās iepletās. Viņa aizgrieza seju, atkal raudzīdamās ārā pa logu.

– Jūs kļūdāties, ja iedomājaties, ka šis jautājums man šķiet kaut cik nopietns.

Nez kādā veidā Keitai izdevās izkļūt atpakaļ uz ielas.

Tikai tad, kad bija nonākusi līdz Brūkstrītai, viņa atkal sāka normāli elpot. Un tikai Oksfordstrītā sirds pārstāja strauji sisties un rokas trīcēt. Viņa bija izbēgusi par mata tiesu.

Vienīgais, kas bija vēl ļaunāks nekā būt vīrieša mīļākajai, bija – būt viņa sievai.

Endslija
Devonā

1941. gada 17. martā

Ak, mīļumiņ!

Irēna ir aizbraukusi uz Londonu, un es viņu tik ļoti apskaužu, ka gribas kliegt! Skaidrs, ka es to nevaru, tāpēc ka esmu autobusa lielumā. Viņa ēdīs pusdienas ar Pipu Marksu un ies iepirkties. Es viņai izlūdzos jaunu kurpju pāri, jo manas kājas tagad ir briesmīgi piepampušas. Pēdējā reizē, kad viņa tur bija, viņai nācās tur pavadīt visu nakti bumbu dēļ "Dorčesteras" viesnīcas pagrabā kopā ar lordu N., Nikiju Monktonu un Beibu Metkafu. Atgriezās, izskatīdamās saspringta un veca. Man neko nestāstīja un uzkāpa augšstāvā atgulties. Ceru, ka viņa atvedīs man kurpes.

Esmu veiksmīgi uzadījusi ārkārtīgi bezformīgu mazu jaciņu savam dēlam un mantiniekam. Patiešām reti riebīga un pīļu dzeltenā krāsā. Alise tikai šūpo galvu, kamēr es adu, un pēc tam pavada pusstundu, ārdot to ārā. Ja tā derēs, tad tikai tāpēc, ka viņš izrādīsies pilnībā deformēts. Pēc šīs klusēšanas varu spriest, ka Tu nesaņem manas vēstules, tomēr es turpināšu censties. Redzi, nespēju bez Tevis iztikt. Pat tad, ja Tu man nerakstīsi, man jāzina, ka Tu esi – ka Tu kaut kur pasaulē dzīvo. Savādāk nav iespējams izturēt. Kāda gan būtu jēga?

Tikai Tava
Mazā
Bučas

Džeks brauca pa garo, kokiem apaugušo ceļu, kas veda uz Vūtonlodžas aprūpes namu. Ceļš vijās aptuveni pusi jūdzes, līdz māja beidzot pavērās skatienam aiz cieši saaugušu koku biežņas. Tā kā nams bija noslēpts vairāku jūdžu attālumā pat no vismazākā miestiņa, to nācās grūti atrast. Džeka māte bija ievietojusi tur viņa tēvu pirms divām nedēļām pēc gadiem ilgas cīnīšanās par viņu lepnā vienatnē. Izkāpdams ārā no mašīnas, Džeks ievēroja, cik šī vieta ir majestātiska ar savu plašo stāvvietu un spēcīgo vientulības izjūtu, kas to ieskāva. Te nebūt neizskatījās slikti. Glīti apkopts mauriņš un puķu dobes robežojās ar galveno ēku, kas bija ieturēta neogotikas stilā ar augstiem stikla logiem kā katedrālei un izliektiem pīlāriem. Mazliet tālāk zināmā attālumā vīdēja mākslīgs ezers un ēkas, kas atgādināja pārbūvētus staļļus, kuri noteikti bija kļuvuši par mūsdienīgu medicīnas iestādi. Tēvs te droši vien jutās gluži ērti.

Džeks paņēma no automašīnas aizmugurējā sēdekļa maisu ar veco rakstāmpulti un Benedikta Blaita "Mītu un īru iztēles" eksemplāru, kuru viņam bija izdevies sameklēt grāmatu antikvariātā Malvernā. Tā bija pārsteidzoša grāmata, daudz izklaidējošāka, nekā viņš bija gaidījis no akadēmiska darba. Acīmredzot pa daļai Blaita popularitāte bija izskaidrojama ar viņa spēju pārvērst senās leģendas svaigos, ārkārtīgi romantiskos piedzīvojumos, kurus krāšņi greznoja jutekliskās detaļas un divdomības. Autora seksualitāte sūcās cauri aprakstiem, kas raksturoja zemi un cilvēkus, vēstot par fiziskām ilgām un kaislībām, kuras neapšaubāmi atspoguļoja viņa paša pretrunu plosītās psihes paradoksus.

Džeks iegāja pa centrālajām ieejas durvīm un uzsmaidīja sievietei aiz administratora letes.

– Labdien. Esmu ieradies, lai satiktu savu tēvu Henriju Koutsu.

– Vai viņš jūs gaida?

– Ne gluži.

– Un kāds būtu jūsu vārds?

– Džeks. Džeks Koutss.

– Koutss... – Viņa ievadīja uzvārdu un pārbaudīja informāciju savā datorā. – Te būs. Viņš ir austrumu spārnā. Es piezvanīšu uz māsu posteni, lai palūkotos, vai kāds var atnākt jūs pavadīt. Vai jūs negribētu apsēsties? – Viņa norādīja uz garu ādas solu.

– Pateicos.

Džeks pagājās uz priekšu, pakavēdamies netālu no durvīm. Piepeši viņš sajutās nervozs un baiļpilns. No ārpuses šī ēka atgādināja greznu viesnīcu. Taču nu viņš redzēja sargus un aizslēgtās durvis, un sajūta bija tāda kā trako mājā. Vai viņa tēvam patiešām klājās tik ļauni? Ko tad, ja viņam te nepatīk un viņš vēlēsies, lai Džeks vestu viņu projām? Vai varbūt šī izrādīsies viena no tām dienām, kad viņš vispār nespēs Džeku atpazīt?

– Kāds tūlīt atnāks, – administratore ierunājās, nolikdama telefona klausuli.

– Lieliski. – Viņš paņēma vienu no aprūpes nama spožajām brošūrām un apsēdās, lai to pārlapotu.

"Sākotnēji Rotermīru muižai piederējusī Vūtonlodža tika uzcelta kā privāts medību namiņš tūkstoš astoņi simti septiņdesmit trešajā gadā, un tās arhitektūras stils atdarināja Parīzes Dievmātes katedrāli. Otrā pasaules kara laikā tā tika izmantota psihiatriskās klīnikas vajadzībām kā aprūpes nams karavīriem, kuri ārstējās pēc karadienestā gūtajām traumām. Tās noslēgtā atrašanās vieta un apkārtējie meži tika uzskatīti par ļoti labvēlīgiem faktoriem. Pēc kara ēkā turpināja atrasties psihiatriskā klīnika, kuru valstij bija dāvinājis lords Rotermīrs, līdz *Alpha Group* to iegādājās no valsts tūkstoš deviņi simti astoņdesmit trešajā gadā. Pēc tam iestāde pievērsās veco ļaužu aprūpei, tai skaitā palīdzības sniegšanai cilvēkiem, kuri cieš no Pārkinsona, Alcheimera slimības un demences, nodrošinot vispilnīgākās un mūsdienīgākās ārstniecības iespējas."

Uz viņa pusi nāca medmāsa.

– Koutsa kungs?

Džeks nometa brošūru uz soliņa un piecēlās.

– Anabella, – viņa nosauca savu vārdu, un viņi sarokojās. – Lūdzu, sekojiet man. – Viņa veda Džeku uz priekšu pa gaiteni. – Vai esat te bijis jau agrāk?

– Nē, šī ir pirmā reize.

– Ļaujiet man jums izrādīt telpas. – Viņa novicināja elektronisko atslēgu, un viņi izgāja pa durvīm, nonākot citā gaitenī. – Šī ir kopējā telpa, – medmāsa norādīja. – Acīmredzot tā bijusi galvenā viesistaba. Un, kā redzat, tā tiek plaši izmantota.

Tā bija plaša telpa ar milzīgu kamīnu. Arhitekts acīmredzami bija to iecerējis karaļa Artura valstības stilā: tur bija logi ar mozaīkām, kas atveidoja viduslaiku tēlus brīvmūrnieku garā, arkveida durvju ailas un akmens grīdas, kas tagad bija klātas ar tumši sarkaniem, kārtās sakrautiem paklājiņiem. Džeks palūkojās apkārt uz veco ļaužu pulciņiem, no kuriem daži spēlēja bridžu, citi snauda televizora priekšā. Vēl citi dzēra tēju un lūkojās ārā pa lielo logu. Viņi izskatījās iebiedēti, sīki salīdzinājumā ar telpas majestātisko plašumu. Gaisā valdīja gaidu sajūta, itin kā viņi uzturētos kādā visai patīkami iekārtotā lidostas uzgaidāmajā zālē. Džeks sajutās neomulīgi, iedomājoties, ka tēvs varētu te sēdēt un lūkoties ārā pa logu kopā ar pārējiem pacientiem, īsti nezinādams, kur viņš atrodas un kāpēc.

– Lieliski. Ļoti jauki, – viņš noteica.

Viņi turpināja ceļu.

– Un ēdamistaba.

Džeks pabāza galvu pa durvīm, lai ieraudzītu šauru istabu ar spraišļotiem griestiem. Pie gariem galdiem bija salikti ar plastmasu pārklāti krēsli: tie bija viegli tīrāmi un atradās pietiekoši tālu cits no cita.

– Ļoti jauki, – viņš atkal noteica, sajuzdamies aizvien nemierīgāks. Kam līdzās sēdēja viņa tēvs? Vai te bija tāpat kā skolā? Vai te bija savi mazie grupējumi?

Medmāsa aizveda viņu ap stūri pa kreisi un cauri lielām divviru durvīm. Viņi acīmredzami atradās ārpus galvenajām koplietošanas telpām un nonākuši spārnā ar istabiņām. Te drīzāk izskatījās pēc slimnīcas nekā pēc katedrāles. Griesti bija zemāki, grīdas zem kājām no koka un čīkstēja no ilgas kalpošanas. Medmāsa apstājās pie istabas labajā pusē.

– Man šķiet, viņš ir iemidzis, – viņa klusi noteica.

Džeks ielūkojās iekšā. Viņa tēvs sēdēja, izslējies ar spilveniem izliktā klubkrēslā, un viņa galva bija noslīgusi uz vienu pusi.

– Tēt?

Henrija krūtis cēlās un grima klusā, mierīgā ritmā.

– Tas ir zāļu iespaids, – medmāsa paskaidroja. – Vai varu jums kaut ko piedāvāt? Tasi tējas?

– Nē. Nē, paldies.

Viņa aizgāja, un Džeks apsēdās uz gultas, turēdams somu uz ceļiem un nolūkodamies uz tēvu. Henrijs likās sarāvies kopš abu pēdējās tikšanās reizes; viņa pēdas un plaukstas izskatījās pārspīlēti lielas slaidajiem locekļiem, un viņa seja atgādināja mīkstu gumijas masku ar atvērtu muti, no kuras skanēja klusa krākšana. Viņš sēdēja siltā saules apspīdētā pleķītī.

– Tēt? Tēt?

Tēvs viegli sakustējās, un viņa acis atvērās.

– Sveiki? Jā?

– Tas esmu es, Džeks.

Vecais vīrs pagrieza galvu.

– Jā. Tūlīt tev pievērsīšos. – Viņa galva noslīga otrā pusē, un acis atkal aizvērās.

Džeks nopūtās un paraudzījās apkārt. Gulta bija slimnīcas modelis, bet pārējās mēbeles viņš atpazina no vecāku mājām, tāpat kā fotogrāfijas, gleznas un grāmatas, kam izdevās piešķirt telpai pazīstamo atturīgo stilu, kas Džeka apziņā saistījās ar tēva gaumi. Džeks piecēlās, nolūkodamies uz grāmatu muguriņām, ko tēvs lasīja, paņemdams rokās un nopētīdams fotogrāfijas, kuras viņš bija nolēmis paturēt sev līdzās, varbūt pirmoreiz mūžā pievērsdams uzmanību tēva būtības smalkākajām detaļām. Bija noteiktas formas tintes pildspalvas, ar kurām Henrijam patika risināt krustvārdu mīklas. Visai pārspīlēti vēsturiskie romāni, kas saistīja viņa iztēli. Nesatricināma uzticēšanās mātei, kuras seja viņam uzsmaidīja vismaz no četrām fotogrāfijām, kas bija saliktas uz kumodes. Džeks pārlaida pirkstus pāri spīdīgajam sudraba ietvaram; uz tā bija manāmi lieli pirkstu nospiedumi vietās, kurām tēvs bija pieskāries, lai paceltu attēlu augšup.

Tas Džekam lika iedomāties viņa paša dzīvokli: kārtīgu, askētisku, bez kādām piemiņas lietām vai veltēm.

Viņš aizgriezās no kumodes un ielūkojās pulkstenī. Izņēmis rakstāmpulti no somas, viņš to novietoja kopā ar grāmatu un bibliotēkā nokopētajām lapām vietā, kurā tēvam vajadzēja to ieraudzīt, uz galdiņa līdzās viņa krēslam.

Novilcis jaku, viņš to salocīja, atkal apsēdās uz gultas un gaidīja. Tēva modinātājpulkstenis viegli tikšķēja.

Nemaz nebija pagājis tik ilgs laiks, kad tēvam piederēja savs uzņēmums. Tagad Džeks viņu apciemoja aprūpes namā. Džeka krūtīs iedūrās gluži fiziskas vientulības sāpes.

Džeks iedomājās par Keitu. Par viņas plaukstu savējā, par viņas vaiga zīdaino gludumu, par to, kā viņa kaila bija stāvējusi pie loga.

Tad viņš iedomājās par tēva pirkstu nospiedumiem uz mīļotās sievietes fotogrāfijas.

Džekam gribējās, lai fotogrāfija uz viņa kumodes piederētu Keitai.

– Nu, ko mēs šovakar ēdīsim? – Keita apjautājās, ienākdama virtuvē.

Reičela grieza sīpolu. Viņa pamāja uz virtuves galda pusi, kur atradās pavārgrāmata.

– Iedomājos, ka mēs varētu izmēģināt kaut ko jaunu. Zivju pīrāgu.

– Oho. – Keita iesmējās. – Kāda retro mānija!

– Man likās, ka tas varētu būt interesanti. – Reičela pasmaidīja.

Keita noskatījās, kā viņa pārvietojas starp plīti un virtuves galdu, klusītēm pie sevis dungodama Bērta Bakaraka dziesmu. Šodien viņā jautās kas atšķirīgs. Viņā bija parādījusies enerģija un vieglums, ko Keita nebija manījusi agrāk. Tad viņa ievēroja vēl kaut ko.

– Tev kājās nav sarkanas kurpes! Bez tām tu izskaties gluži citāda.

Reičela paraudzījās lejup uz savām kājām, kuras rotāja vienkāršas zempapēžu vasaras sandales.

– Nē. Šķiet, ka šis mans periods nu reiz ir beidzies.

– Tas bija ilgs posms.

– Pārāk ilgs. Esi tik mīļa un ieskaties grāmatā. – Reičela pamāja uz atvērto lappusi. – Vai tur ir teikts, ka jāpieliek viens vai divi burkāni?

Keita izlasīja recepti grāmatas izbalējušajā un dzeltenīgajā lappusē.

– Divi. Smalki sagriezti. Ak kungs, tā nu gan ir sena! Kur tu to dabūji? No vecmāmiņas?

– Es to nosolīju. Tā man izmaksāja divas mārciņas! – Reičela atvēra ledusskapi, lai izņemtu burkānus no dārzeņu nodalījuma.

– Man allaž gribas paturēt kaut ko no mūsu rīkotajām izsolēm. Un šī grāmata pati uzprasījās.

– Tu gribi teikt, ka tā nāk no Endslijas?

– Tieši tā. Tā piederēja saimniecības vadītājai, Džo mātei. Džo man pastāstīja dažus smieklīgus stāstus par viņu kara laikā. Izskatās, ka viņa nav neko zinājusi par ēdiena gatavošanu. Ielikusi ģimenes sudrablietas krāsnī uzsildīt, bet, kad gribējusi tās izņemt, tās bija izkusušas! Vai tu spēj iztēloties?

– Jā, viņa to izstāstīja man arī. – Keita apvērsa pavārgrāmatu otrādi, lai apskatītu vāku. Tas bija izbalojušā krēmkrāsā ar sarkaniem burtiem "Ievads kulinārijas mākslas pamatos". – Lieliski! – Keita iesmējās. – Kulinārijas māksla, ne mazāk. Tātad šī ir izdota vēl pirms kara, vai ne?

– Tu sāc apgūt šos jautājumus. – Reičela uzsmaidīja Keitai. – Es vēl pataisīšu tevi par senlietu tirgotāju. Kā tev patiktu "Devero un meita"?

– Pareizi! Un ko teiktu mamma? – Keita pāršķīra lapas, lai atrastu iespiešanas gadu.

– Tas izklausās labāk nekā "Devero un māsasmeita". Turklāt esmu pārliecināta, ka viņai nebūs iebildumu. Ja vien mēs paturēsim visu ģimenē. – Viņa pamanīja Keitas sejas izteiksmi. – Es taču tikai pajokoju!

Keita nolūkojās uz priekšlapu.

– Tu teici, ka tā piederējusi Džo mātei? – viņa iejautājās, nepaceldama galvu.

– Jā. Kāpēc tu prasi? Kas īsti notiek?

"Alise Veitsa" bija uzkricelēts lapas labajā stūrī nelīdzenā bērna rokrakstā.

Džo māte izrādījās tā pati A. Veitsa, kura bija paņēmusi rokassprādzi no *Tiffany*.

Un vienīgais cilvēks, kurš varēja zināt kaut ko par to, kas patiesībā notika Endslijā laikā, kad pazuda Mazā Blaita.

Endslija
Devona

1941. gada 19. aprīlī

Nekādu ziņu. Itin nekādu. Nevienas pašas vēstules vai telegrammas. Es lūdzos katru dienu, augām dienām, kaut Tu vēl būtu dzīvs. Nespēju izkustēties un raudu stundām ilgi. Es esmu milzīga. Plata. Apaļa. Ko tad, ja Tu spētu mani tagad ieraudzīt? Vai Tu mani vēl aizvien mīlētu? Taču, ak Dievs, šī briesmīgā māja ir tik neomulīga un drēgna! Agrāk es to uzskatīju par patvērumu, par pili jūras malā. Taču tagad tā man atgādina cietumu. Man tik ļoti gribētos aizbraukt no šejienes. Man gribētos Tevi kaut kā sameklēt. Mēs klausāmies radio. Un, bez šaubām, visas ziņas ir tik izmisīgas. Ko tad, ja Tu esi dzīvs un vienkārši esi pārstājis mani mīlēt? Irēna apgalvo, ka svaigs gaiss esot tieši tas, kas man vajadzīgs. Pastaigas gar jūru. Ja vien viņa zinātu, cik ļoti man gribas noslīcināties! Ja es nostājos uz klints un palūkojos lejā, ūdens tur apakšā atgādina kustīgo melnumu manā galvā. Ir grēks atņemt sev dzīvību. Vēl lielāks grēks ir nogalināt bērnu. Tāpēc es sev lieku doties atpakaļ. Taču kāda tam nozīme, vai es dzīvoju ellē tagad vai pēcnāves dzīvē? Mana vienīgā cerība ir uz to, ka Tu atbrauksi un aizvedīsi mani projām.

M.

Pēc kāda laika Džeks nolēma izstaipīt kājas. Brauciens bija garš. Pa kreisi no māsu posteņa durvis veda uz āru. Gaiss bija spirgts, debesis noskaidrojušās un temperatūra patīkama. Daži pacienti atradās mauriņā, pāris vīriešu spēlēja petanku, un kādu sievieti ratiņkrēslā stūma medmāsa. Džeks devās kalnup – bija patīkami izkustēties. Otrpus mājai viņš uzdūrās sienu ieskautam dārzam. Slaidi bērzi un eikalipti slējās pretī saules gaismai, bet biezi, lekni savvaļas stādījumi smaržoja pēc miklas zemes un sūnām. Piegājis tuvāk, Džeks sadzirdēja vieglu, žūžojošu strūklakas šalkšanu. Tā bija ierīkota tālākajā stūrī – notekcaurule medūzas galvas veidolā, kas slējās virs zaļā paklāja ar komisku, groteski glūnošu seju, iztukšojot ūdeni apaļā marmora baseinā lejā, ko piepildīja līganas ūdens lilijas, kuru ziedi likās caurspīdīgi un pārpasaulīgi balti.

Džeks piegāja tuvāk. Gar baseina malu stiepās akmenī iecirsts uzraksts. "Rīta blāzma, gaistošā diena, Nakts garās stundas domas man raisa. Par tevi, par tevi, vien tevi." Milzīgas zeltainas un sarkanas dekoratīvās zivtiņas aši šaudījās zem tumšās ūdens virsmas. Pieliecies Džeks iemērca pirkstus vēsajā dziļumā.

– Zināt, viņas ir bīstamas, – ierunājās kāda balss viņam aiz muguras.

Viņš pagriezās.

Vecā sieviete, kura sēdēja uz soliņa turpat aiz muguras, bija tik sīciņa, ka no attāluma gandrīz atgādināja bērnu. Patiesībā kaut kas jaunekligs un gluži atbruņojošs slēpās tajā, kā viņa pielieca galvu uz vienu pusi, nopētot viņu ar divām žilbinoši zilām acīm.

– Redziet, vislabāk viņām patīk iekost rokā, kas viņas baro.

Belmonta viesnīca atradās Kvīnstrītā Meiferā. Tas bija neliels un izsmalcināts iestādījums, tik diskrēts un līdzīgs visām pārējām šīs ielas mājām, ka viegli varēja paiet tai garām, nemaz neievērojot, ka te atrodas viesnīca. Vienīgi formastērpā ģērbta šveicara klātbūtne, kurš bija novietots pie ieejas durvīm, atšķīra to no citām ēkām.

Šveicars atvēra durvis, Keitai ienākot vestibilā, kas veikli pārvērtās elegantā viesistabā vienā pusē un oficiālā ēdamistabā otrā pusē. Viņa piegāja pie administratora aiz letes.

– Man ir sarunāta tikšanās ar kādu bibliotēkā, – viņa paskaidroja. – Vai varat man, lūdzu, parādīt, kurā virzienā tā atrodas?

– Es varu arī jūs pavadīt. – Viņš izveda Keitu cauri viesistabai, kurā tika pasniegta tēja, un tad pa šauru gaiteni ieveda mazākā, ar ozolkoka paneļiem rotātā istabā.

Alise sēdēja pie neaizkurtā kamīna, vērdamās tā pārogļotajā mutē, dziļi iegrimusi savās domās.

Viņa pacēla galvu, Keitai ienākot iekšā.

– Vai jūs vēlētos tēju? – administrators apjautājās, nolūkodamies no vienas uz otru.

Alise izslējās.

– Nedomāju, ka tas būs nepieciešams.

Viņš viegli palocījās un izgāja.

– Es neciešu, ja mani apkalpo. Nemūžam to neteikšu Džo, taču tādās vietās kā šī es jūtos pavisam neomulīgi.

Keita apsēdās viņai iepretī vienā no klubkrēsliem.

– Kur ir Džo?

– Mana meita ir devusies pastaigā uz visu dienu. Apskata pilsētu. Man Londona šķiet pārāk pieblīvēta. Un es negribu iet iepirkties – man ir viss nepieciešamais. Tātad, – viņa noteica, sakrustodama rokas klēpī. – Jūs esat atgriezusies.

– Jūs zinājāt, ka es atgriezīšos.

Alise pamāja.

– Es zināju, ka beigu beigās kāds to izdarīs. Tikai prātoju, cik ilgs laiks tam būs vajadzīgs. Ko jūs īsti gribat zināt?

– Jūsu meitas uzvārds ir Veitsa, vai ne? Alise Veitsa?

– Kāpēc jūs to jautājat?

Keita izņēma no somiņas *Tiffany* kvīts kopiju un novietoja to uz galdiņa viņu abu starpā.

Alise to paņēma un sarauca pierei, cenzdamās saprast, kas tas ir. Tad viņa pacēla skatienu.

– Kā jūs to dabūjāt?

Keita ignorēja jautājumu.

– Jūs izņēmāt to rokassprādzi. Tas ir jūsu paraksts, vai ne?

Alises acis iepletās.

– Kā jūs to zināt?

– Es to atradu. Vecā apavu kārbā.

– Bet kur? Kā?

– Tā atradās aizslēgtajā istabā. Aiz grāmatām.

– Grāmatām? – Alise pārbrauca ar plaukstu pāri acīm, cenzdamās saprast.

Keita dziļi ievilka elpu un mēģināja vēlreiz.

– Kāpēc Irēna pasniedza savai māsai tik dārgu dāvanu?

– Viņai bija savi apsvērumi.

– Kāpēc?

– Jūs nesapratīsiet.

– Ko es nesapratīšu?

– Mēs darījām to, kas mums bija jādara, – viņa atcirta, piepeši saniknodamās.

– Alise... – Keitas balss bija klusa. – Ko īsti jūs izdarījāt?

Vecā sieviete ilgu laiku nolūkojās uz Keitu. Likās, ka viņā kaut kas iekšēji atslābst, un tas bija redzams. Viņas sejas izteiksme atmaiga, viņa izskatījās saviļņota un apjukusi.

– Jūs man atgādināt viņu. Tādi paši gaiši mati, tāda pati sejas forma. Pirmajā reizē, kad jūs ieraudzīju, man likās, ka es redzu rēgu. Un tas kaut ko nozīmē. Cilvēki aplūko viņas fotogrāfijas un domā, ka viņa bijusi skaista, taču bija jau vēl arī tas, kā viņa kustējās, viņas balss skaņa, un arī tas, kāda viņa bija. Tas bija elpu aizraujoši. Ja viņa atradās telpā, visi pārējie nobālēja.

Keita apklusa.

– Redziet, ne vienmēr bija viegli samierināties ar māsu, kura ir tik skaista. Tik slavena. – Alise pasniedza kvīti atpakaļ Keitai, nespēdama to vairs ilgāk uzlūkot. – Es viņu neaizstāvu. Taču esmu centusies saprast.

– Kuru?

Alise dziļi nopūtās.

– Viņa tik briesmīgi to ienīda. Beigās man likās, ka viņa to nogalinās.

Keitai asinis sastinga dzīslās.

– Ko nogalinās?

– Protams, viņa to neizdarīja. – Alise atkal pagriezās, nolūkodamās uz tukšo kamīna muti. – Taču tikpat labi viņa būtu varējusi to izdarīt.

Sākumā viņš nebija pamanījis to sēžam uz soliņa attālākajā stūrī, atslīgušu daudzos spilvenos. Vecā sieviete bija gluži eleganti ģērbusies gaiši zilos svārkos un pieskaņotā žaketē un turēja klēpī atšķirtu *Le Figaro* numuru. Viņas vaibsti bija maigi, taču izteikti, ar ļoti augstiem vaigu kauliem un baltu matu oreolu, kas ieskāva seju. Un kaut kas gluži neparasts slēpās viņas balsī, klabošajā, mazliet uzsvērtajā izrunā, kas šķita iederamies citā laikmetā. Viņai līdzās uz soliņa atradās neliels skābekļa balons un maska – jādomā, emfizēmai vai astmai.

– Piedodiet, – Džeks sacīja. – Es negribēju jūs iztraucēt.

– Es šīs zivtiņas pazīstu jau ilgu laiku. Uz tām ir patīkami skatīties, taču patiesībā viņas ir visai nešpetnas.

– Paldies par brīdinājumu.

– Vai jums gadījumā neatrastos kāda cigarete?

– Vai jums vajadzētu smēķēt? – viņš apjautājās, pamājot uz skābekļa maskas pusi.

– Man vajadzētu būt mirušai, – viņa atcirta. – Turklāt, – vecā sieviete pasmaidīja, – es smēķēju kopš sešpadsmit gadu vecuma, un man ir bail jums atzīties, cik sen tas bija. Pagaidām smēķēšana vēl nav mani nogalinājusi.

– Nu... – Džeks pavilcinājās, pasniegdamies pēc cigarešu paciņas žaketes kabatā, – ja jūs tā sakāt...

Viņš izņēma cigaretes un pasniedza sievietei vienu, tad parakņājās pārējās kabatās, meklēdams sērkociņus. Sieviete paliecās uz priekšu, pacietīgi gaidīdama. Visbeidzot Džeks bija atradis meklēto un, nošvirkstinājis sērkociņu, pasniedza to viņai.

Dziļi ieelpodama, viņa atzvila krēslā.

– Pateicos jums, – viņa noteica, izbaudīdama garšu. – Svaiga gaisa nozīme tiek pārspīlēta. Ko jūs te esat ieradies apciemot? Vai varbūt jūs esat mēnessērdzīgais, kurš te ieradies, lai pievienotos mūsu jautrajam pulciņam?

Džeks iesmējās.

– Esmu pārliecināts, ka esmu mēnessērdzīgs, bet šajā gadījumā atrodos šeit, lai apciemotu savu tēvu. Viņu sauc Henrijs Koutss. Lai vai kā, man likās, ka te ir aprūpes nams.

– Tā viņi to dēvē tagad. Un Henrijs ir brīnišķīgs! – Sieviete pamāja. – Tik inteliģents cilvēks!

– Nu, šobrīd viņš ir aizmidzis. Skatos, ka jūs lasāt franciski.

– Protams. – Viņa pacēla augšup vienu uzaci. – Un jūs ne?

– Nu, ne tik labi, – viņš atzinās. – Vai tur ir kas interesants?

Vecā sieviete paraustīja plecus un nopūtās.

– Plus *ça change*... Pasaule vienmēr atrodas par mata tiesu no katastrofas. Un, bez šaubām, franči ir visai sajūsmināti par to naudas jautājumu.

– Par eiro?

– Tieši tā. Apvienotā Eiropa. Lasot par to, varētu padomāt, ka šī ir pirmā reize, kad kaut kas tāds ticis ierosināts.

– Tā ir briesmīga doma.

– Dzīve ir pilna ar briesmīgām domām. – Sieviete ievilka vēl vienu dūmu, – viena katastrofa pēc otras.

Džeks sakrustoja kājas.

– Lielbritānija paliks neatkarīga.

– Mums nav izejas – mēs nespējam saprasties pat cits ar citu, nemaz nerunājot par ārzemniekiem. Taču nu gan pietiks. Man riebjas politika un jo īpaši tās kokainās otršķirīgās sarunas, kas par to veidojas. Reliģija nav opijs tautai, bet retorika gan. – Piepeši sieviete sāka klepot – tas bija dziļš, sāpīgs kāss, kas lika viņas trauslajam stāvam sarauties. Pasniegusies pēc skābekļa, viņa aizsedza muti un ieelpoja.

Džeks satraukti lūkojās apkārt, meklēdams kādu, kas varētu palīdzēt.

– Vai man vajadzētu kādu pasaukt?

Sieviete papurināja galvu, un pēc brīža viņas elpas vilcieni atkal kļuva vienmērīgi. Viņa noņēma masku.

– Sakiet, no kurienes jūs esat?

– No Londonas.

– Tiešām? – Viņa paliecās uz priekšu. – Kāda tā ir mūsdienās?

– Steidzīga. Putekļaina. Karsta.

– Kurš gatavo "Mirabellā"?

– Kā, lūdzu?

– Kurš ir šefpavārs?

– Jāatzīst, man nav ne jausmas.

– Jūs neēdat vakariņas ārpus mājas, vai tā?

– Reizi pa reizei.

– Un dejas... vai pēc tam jūs dodaties dejot?

– Nu, ne gluži.

– Kurp tad jūs ejat?

– Kā jau teicu, es nepiederu pie dejotājiem.

– Cik neparasti! – Sieviete nopūtās. – Zināt, jūs man kādu atgādināt.

– Un tas būtu?

– Kādu vīrieti, kuru es dievināju pirms kādiem tūkstoš gadiem. Viņš bija izskatīgs, apburošs un asprātīgs!

– Pateicos. – Džeks pasmaidīja.

– Bez šaubām, viņš bija gejs.

Džeks iesmējās.

– Es īsti nezinu, kā man to vajadzētu uztvert!

– Kā komplimentu. Viņš bija fantastisks sarunbiedrs un vienīgais vīrietis, kuru es patiešām mīlēju.

– Tas droši vien bija sarežģīti.

– Kad gan dzīve nav sarežģīta? Mums bija vienošanās. Es biju viņa putniņš. Bez šaubām, tolaik tas drīzāk bija periods, kam vajadzēja iziet cauri, nekā dzīvesveids.

– Viņa putniņš?

– Tas ir visai vecmodīgs apzīmējums. Jūsu tēvs sapratīs.

– Un kas ar viņu notika?

– To es patiešām nevaru pateikt. Cilvēki zaudē kontaktus. – Vecā sieviete nospieda cigaretes nodeguli un atbalstījās spilvenos, gurdi aizvērdama acis. – Vai jums gadījumā nav līdzi pēdējais *Hello* numurs?

– Piedošanu. Nav vis.

– Skaidrs, ka nē. Tās ir pilnīgas blēņas. Taču man patīk tenkas. Vai jums neliekas, ka karaliene Elizabete ir kļuvusi resna? – Viņa atvēra acis un sāniski viņu uzlūkoja. – Nez vai jūs varētu dabūt vienu numuru, ko?

Endslija
Devonā

1941. gada 25. maijā

Mans dārgais Nik!

Tieši tajā brīdī, kad es biju zaudējusi visas cerības! Mans mīļais, tā ir ārkārtīgi, ārkārtīgi skaista! Un tik grezna! Bez šaubām, tā tik tikko der uz manas rokas locītavas, jo tās tagad ir pārāk uztūkušas, taču es nespēju ne izteikt, kā es raudāju, to ieraugot! Tā ir visizcilākā dāvana pasaulē, un tieši tajā brīdī, kad es jau biju zaudējusi cerības jebkad saņemt no Tevis kādu ziņu! Tu nespēj ne iedomāties, ko tikai es nebiju sadomājusies – ka Tu esi aizgājis bojā Londonas gruvešos vai ka esi aizrauts tālumā... Tu neesi mani aizmirsis, un mana sirds gluži vai dzied no prieka! Nespēju iedomāties, kur Tu ņēmi naudu, un tas mani nemaz neinteresē. Paldies, mans mīļotais! Tūkstošreiz paldies! Lūdzu, atbrauc mani apciemot – es Tevi lūdzu! Un līdz tam es nolūkošos uz savu pietūkušo plaukstas locītavu drosmei! Ak, mans mīļais! Mana visīstākā un saldākā mīlestība! Mēs sāksim visu no sākuma. Viss ir iespējams, Tu redzi, itin viss!

Uz mūžu Tava
Mazā
Bučas

– Viņai, Irēnai, bija divas sejas. Viņa varēja būt neticami apburoša, patiešām, visjaukākā sieviete, kāda jebkad sastapta. Un, kamēr jūs darījāt tieši to, ko viņa vēlējās, viņa jūs dievināja. Bet, ja jūs paspērāt soli nepareizajā virzienā... – Alise pacēla galvu. – Reiz es pieļāvu kļūdu virtuvē ar dažām sudrablietām. Ieliku šķīvi cepeškrāsnī, lai sasildītu, un tas izkusa.

– Džo man pastāstīja šo stāstu.

– Tas bija patiešām muļķīgi. Irēna mēdza par to pasmieties – tas bija viens no viņas iemīļotākajiem stāstiem viesību laikā. Taču viņa to nekad nestāstīja tāpat, tikai tad, ja es biju zālē un apkalpoju viesus. Citu acīs tas viņai lika izskatīties kā vispiedodošākajai, brīnišķīgākajai saimniecei pasaulē. Viņa izlikās, ka nepievērš tam lielu uzmanību, un visi pie galda sēdošie skatījās uz mani, lai redzētu manu reakciju, un pasmējās. Taču man tas likās neizturami. Nespēju ne sagaidīt, kad varēšu iziet no istabas. Un tad kādu vakaru, kad viņa to darīja atkal, es nejauši pacēlu galvu un notvēru viņas skatienu. Un es to redzēju, viņa nepūlējās to noslēpt. Viņa skaidri saprata, cik ļoti tas mani pazemo. Viņa lika man samaksāt par manu neveiklo rīcību, taču viņa to darīja tādā veidā, lai to neuzzinātu neviens cits, tikai es.

– Kāpēc jūs neaizgājāt no darba?

– Es tolaik biju ļoti jauna, man nebija nekādas lielās pieredzes. Man likās, ka viņa izdara man pakalpojumu, mani nolīgstot. Un, kā jau teicu, vienmēr jau viņa nebija tāda. Viņa varēja būt ārkārtīgi apburoša. Un es viņu bijāju. Viņai bija lieli plāni saistībā ar Endsliju. To vajadzēja atjaunot un modernizēt, tai vajadzēja kļūt par apskates objektu. Taču, no otras puses, viņai bija lieli plāni attiecībā uz visu, attiecībā uz savu vīru un uz sevi. Man šķiet, kādu laiku viņa visā nopietnībā domāja, ka viņš varētu kļūt par premjerministru. Taču medus mucā allaž bija viena darvas pile. Mazā. Mazā allaž darīja kaut ko neiespējamu, ko tādu, kas apdraudēja Irēnas godkārīgos plānus. Un, bez šaubām, nekur nevarēja izsprukt no tā, ka Mazā visus fascinēja, jo īpaši vīriešus. Pat Irēnas vīrs bija apburts. Mazā mēdza teikt viņam tieši sejā, ka tad, ja viņai vajadzēšot klausīties vēl kaut vienu sekundi viņa garlaicīgajās runās par politiku, viņa to nožņaugšot ar viņa paša kaklasaiti, un viņš par atbildi tikai pasmējās. Taču Irēna nebūtu uzdrošinājusies tā ar viņu runāt, nemūžam. Viņa dievināja vīru, un viņš to zināja. Taču Mazā dabūja cauri pilnīgi visu, un neviens nepamirkšķināja ne acu. Irēnu tas saniknoja. Viņa bija pārāk lepna, lai atzītu, ka viņas mazajai māsai piemīt tik liela vara. Un sabiedrībā viņa izturējās pret māsu tāpat kā pret nejauku mājdzīvnieku. Taču vienatnē, man šķiet, tas viņu grauza vai nost. Neviens no tiem noteikumiem, saskaņā ar kuriem viņa dzīvoja, neattiecās uz Mazo – viņa bija tik strauja kā sacīkšu automašīna, un šķita, ka nevienam nav iebildumu. Tā tas notiek ar patiesi skaistām sievietēm. Tā vien likās, ka Dievs būtu viņai piešķīris īpašas tiesības.

– Man likās, ka Irēna bijusi ļoti reliģioza.

– Jā. Taču Irēnai vajadzēja, lai arī Dievs ievērotu viņas noteikumus. Un viņai nepatika zaudēt. Tad izcēlās karš. Visi vīrieši aizbrauca. Tad viņa sajutās savā elementā. Viņa vadīja visdažādākos labdarības pasākumus, mācījās par medmāsu un braukāja apkārt, teikdama runas un uzstādamās pa radio, lai uzsvērtu, cik svarīgi ir upurēties kara dēļ un dzīvot atbilstoši kristīgajām vērtībām. Londonā krita bumbas, un Mazā atbrauca paciemoties. Taču viņa bija stāvoklī. Mazā atkal nebija ievērojusi etiķeti, dabūjot to, ko Irēna gribēja, bet nespēja. Tikai šoreiz Irēnai bija priekšrocības. Mazā nekur nevarēja likties, nevarēja pat atstāt māju aiz bailēm, ka kāds varētu viņu ieraudzīt.

Alise apklusa.

– Irēna patiešām gribēja to bērnu. Viņa nekad neko neteica. Taču es zināju. Viņa sāka iekārtot bērnistabu, piepildot to ar rotaļlietām un grāmatām. Izkrāsodama to, lai tā atgādinātu ideālu, zeltainu pasaku valstību. Taču Mazā nejutās labi. Atrašanās tādā noslēgtībā nelīdzēja. Viņai drīzāk kļuva ļaunāk nekā labāk. Un, lai arī viņa mēdza rakstīt garas vēstules, jādomā, ka savam mīļākajam, viņš tā arī neatrakstīja. Irēna pati nesa vēstules uz pastu. Katru dienu Mazā jautāja, vai viņai nekas nav pienācis. Taču nekad nekā nebija. Irēna centās Mazo uzmundrināt, taču dažkārt viņa nemaz necēlās no gultas, tik slikti viņa jutās. Redziet, Mazā bija tā izrīkojusies arī agrāk. Viņa bija sevi savainojusi. Irēnai kļuva bail. Viņa man teica, ka vajagot Mazo uzmanīt. Tāpēc jau viņa nopirka Mazajai rokassprādzi. Viņa to pasūtīja pēc īpašas skices, un piekrastē bija gaisa reids, un viņai pašai bija papildu maiņa slimnīcā. Tāpēc viņa lika man braukt pēc rokassprādzes. Man bija bail, ka man uzkritīs bumba vai ka mani aplaupīs. Un tas veikals! Nekad agrāk nebiju neko tādu redzējusi. Irēna uzstāja, ka man jānosūta rokassprādze no Londonas līdz ar nelielu zīmīti, ko viņa man iedeva. Tas esot ļoti svarīgi, viņa teica. Sūtījumam vajagot būt ar Londonas pastmarku. Jādomā, viņa gribēja, lai Mazā noticētu, ka tas vīrietis, lai kas viņš arī būtu, vēl aizvien viņu mīl. Un viņai tas izdevās. Kādu laiku Mazā bija septītajās debesīs aiz laimes. Un tad piepeši, bez kāda brīdinājuma, viņa pārvērtās. Mēs vācām vecās avīzes. Es sēju tās ķīpās, un Mazā bija tik apaļa, ka varēja palīdzēt tikai vienkāršos darbos. Viņai vajadzēja apstaigāt māju un savākt mūsu atstātos pārpalikumus. Un tad viņa nozuda uz ļoti ilgu laiku. Es sāku raizēties. Un devos viņu meklēt.

Alise aprāva stāstījumu.

– Viņa bija paņēmusi vienu no pulkveža bārdas nažiem. Es vēl nekad nebiju redzējusi tik daudz asiņu.

Keita sajuta, kā pāri ķermenim pārskrien auksti drebuļi.

– Vai viņa nomira?

Alise papurināja galvu.

– Nē.

– Kas notika ar bērnu?

– Redziet... – Alise palūkojās lejup, cieši skatīdamās tukšumā starp savām rokām, – visam vajadzēja notikt nevainojami. Endslijai vajadzēja kļūt par apskates objektu... ne tikai draugiem, bet visai nācijai...

Keita paliecās uz priekšu.

– Es nesaprotu...

– Bērns bija... pāri viņa mazajai sejiņai bija briesmīgs sārts traips.

– Jūs domājat dzimumzīmi?

Alise pamāja.

– Šķiet, ka tā bija ģimenes iezīme.

– Ģimenes? – Keita sarauca pieri. Bet Mazā taču bija tik skaista, tik nevainojama. Un Niks tik klasiski izskatīgs.

Tad viņa piepeši atcerējās veco melnbalto fotogrāfiju uz Irēnas naktsgaldiņa. Irēna un viņas vīrs viens otram līdzās kādā veterānu pasākumā, nepieskaroties. Viņa turēja plāksnīti, un viņš lepni smaidīja, noņēmis cepuri, samiedzis acis spožajā saulē... un tur bija nesaprotams plankums, kas apēnoja viņa sejas labo pusi, tik tikko manāms zem retajiem matiem.

Taču tā nebija ēna.

Tā arī bija dzimumzīme.

Keita atslīga krēslā.

Tas vispār nebija Nika bērns. Viesistabā gaiteņa viņā pusē bija sākusi spēlēt arfiste, atskanēja cilvēku čalas un smiekli. Taču šeit vienīgā skaņa nāca no lielā vectēva pulksteņa, kas vienmuļi tikšķēja stūrī.

– Kas ar viņu notika? – Keita klusi apvaicājās.

– Izcēlās liels strīds. Briesmīgs strīds. Pulkvedis viņu kaut kur aizveda, es nezinu, uz kurieni. Mazā viņu nemaz neieraudzīja. Un tad pēc dažām dienām naktī piebrauca mašīna ar vīrieti... lielu, garu vīrieti. No rīta viņa bija nozudusi.

Keitai bija vēl tikai viens jautājums.

– Alise, vai... vai Mazā vēl aizvien ir dzīva?

– To es patiešām nezinu. Man bija uzticēts viņu pieskatīt. Es nekad neuzzināšu, kas viņai lika tā pārvērsties. Nekad neuzzināšu.

Vecā sieviete izskatījās acīmredzami šī stāsta nomocīta. Viņas pleci saknupa uz priekšu, un gaisma viņas acīs bija kļuvusi blāvāka, itin kā viņa būtu iegājusi dziļāk sevī.

– Tad ko jūs tagad gribat darīt?

– Kā jūs to domājat?

Viņa pacēla galvu.

– Nekad neesmu nevienam stāstījusi to, ko nupat izstāstīju jums, pat savai meitai nē. Vai jūs gribat to pārdot? Vai jūs esat žurnāliste?

– Nē. Skaidrs, ka nē.

– Tad kāpēc?

– Piedodiet?

– Kāpēc pielikt tādus pūliņus, celt augšā tāda cilvēka pagātni, kuru jūs nemaz nepazīstat?

– Piedodiet, es... – Keita aprāvās.

Alise raudzījās viņā, un viņas tumšajās acīs jautās apmulsums un apjukums.

– Es nezinu, – Keita beidzot atzina. – Man nešķiet, ka viņa būtu svešiniece. Patiesībā kādu laiku man likās, ka viņa ir tāds cilvēks, par kādu es gribētu būt.

Melnādains vīrieškārtas kopējs iznira ap stūri, stumdams ratiņkrēslu.

– Piedodiet, ka iztraucēju. – Viņš nozibināja platu, spožu smaidu. – Laiks ēst pusdienas, hercogien. – Tad viņš apstājās, bargi viņu uzlūkodams. – Man šķiet, ka jūs atkal esat smēķējusi, ko?

– Ak, patiešām! – sieviete uzmeta lūpu un pasniedzās, lai pieskartos viņa delmam. – Neesi taču tāds nacists, Semjuel! Turklāt šoreiz tā nemaz nebiju es. Tas bija viņš!

Semjuels paraudzījās uz Džeku.

– Baidos, ka vienīgais, kas man atliek, ir atvainošanās, – Džeks noteica, cenzdamies noslēpt smaidu.

– Viņa jūs pavedināja, vai ne? – Semjuels redzēja cauri viņiem abiem, nošūpodams galvu. – Nedomājiet, ka jums ir izdevies mani apmānīt, hercogien. Turklāt... – viņš to viegli pārvietoja ratiņkrēslā, ielikdams skābekļa balonu viņai klēpī, – man likās, ka esmu vienīgais, kurš jūs piesedz.

– Nu, tu man esi vismīļākais, Semij. – Vecā sieviete viņam uzsmaidīja. – Taču es nekad neesmu solījusies būt uzticīga. Starp citu, cik ir pulkstenis?

Viņš ielūkojās savā rokaspulkstenī.

– Gandrīz pusdivi.

– Aiziet. Mēs varam pastrīdēties vēlāk.

– Labi, – Semjuels piekāpīgi noteica.

Sieviete sarauca pieri, un viņas balsī ieskanējās steiga.

– Es negribu nokavēt.

– Mums vēl ir daudz laika.

Džeks piecēlās.

– Bija patīkami aprunāties.

Sieviete satvēra viņa plaukstu.

– Jums nāksies man piedot. Man ir jāiet. Es kādu gaidu.

– Jā, jā, protams.

Džeks noskatījās, kā Semjuels stumj viņu pa ratiņkrēsliem paredzēto uzbrauktuvi ēkas sānos un tad cauri divviru durvīm. Viņa bija tik savāda būtne, nepavisam ne tāda, kādiem Džeka priekšstatos vajadzēja būt aprūpes nama iemītniekiem.

Viņš iebāza roku kabatā, meklējot cigaretes, tad pārmeklēja galdu un soliņu. Tās bija pazudušas.

Dodamies uz durvju pusi, viņš jau dzīrās mērot ceļu atpakaļ uz tēva istabu, kad piepeši apstājās pie medmāsu posteņa. Viņš parakņājās kabatās vēlreiz, šoreiz meklējot sīknaudu.

– Atvainojiet, vai te neatradīsies kāds taksofons, ko es varētu izmantot?

Metro vagons šūpojās no vienas puses uz otru, logi bija atvērti. Sastrēgumstunda bija beigusies. Keita sēdēja viena pati pirmajā vagonā, ielikusi somu klēpī. Saburzītas avīzes plivinājās pa tukšo eju kā pilsētas ūdenszāles. Lielākie virsraksti bija veltīti kārtējiem jaunumiem no Briseles un likuma divdesmit astotā panta atcelšanai, aizstāvot geju tiesības.

Keita nolūkojās uz tumšo tuneli. Viņas saruna ar Alisi bija atstājusi viņā vilšanās un bezcerības mieles. Keitai tik ļoti bija gribējies uzzināt patiesību. Tagad viņa to zināja, bet tā vietā, lai liktu viņai sajusties mierīgākai un apņēmīgākai, šī patiesība bija viņu izsūkusi un laupījusi ilūzijas. Par spīti spožumam un skaistumam, Mazā bija izrādījusies aizstājama.

Vilciens nozvārojās pagriezienā. Vēl viena avīze noplivinājās pa eju, vēja nesta. Tā piezemējās Keitai priekšā. Izpārdošanas šogad atkal bija sākušās agri. Un tā rudā aktrise no "Īstendiešiem" gatavojās precēties. Vai tās viņai bija pirmās vai otrās laulības?

Keita cieši uzlūkoja jaunās, smaidošās aktrises fotogrāfiju. Tā viņai kaut ko atgādināja: ko tādu, ko viņa noteikti bija redzējusi, tikai nebija īsti aptvērusi. Atvērusi somu, viņa izņēma ārā apavu kārbu. Keitai bija sajūta, ka vajag to paņemt līdzi katram gadījumam. Taču beigu beigās viņa to nebija nevienam parādījusi, vismazāk jau nu Alisei.

Nocēlusi vāku, viņa attina kurpes. Tikai šoreiz tā vietā, lai pievērstos priekšmetiem, viņa izgludināja saburzīto veco avīzi. Vienā pusē bija publicēti sludinājumi – kažokādu glabāšana, jostas svara nomešanai un veselības eliksīri. Viņa to apgrieza otrādi.

Gluži kā kameras objektīvs, kas pamazām fokusējas, piepeši viss neskaidrais un bezformīgais ieguva skaidrību.

Bez šaubām. Alise un Mazā todien vāca kopā avīzes. Līdz Mazā neatgriezās...

Cik daudzas reizes viņa bija to turējusi rokās, tā arī neieraudzīdama saistību?

Vilciens apstājās stacijā.

Tas bija *The Times* tūkstoš deviņi simti četrdesmit pirmā gada trešā jūnija eksemplārs, dzimšanas un laulību sadaļa.

Lapai pa vidu bija sešas rindiņas garš paziņojums.

"Nikolass Vobērtons un viņa jaunā līgava, kanādiešu naftas magnāta mantiniece Pamela van Outena apprecējās civilā ceremonijā Sentdžeimsa baznīcā vakar pēcpusdienā. Līgavas vecāki viņiem pievienojās pusdienās "Kleridža" viesnīcā, pirms doties caur Čikāgu uz Ontārio, kur viņi nolēmuši apmesties."

Durvis aizvērās. Vilciens iebrauca melnā un necaurredzamā tunelī.

Nevajag daudz, lai mainītu cilvēka dzīves ritumu. Tikai dažas rindiņas avīzē.

Atgriezies tēva istabā, Džeks ieraudzīja, ka viņš ir pamodies, uzlicis lasāmbrilles un pāršķirsta nokopētās lapas. Rakstāmpults atradās viņam klēpī. Kad Džeks ienāca iekšā, viņš pacēla galvu.

– Tēt.

– Sveiks, – tēvs pasmaidīja, nolūkodamies uz dēlu pāri briļļu augšējai malai. – Kādu brīsniņu neesam redzējušies, dēls.

– Jā, par daudz ilgi, par daudz ilgi. – Džeks pasniedzās un saņēma tēva plaukstu. – Man tevis pietrūka.

– Ak tā gan? – Henrijs saspieda viņa plaukstu. – Nu, te nu tu esi. Beidzot.

– Te apkārt ir patīkami. Vai tev te patīk?

– Var iztikt. Un paldies tev. Redzu, ka esi man sagādājis kaut ko, kas varēs mani izklaidēt.

– Nujā... – Džeks atkal iekārtojās uz gultas malas, – man bija darbs Devonā, un tur es tam uzdūros. Endslijā. Vai tu to pazīsti?

– Nē, taču pēc materiāla redzu, ka tā ir saistīta ar māsām Blaitām.

– Tieši tā.

– Tā ir laba manta. Labas kvalitātes koks un inkrustācijas. Kas tas par laiku? Karalienes Viktorijas laikmets?

– Jā.

– Un tu to nopirki man?

– Patiesībā, – Džeks juta, ka piesarkst, – es to nopirku kādam citam.

– Sievietei? – viņa tēvs izsecināja.

– Jā. Sievietei. Viņa ir jo īpaši ieinteresējusies par māsām Blaitām.

– Un tu centies atstāt uz viņu iespaidu.

Džeks pamāja.

– Bez šaubām.

– Tu to esi darījis arī agrāk. Šķiet, es atceros kādu spoguli pirms dažiem gadiem.

– Nujā, šī meitene ir savādāka.

– Viņas visas ir savādākas. Mēs esam tie, kas paliek tādi paši.

– Nelaime tikai tāda, ka tas sasodītais priekšmets ir aizslēgts.

Džeka tēvs nolika lapas un apgrieza pulti otrādi.

– Paskatīsimies, ko mēs varam darīt. – Viņš koncentrējās, pārlaizdams pirkstus pāri pults apakšai. – Dažreiz tādām mantām ir slēpti paneļi... Starp citu, cik ilgi tu jau te esi?

– Ne pārāk ilgi. Es biju izgājis dārzā. Papļāpāju ar kādu sīciņu vecu sievieti.

– Tev jāizsakās konkrētāk. Te ir pilns ar sīciņām vecām sievietēm.

– Tas tiesa. – Džeks pasmaidīja. Viņš acīmredzami bija ieradies vienā no tēva labajām dienām. – Taču šī konkrētā bija... nezinu, kā lai viņu raksturo... ļoti neparasta. Viņai bija ļoti zilas acis un ārkārtīgi neparasts runasveids. Viņa runāja gluži kā tēls kādā Noela Kovarda lugā.

– Ak tā! Hīlijas kundze.

– Vai tas ir viņas uzvārds?

Henrijs apgāza pulti uz sāniem.

– Vai viņa lasīja franču avīzi?

– Jā, tā ir īstā!

– Viņa apbur ikvienu. Pasniedz man to vēstuļu nazi, labi? To, kas ir uz galda.

Džeks paņēma vēstuļu nazi un pasniedza to tēvam.

– No kurienes viņa ir?

– Neviens to īsti nezina. Tā vien šķiet, ka viņa te atrodas mūžīgi. – Henrijs iebīdīja vēstuļu nazi sīkā atvērumā vienā stūrī. – Tika nosūtīta šurp kara laikā sakarā ar aizdomām par tīfa pārnēsāšanu un gadiem ilgi turēta atsevišķā palātā. Tas bija vēl pirms antibiotikām, kad cilvēkus turēja karantīnā. Šķiet, viņai tika diagnosticētas halucinācijas, varbūt pat šizofrēnija. Tomēr, godīgi sakot, man viņa allaž ir likusies pie pilnas saprašanas, lai arī mazliet afektēta.

– Tu gribi teikt, ka viņa te atrodas vairāk nekā piecdesmit gadus? Vai viņai nav neviena ģimenes locekļa?

Henrijs papurināja galvu.

– Ja arī ir, viņa neko nevēlas par viņiem zināt.

– Tas ir pārsteidzoši!

– Viņa nāk no cita gadsimta, Džek. Un no citas šķiras. Prom no acīm, ārā no prāta.

– Bet viņa teica, ka kādu gaidot! – Džeks piecēlās un pieturēja rakstāmpults augšdaļu, lai tā nešūpotos.

– Jā, viņi visi tā saka. Hīlijas kundze vienmēr kādu gaida. Jau gadiem ilgi.

Džeks noskatījās, kā tēvs iespiež papīra nazi spraugā un viegliītēm virza to uz eņģes pusi aizmugurē. Pults sāka krakšķēt, tad pēkšņi aizmugurējā eņģe nodrebēja, atsprāgdama vaļā vienā gabalā, atstājot pulti neskartu.

– Kur tu esi to iemācījies? – Džeks apjautājās.

– Vecs amata noslēpums. – Henrijs atvēra pulti. – Sveiki! Kas tad tas?

Kad Keita ieradās mājās, viņa nolika savu somu priekšnamā. Tā noslīdēja no pleca, ar būkšķi noveldamās uz izbalojušā zaļā paklāja. Viņa bija ar tādu rūpību izturējusies pret kārbu, pret iekšā ievietotajām lietām. Taču tagad viņai gribējās attālināties no tās un aizmirst šo notikumu.

– Hallo? Hallo?

Keita cerēja, ka Reičela būs mājās, taču viņa bija izgājusi. Viņas dzīvoklis bija tukšs. Un tā nebija pirmā reize, kad Keitai tas likās pārblīvēts, pārāk tumšs un sastindzis laikā. Uzreiz pēc atgriešanās no Ņujorkas tas viņai bija šķitis mierinošs. Tagad dzīvoklis likās pārāk liels un pat mazliet smieklīgs vienam cilvēkam.

Viņa iegāja virtuvē, atvēra ledusskapi un pārbaudīja krājumus, lai arī nebija izsalkusi. Aizvērusi ledusskapi, viņa piepildīja tējkannu, kustēdamās mehāniski, kā sastingusi: ieslēdza tējkannu, lai arī tase tējas bija pēdējais, ko viņai kārojās. Keita pati nezināja, ko vēlas. Varbūt to, kā šeit nebija. Viņa nespēja to atrast. Un viņa vairs nezināja, kur meklēt.

Uz virtuves galda atradās zīmīte.

"Džeks zvanīja, kamēr tu biji izgājusi. Atstāja automātiskajā atbildētājā ziņu, kuru es nesaprotu – varbūt tas ir kāds privāts joks? Viņš tikai pateica: *"Vairs nekādu aizbildinājumu, Keitij.""*

Viņa nolūkojās uz to.

Pārlasīja vēlreiz.

Tējkanna vārījās.

Keita apsēdās.

"Vairs nekādu aizbildinājumu."

Tas bija uzrakstīts uz telefona rēķina, kura samaksas termiņš bija nokavēts jau pirms diviem mēnešiem.

Aizvērusi acis, Keita saglabāja šo brīdi savā atmiņā, sajuzdama, kā viss viņas ķermenis iesilst.

Liktenis varēja atjaunot viņas sirdi tikpat ātri, cik bija to saplosījis.

Henrijs izņēma ārā vairākas cieši sasietu vēstuļu paciņas, kas bija saņemtas ar auklu. Papīrs bija trausls un nodzeltējis no vecuma, rokraksts plašs un izteiksmīgs, bet tinte izbalējusi. Viņš pasniedza visu ķīpu Džekam. Dažas bija atvērtas, saliktas kopā, kamēr citas vēl aizvien aizzīmogotas, it kā nekad nebūtu iemestas.

Džeks atbīdīja auklu, lai aplūkotu adresi uz tās kaudzītes, kurā atradās vēl aizvien aizzīmogotās, tās pāršķirstot. Ikviena bija adresēta "God. Nikolasam Vobērtonam, Belmonta, Meifēra, Londona".

– Žēlīgā debess, tēt!

– Jā, – Henrijs domīgi nobraucīja zodu. – Jā. Tieši tā.

– Tā ir privāta sarakste. No māsām Blaitām.

– Visas, izņemot šo. – Henrijs pasniedza Džekam neatvērtu vēstuli. – Uz tās ir pavisam cits rokraksts.

Džeks to paņēma, neticīgi samirkšķinādams acis.

– Vai tu saproti, kam mēs esam uzdūrušies?

– Jā, šķiet, ka saprotu gan. – Henrijs paraudzījās uz dēlu, un viņa acīs bija jaušams priecīgi satraukts mirdzums. – Jautājums ir tāds: vai tas atstās vajadzīgo iespaidu uz tavu draudzeni?

Greithausa
Ontārio Kanādā

1941. gada 15. septembrī

Manu dārgo meitenīt!

Neesmu saņēmis no Tevis ziņas tik ilgu laiku, un šis ir mans pēdējais mēģinājums sazināties ar Tevi. Sūtu šo vēstuli Tavai māsai, tāpēc ka esmu izmēģinājis visas pārējās adreses, kādas vien varēju iedomāties, un neviens, neviens no tiem, ko es pazīstu, nevarēja man pateikt, kur Tu atrodies.

Es labi saprotu, ka Tu jūties vīlusies manī, varbūt ienīsti mani pārāk stipri, lai atbildētu, un šī vēstule ir rakstīta veltīgi, un tomēr man ir jāizmēģina vēl vienu reizi. Nekad nebiju domājis, ka man nāksies to rakstīt. Lūdzu, tici man, kad es saku, ka man bija neizsakāmi grūti izšķirties par šādu rīcību. Ja būtu kāda cita iespēja, es tā nerīkotos. Taču viņi mani pieķēra, mana dārgā, situācijā, kuru es Tev neaprakstīšu, lai aiztaupītu sāpes. Un sods šoreiz būtu neizbēgams. Man vajadzēja aizbraukt no valsts, mana mīļā, vai iet cietumā. Un vienīgā iespēja bija vienoties ar otru vienīgo man pazīstamo sievieti, kura spēja mani saprast un bija gatava laikus izvest no valsts.

Es viņu nemīlu. Esmu mīlējis tikai vienu sievieti savā mūžā, un tā esi Tu. Taču es nevaru iet cietumā. Tas nav nekas labs – neesmu pietiekoši drosmīgs, lai to darītu.

Es neesmu Tevis cienīgs. Es to zinu. Vienmēr esmu zinājis. Kopš pašas pirmās reizes, kad es tevi ieraudzīju raudošu tajā Parīzes viesnīcā, esmu juties saistīts ar Tevi. Es Tev nekad neesmu stāstījis, ka mazliet pastāvēju, Tevi vērojot, pirms pienākt klāt. Patiesībā es vēl nekad nebiju redzējis nevienu tik skaistu meiteni, kura tik absolūti, tik apburoši neapzinātos savu skaistumu. Un, kad Tu sāki runāt un Tavas domas spruka pāri Tavām lūpām savā ierasti atbruņojošajā veidā, es bez kādas šaubīšanās sapratu, ka esmu atradis dvēseles radinieci, savu smalkāko, pilnīgāko "es". Lai arī Tu toreiz vēl biji gluži bērns, man bija vajadzīga visa iespējamā paškontrole, lai Tevi atstātu. Un man ir vajadzīga visa iespējamā paškontrole, lai atstātu Tevi tagad.

Mana mīlestība pret Tevi vienmēr bijusi tik lielā mērā, tik briesmīgi nepilnīga manis paša nepilnīgās eksistences dēļ: man tik ļoti gribētos izraut šo daļu ārā no sevis un piespiest to pakļauties. Kas gan es esmu par radību, ja daru pāri vienīgajam cilvēkam, kuru mīlu vairāk par visu? Par spīti visiem saviem skaistajiem vārdiem, es zinu, ka Tev klājas labāk bez manis. Manas jūtas ir kompromitējoša, netīra apsēstība, kas sabojā visu, kam pieskaras. Es nevaru tai ļaut samaitāt Tevi.

Un tomēr – vai Tu varētu man piedot?

Man nav nekādu tiesību no Tevis to prasīt, bet, ja tā, lūdzu, atsūti man kaut vārdiņu. Es atgriezīšos pie Tevis. Sameklēšu tevi. Panākšu šķiršanos, un mēs sāksim visu no sākuma kādā citā šīs plašās, rētainās pasaules stūrītī. Redzi, kā jau Tu allaž esi teikusi, dzīve ir ilgstošu katastrofu sērija. Jo īpaši, ja cilvēkam, kā tas ir manā gadījumā, piemīt kāds ļoti liels, ļoti izteikts netikums. Taču es atdotu visu, lai pavadītu savu atlikušo dzīvi, klibojot Tev līdzās.

Nav tādas manas būtības daļas, kas nesarautos un neietu bojā bez Tevis. Nav neviena brīža, kad es nenožēlotu gaisu, kuru elpoju. Esmu nepiemērots, pilnīgs neveiksminieks savos centienos mīlēt, un tomēr es mīlu Tevi. Neprātīgi. Muļķīgi. Tik neveikli un tik alkatīgi, un tik bezcerīgi kā bērns. Un pat par visām pasaules bagātībām es neļaušu Tev noticēt, ka tā nav.

Es esmu satriekts līdz sirds dziļumiem.

Niks

Gaiss bija kļuvis vēsāks, un tajā jautās lietus apsolījums. Pagaidām vasara bija izrādījusies fantastiska, viskarstākā vēsturē. Un tomēr tas bija atvieglojums, kad neizturamais karstuma un saules spožums atlaidās. Tas ir nostalģisks maigums, smalkums, kas piemīt īstai Anglijas vasarai. Tas ir kas trausls, gaistošs, drīzāk parādība nekā īsts notikums. Zāle bija mikli smaržīga, un pirmās kritušās lapas gurkstēja zem cilvēku kājām, tiem ejot garām Praimrouzhilas soliņam. Keita savilka jaku ciešāk ap pleciem.

Bija vakars. Saules riets bija pakāpenisks: tā izbaloja, ļaujot debesīm iekrāsoties sārtos un lavandas toņos, izplūstot tumši zilās svēdrās. Ņujorka bija pazudusi un aizmirsta. Londona izklājās viņas priekšā – vecāka, sarāvusies, paradoksu un visu to pazīstamo vēsturisko ainavu iezīmēta, kuru aprises neskaidri vīdēja tālumā.

Piepeši pakalnu šķērsoja divi balti labradori, gandrīz mirdzot iepretī satumsušajam apvārsnim, vajājot viens otru. Keita nespēja neuzsmaidīt viņiem, nespēja neapbrīnot viņu bezgalīgo aizrautību, viņu jautro nevērību pret visu, kas nebija šis konkrētais brīdis.

Un tiem aiz muguras nāca Džeks, tuvodamies viņai no kalna piekājes.

Daži cilvēki izraisa vilšanos, satiekot pēc kāda laika. Iztēle izveido neiespējamu tēlu, kuram realitāte nespēj līdzināties. Taču, kamēr Keita vēroja, kā Džeks tuvojas, viņa sajuta fizisku drošības sajūtu un prieku, kas pārsniedza visu gaidīto.

Džeks nostājās viņas priekšā, mazliet aizelsies pēc kāpšanas, uzmetis plecā somu.

Keita pielieca galvu.

– Koutsa kungs.

– Keitij. – Viņš apsēdās tai līdzās, uzmanīgi nolikdams savu somu pie kājām, un pagriezās, uzlūkodams viņu ar platu zinātāja smaidu.

– Kas ir? – viņa iesmējās, piepeši sajuzdamās neveikla.

– Noskūpsti mani.

– Ko? – Viņas sirds iepukstējās straujāk, un piepeši Keita sajutās kādus divpadsmit gadus veca. – Tik vienkārši? Noskūpsti mani?

Taču, pirms viņa paguva teikt vēl kaut ko, Džeks pievilka viņu sev klāt, pārklādams viņas muti ar savējo.

Džeks skūpstīja viņu maigi, lēni, viņas plakstiņus, vaigus, slaido kakla izliekumu. Viņa skūpstīja Džeka virsdeguni, viņa zodu, pievilkdama viņu tuvāk, atbrīvodamās viņa apskāvienos, līdz skūpsti kļuva spēcīgāki, ilgāki, alkatīgāki, un viņiem nācās atrauties vienam no otra.

Suņi nu bija noguruši un iekārtojušies zālē, saritinoties viens otram apkārt un izveidojot spurainu valni.

– Vai tu esi izsalkusi? – viņš apjautājās, saņemdams sevi rokās.

– Labi. – Viņa pamāja, atkal savilkdama jaku ap pleciem. – Protams.

– Kā parasti, mana mīļā?

Viņa pasmaidīja.

– Jā, mīļais.

Viņi abi piecēlās.

– Vai esmu palaidusi kaut ko garām, Koutsa kungs? – viņa klusi apjautājās, piespiezdama galvu viņa plecam.

Džeks pagriezās, lai ielūkotos viņai acīs.

– Vairs nekādu aizbildinājumu. – Viņa seja bija nopietna, skatiens apņēmīgs un tiešs. – Vairs nekādu aizbildinājumu.

– Nu tad labi, – viņa piekrita, zinādama, ka atkāpjas no iekšējas kraujas. Tikai šoreiz viņa nespēra soli bezdibenī. Pamats zem kājām bija stingrs, īsts. Un tāpēc jo satraucošāks. "Nekādu aizbildinājumu."

– Ak jā, un man ir kaut kas, ko es gribu tev uzdāvināt. – Džeks pabungoja pa savu plecu somu. Viņa sejā atkal parādījās tas pats smaids. – Man šķiet, tev tas patiks.

– Tagad arī?

– Ak, mana mazā mājienu pavēlniece!

Viņi devās lejā, uz grieķu restorānu Rīdžentparkroudā.

Keita apstājās.

– Bez šaubām, mēs katrā laikā varam pasūtīt... ko pasūtīt... vēlāk.

– Es gatavoju pasaules klases olas.

– Pierādi to.

Džeks pasniedza viņai roku.

– Turies pie manis, Keitij.

– Jā. – Viņa to satvēra. – Jā, es labprāt.

Viņi neizskatījās neparasti, nepavisam nē. Tikai kārtējais pārītis, tāpat kā pusducis citu pāru šajā vakarā, kas devās cauri parkam pa ceļam uz mājām. Tomēr neviens nespētu uzminēt, ko viņiem tas maksāja – atrasties šeit un runāt maigi un ķircinoši.

Tāpēc ka mīlēt.

Atkal.

Allaž būs visdrosmīgākā un bīstamākā rīcība no visām.

Autores piezīme

Es gribētu atzīties un dalīties ar lasītājiem vairākos iedvesmas avotos, kas mani pamudināja uzrakstīt šo grāmatu. Pirmais man ir vissvarīgākais, galvenokārt tāpēc, ka tas skar kādu man dārgu draugu.

Apmēram pirms gada man radās doma uzrakstīt romānu, kurā nepakļāvīga varone mūsdienu Londonā uzduras noslēpumam, kas ir saistīts ar spožu jaunu debitanti no divdesmito gadu beigām, un stāstījuma gaitā viņu dzīves un izvēles sāk ritēt paralēli viena otrai. Mani bija ieintriģējusi arī doma padarīt par stāstījuma vidi Viktorijas un Alberta muzeju, galvenokārt tāpēc, ka tā man šķita ārkārtīgi fascinējoša un izteiksmīga celtne.

Saskaņā ar manu godkārīgo plānu galveno varoni vajadzēja paaicināt palīgos veikt muzeja inventarizāciju, kuras gaitā viņa atrastu vēstuli (vai kādu tikpat noderīgu lietu), kas pamudina viņu sākt darboties, atklājot otras sievietes dzīvi, turklāt visām "norādēm", kas palīdzētu noslēpumu atrisināt, vajadzēja atrasties redzamās vietās – izstādītām Viktorijas un Alberta muzeja plašajās kolekcijās. Piemēram, dizainera kleita, kuru debitante valkājusi nozīmīgā vakarā, būtu izlikta apskatei modes nodaļā, pēc pasūtījuma gatavota rokassprādze paslēpta dārglietu nodaļā, provokatīvs portrets fotogrāfijas nodaļas arhīvā un tā tālāk. Es biju sajūsmā par savu šķietami lielisko ieceri.

Taču, sākot rakstīt, mani ātri vien nomāca Viktorijas un Alberta muzeja mērogi, pētījumu apjoms tik dažādās nodaļās un sfērās, un uzdevums radīt aizvien pieaugošu tēlu pulku, kas neizbēgami radās, rakstot par šāda lieluma nacionālo institūciju. Man gribējās, lai grāmata būtu strauja, viegli risināma mistērija. Tā vietā es cīnījos ar aizvien lielāku paskaidrojumu klāstu un ainām ar gluži nevēlamu pūļa līdzdalību.

Kādu vakaru es gaudos savai draudzenei no rakstnieku brālības Anabelai Džailzai pa telefonu. "Nespēju viņus visus kontrolēt," es sūrojos. "Zini, kas tev ir vajadzīgs?" viņa ierosināja. "Tev tas viss ir jāsašaurina. Tev nav vajadzīgs muzejs – tev ir vajadzīgs kas vieglāk regulējams, piemēram, apavu kārba." Viņa apklusa. "Patiesībā man ir viena apavu kārba." Tad viņa sāka smieties. "Kā tev patiks īsts izaicinājums?"

Pēc nedēļas mēs satikāmies Londonā, un viņa man pasniedza trauslu apavu kārbu, kuru bija uzgājusi pirms vairākiem gadiem. Tā nāca no trīsdesmitajiem gadiem, un tajā atradās sīciņas, sidrabotas deju kurpes ar cilpiņām. Vēlāk es atklāju, ka zem avīzes viņa bija izgudrēm paslēpusi vairākus savstarpēji nesaistītus priekšmetus, tai skaitā izskatīga jūrnieka fotogrāfiju, brīnišķīgu *Tiffany* rokassprādzi un žetonu no viņas meitu internātskolas. (Tur bija arī karotīte, mazliet mežģīņu, broša tauriņa veidolā un vēl daži priekšmeti, kurus es nespēju ievīt savā stāstā. Es patiešām mēģināju rakstīt par karotīti, taču tas izrādījās jo īpaši sarežģīts uzdevums.) "Un tagad," viņa mani izrīkoja savā vispiemērotākajā skolas vecākās tonī, "tu vari izmantot visus vai dažus priekšmetus jebkādā veidā, kā vien tev tīk. Taču tiem ir jāpalīdz atrisināt tavu noslēpumu. Jā, un tev netiek ļauts aplūkot kastē esošos priekšmetus, kamēr tu nebūsi tikusi līdz tai vietai savā stāstā, kur tava galvenā varone tos atrod. Tad tas patiešām būs pārsteigums!"

Un tā arī bija.

Tā grāmata sākās patiesībā. Protams, Anabelai bija taisnība. Man nevajadzēja veselu retu dārgumu kolekciju, kas izstādīta vienā no pasaules lielākajiem muzejiem. Apavu kārba bija reālāka un daudz cilvēcīgāka. Viens no viņas daudzajiem talantiem kā draudzenei ir spēja tikt garām manai grandiozajai iecerei un saskatīt pašu lietas būtību.

Irēnas un Diānas "Mazās" Blaitu tēlus iedvesmoja daudzi labi zināmi avoti – māsas Mitfordes, Zita Jungmane, māsas Kursonas, Telma Fērnesa, vikontese Fērnesa un Glorija Morgane Vanderbilta. Šīs sievietes ir iedvesmojušas daudzus ar savu skaistumu un paradoksālo dabu, un es neesmu pirmā, kuru viņas ieintriģējušas. Tomēr galīgās atklāsmes šajā grāmatā iedvesmoja divi neparasti patiesi stāsti nacionālajā presē.

Pirmais parādījās neilgi pēc karalienes Mātes nāves, divtūkstoš otrā gada aprīlī, kad tika atklāts, ka divas viņas pirmās pakāpes māsīcas, Katrīna un Nerisa Bousas-Lajonas, godātā Džona Herberta Bousa-Lajona (viņš pats bija Stratmoras un Kingornas grāfa un karalienes Mātes brāļa otrais dēls) un godātās Fenellas Hepbērnas-Stjuartes-Forbsas-Trefūzas meitas, bijušas ieslodzītas Karaliskajā Ērlsvortas slimnīcā Redhilā, Sarejā, aptuveni sešdesmit gadu garumā. Viņas iestājās psihiatriskajā slimnīcā piecpadsmit un divdesmit divu gadu vecumā tūkstoš deviņi simti četrdesmit pirmajā gadā. Tika apgalvots, ka abām piemitusi nopietna garīga atpalicība. Ģimene tik ļoti kaunējās par atpalikušiem bērniem, ka Nerisa tika reģistrēta Bērka dižciltīgo sarakstā kā mirusi tūkstoš deviņi simti četrdesmitajā gadā, bet Katrīna – kā mirusi tūkstoš deviņi simti sešdesmit pirmajā gadā. Tādā veidā viņas vienkārši pārstāja eksistēt. Ģimenes locekļi reti viņas apmeklēja, un karaliskā ģimene nekad viņas nav atzinusi.

Vēlāk abām pievienojās vēl trīs viņu pirmās pakāpes māsīcas, viņas visas bija atzītas par garīgi atpalikušām. Godātās Herietas Hepbērnas-Stjuartes-Forbsas-Trefūzas un majora Henrija Nevila Feina meitas Indoneja Feina (kuru apkalpotāji bija iesaukuši par Mazo), Eteldreda Flāvija Feina un Rozmarija Džīna Feina, tika ievietotas Karaliskajā Ērlsvudas slimnīcā visas vienā dienā. Kad Nerisa nomira astoņdesmito gadu vidū, viņa tika apglabāta Redhilas kapsētā (sākotnēji tur atradās tikai plastmasas plāksnīte ar sērijas numuru, kas apzīmēja viņas kapu, taču tagad ir uzlikta kapa plāksne). Katrīna (kuru darbinieki bija iesaukuši par Lēdiju) pēc tam tika pārvietota uz Ketvinhausu – aprūpes namu garīgi atpalikušajiem, kur viņai pievienojās arī Indoneja.

Ketvinhausa galu galā tika slēgta divtūkstoš pirmajā gadā pēc izteiktajām aizdomām par pacientu seksuālu, fizisku un finansiālu izmantošanu. Par Katrīnas Bovusas-Lajonas uzturēšanos Ketvinhausā tika maksāts no Nacionālā veselības aizsardzības dienesta kabatas, kaut viņas ģimene bija bagāta.

Šķiet, ka Katrīna vēl aizvien ir dzīva un uzturas kādā vārdā nenosauktā aprūpes namā Sarejā.

Otrs stāsts ir jaunāks. Divtūkstoš astotā gada jūlijā tika atklāts, ka vairāk nekā četrdesmit sievietes, kuras slimoja ar tīfu, bija uz mūžu ieslodzītas lielajā karalienes Viktorijas laiku sarkano ķieģeļu psihiatriskajā klīnikā Longrovā Epsonā, Sarejas grāfistē, laikā no tūkstoš deviņi simti septītā līdz tūkstoš deviņi simti deviņdesmit otrajam gadam. Tika ziņots, ka par spīti tam, ka uzņemšanas brīdī viņas bijušas pie skaidra saprāta, daudzas zaudējušas prātu ieslodzījuma dēļ, lai arī dažas saglabājušas pilnīgu apziņas skaidrību par spīti izciestajām grūtībām. Daudzām bija ģimene, darbs un bērni, tomēr visi viņas bija aizmirsuši un ieslodzījuši cietumam līdzīgos apstākļos, dažas pat uz laiku līdz sešdesmit gadiem. Neskatoties uz antibiotiku uzvaras gājienu piecdesmitajos gados, sievietes tika paturētas ieslodzījumā visu atlikušo dzīvi, jo viņu garīgā veselība bija sašķobījusies. Šī informācija nāca gaismā tikai tad, kad pētnieki uzgāja divus sējumus ar reģistriem vecajā ēkā ilgi pēc tās slēgšanas.

Ceru, ka šie postskripti ir izrādījušies noderīgi. Kā redzat, rakstīšanas process man nozīmē sarežģītu plānu sastādīšanu, jau iepriekš paredzamas neizdošanās un pa kādam dievišķīgam atrisinājumam. Ja esmu pieļāvusi kādu kļūdu saistībā ar vēsturiskajiem faktiem, es atvainojos jau iepriekš un varu apgalvot, ka tas nav darīts tīši. Esmu ārkārtīgi pateicīga, ka manas grāmatas lasa, un ka man ir dota milzīgā privilēģija būt autorei, kuras darbus izdod. Nespēju ne sagaidīt, kādas neprātības atnesīs nākamā grāmata, tāpēc, ja kādam ir interesantas apavu kārbas, kas mētājas apkārt bez darba, nevilcinieties tās piepildīt un nosūtīt uz manu adresi!

Ketlīna Tesaro

Ketlīna Tesaro

DEBITANTE

Redaktore Vita Baumgartena
Korektore Anija Brice
Maketētājs Igors Iļjenkovs
Atbildīgais sekretārs Igors Iļjenkovs

"Apgāds "Kontinents"",
LV–1050, Rīgā, Elijas ielā 17, tālr. 67204130.
Apgr. formāts 130x200. Ofsetiespiedums.
Iespiesta un iesieta SIA "Jelgavas Tipogrāfija",
LV–3002, Jelgavā, Langervaldes ielā 1A.

K. Tesaro
Te760 Debitante / No angļu val. tulk. Gunita Mežule. – R., "Apgāds "Kontinents"". – 400 lpp.

Divi svešinieki satiekas mākslas priekšmetu pasaulē. Starp diviem kariem Endslijas muiža ir bijusi Lielbritānijas slavenāko un skandalozāko māsu Irēnas un Diānas Blaitu patvērums.

Romāna galvenā varone, talantīga māksliniece, atrod senu priekšmetu kolekciju, rūpīgi noslēptu smalkā kurpju kastē... Nezināmas alkas uzvirmo mūsdienīgās sievietes dziļākajā būtībā, uzvedinot uz personīgi nozīmīgiem atklājumiem...

ISBN 978-9984-35-578-8

Informāciju par šo grāmatu vairumtirdzniecību
var iegūt pa tālruni 67204130.